# *El Manual de* BILLY GRAHAM PARA OBREROS CRISTIANOS

UNA GUÍA TEMÁTICA CON RESPUESTAS BÍBLICAS PARA LOS TEMAS MÁS PREOCUPANTES EN LA ACTUALIDAD

Material original compilado por el Departamento de Aconsejamiento Espiritual de la Asociación Evangelística Billy Graham.

1 Billy Graham Parkway, Charlotte, North Carolina 28201
www.billygraham.org

**El Manual de Billy Graham para Obreros Cristianos**



Publicado originalmente en inglés bajo el título *The Billy Graham Christian Worker's Handbook—International Version*, copyright 1984, 1996, 1997 (revisado 2005) Billy Graham Evangelistic Association.



Publicado por Billy Graham Evangelistic Association
1 Billy Graham Parkway
Charlotte, North Carolina 28201
Estados Unidos de Norte América

Traductores de la versión en español: Alejandro Field y Virginia L. Grandjean de Russo
Editor de la versión en español: Raimundo J. Ericson

Se ha utilizado la Biblia Reina Valera revisión 1960 (Sociedades Bíblicas Unidas). Las otras versiones de la Biblia utilizadas son:
BLA: Biblia de las Américas (Foundation Press Publications).
DHH: Dios Habla Hoy (Sociedades Bíblicas Unidas).
NVI: Nueva Versión Internacional (Sociedad Bíblica Internacional).
TLA: Traducción en Lenguaje Actual (Sociedades Bíblicas Unidas).

Las citas de Billy Graham fueron tomadas de diversas fuentes, entre las cuales se cuentan:
**Blow, Wind of God**, ©1975 Baker Book House
**The Challenge**, ©1969 Billy Graham
**The Holy Spirit**, ©1978 Billy Graham [El Espíritu Santo—Casa Bautista de Publicaciones/FLET]
**How to Be Born Again**, ©1977 Billy Graham [Nacer a una nueva vida—Editorial Caribe]
**The Jesus Generation**, ©1971 Billy Graham
**Answers to Life's Problems**, ©1988 Doubleday [Soluciones a los problemas de la vida]
**The Quotable Billy Graham**, ©1966 Droke House
**Till Armageddon**, ©1981 Billy Graham [Hasta el Armagedón—Casa Bautista de Publicaciones]
**World Aflame**, ©1965 Billy Graham [El mundo en llamas—Casa Bautista de Publicaciones]

ISBN 1-59328-039-4

# ÍNDICE

# PRÓLOGO

Quizá usted haya adquirido este *Manual* debido a su participación en un centro de ministerio telefónico durante una de nuestras transmisiones televisivas. O probablemente lo adquirió porque es un cristiano interesado en compartir de manera más eficaz el evangelio con sus amigos y vecinos. Cualquiera sea el caso, permítame felicitarlo por su dedicación a la mayor de las causas: la proclamación de las buenas nuevas de salvación y vida eterna por medio de Jesucristo.

Originalmente, este *Manual* fue preparado para nuestros centros de ministerio telefónico. Si usted alguna vez participó en uno de ellos, tendrá una idea de las muchas horas que invierten nuestros voluntarios. Hombres y mujeres de todos los ámbitos de la vida ofrendan su tiempo para ministrar anónimamente. Sin sus incansables esfuerzos, que para muchos pasan inadvertidos, nuestro ministerio no sería el mismo.

Cada artículo que contiene este *Manual* esta desarrollado sobre la base de lo que dice la Biblia acerca de los temas tratados. Siempre he creído en el poder de la Palabra escrita de Dios para acercar a las personas a Él y para satisfacer las necesidades de cada una de ellas—día tras día. Estoy seguro de que al usar este manual, usted profundizará su propia dependencia de la Biblia y su consagración a ella.

Al usar este libro, usted seguramente estará tratando con personas que se encuentran en momentos en que deben tomar decisiones cruciales en su vida; personas que, como resultado de diversas circunstancias y de la intervención del Espíritu Santo, estarán abiertas al evangelio como nunca antes lo estuvieron. Este *Manual del Obrero Cristiano* llega a sus manos acompañado de mi profunda oración para que la bendición de Dios sea sobre usted mientras lo utiliza para la gloria de Él.

—Billy Graham

# INTRODUCCIÓN

*El Manual de Billy Graham para Obreros Cristianos* fue preparado, originalmente, para ser utilizado por las personas que colaboran voluntariamente en el servicio de aconsejamiento telefónico durante las emisiones televisivas de las Cruzadas del Sr. Graham y Franklin Graham en los Estados Unidos. También ha sido utilizado por ministros y laicos cristianos en una amplia variedad de situaciones de ministerio y testimonio.

*El Manual de Billy Graham para Obreros Cristianos* ha sido adaptado para laicos de todo el mundo con el objetivo de capacitarlos para ayudar a las personas que responden al evangelio por primera vez, rededican su vida a Cristo o expresan su preocupación por una necesidad en especial.

- El artículo **Cómo obtener paz con Dios** (p. 12) presenta el evangelio en forma clara y sencilla. El uso que usted haga de esta sección variará, lógicamente, según la personalidad y las preocupaciones particulares de la persona a quien usted lo presente. No obstante, le recomendamos seguir con la mayor fidelidad posible los pasos dados.
- Siempre que sea posible, después de **Cómo obtener paz con Dios** presente **Confirmación de la decisión de recibir a Cristo** (p. 15). Esto ayudará al nuevo creyente a clarificar la decisión que ha tomado.
- En las pp. 17–21 encontrará pautas muy útiles para hablar con una persona que ha tomado una decisión de fe anteriormente, pero que ahora no está segura de su salvación o ha experimentado serias dificultades al seguir a Cristo.
- Los "Artículos" que componen la mayor parte de este manual tratan varios temas que pueden ser motivo de preocupación para las personas. *(Vea mayores detalles más abajo).*
- El Apéndice A: **Siete preguntas comunes** trata en profundidad algunas objeciones que suelen plantearse a la fe cristiana.
- El Apéndice B: **Una comparación de la fe cristiana con las principales religiones y sectas** ofrece una orientación rápida para hablar con personas de esas religiones.

La mayoría de los artículos de este manual son "temas desarrollados", debido a la diversidad de problemas y preocupaciones que expresan las personas que responden a una actividad evangelística. Estos artículos tienen como fin orientar a estas personas, fundamentalmente, al evangelio de Jesucristo.

1. Le aconsejamos que estudie el contexto de cada problema dentro de su propia cultura. Trate de reunir la mayor cantidad de información posible sobre los

temas y distinga lo que es un punto de vista nacional o cultural, para poder concentrarse en la verdad bíblica sobre ellos. Esto ayudará a generar mayor confianza por parte de las personas cuando usted les presente el evangelio.

2. En el tratamiento de cada artículo la sección "Estrategia para el aconsejamiento" tiene tres metas principales:

   - *Relacionar la necesidad expresada con el evangelio.* Cada "estrategia" incluye sugerencias sobre cómo presentar a Cristo en esa situación en particular.
   - *Ministrar a la persona en su necesidad.* Ya sea que la persona responda al evangelio o no, podemos mostrarle el amor de Cristo escuchándola y, después, tratando de abordar la necesidad o preocupación que nos ha señalado.
   - *Establecer al creyente en su vida cristiana.* Ya sea que se trate de una primera decisión por Cristo o de una renovación del compromiso con Él, debemos alentar a la persona a que practique las siguientes cinco actividades básicas de la vida cristiana: (1) participar fielmente en una iglesia; (2) estudiar diariamente la Biblia; (3) orar diariamente; (4) testificar de Cristo; (5) servir en el nombre de Cristo. Billy Graham y Franklin Graham siempre hacen énfasis en estos cinco compromisos a todas las personas que responden al evangelio a través de su ministerio.

   Cada persona a la que usted le presenta el evangelio es, naturalmente, única. Use estas "estrategias para el aconsejamiento" solo en la medida que sean de verdadera ayuda. Más allá de eso, confíe en la Palabra de Dios y en su Espíritu Santo, que mora en usted, para ayudarle.

3. La sección "Pasajes bíblicos" de cada artículo presenta solo algunos pasajes de la Palabra de Dios que se aplican a cada situación. El Sr. Graham siempre creyó que las inspiradas palabras de la Biblia tienen un poder único para hablar a todas las preocupaciones humanas. Los pasajes que figuran en este libro han sido escogidos después de mucha reflexión y oración, pero no tienen por qué ser el único material bíblico que usted utilice. A medida que lea la Biblia cada día, siéntase en libertad de agregar sus propios versículos bíblicos favoritos que se apliquen a los diferentes artículos.

Este manual fue escrito para *laicos*. A lo largo de todo el libro, nos referiremos a ellos, no como consejeros, sino como "ayudadores". No somos profesionales del aconsejamiento, sino simples cristianos que desean ayudar lo mejor posible. Cuando enfrente una situación que supere su experiencia o su conocimiento, le recomendamos que la derive a un pastor o a un consejero cristiano profesional.

Sea cual fuere el problema o la preocupación que se le pida que trate, ore pidiendo que Dios lo guíe al hacerlo. Y mantenga la conversación centrada en la Palabra del

Señor. Usted, en su rol de ayudador cristiano, nunca podrá responder a todas las necesidades de la persona que encuentre. Pero, al menos, podrá dirigir a la persona a Jesucristo, quien sí puede satisfacer cada una de sus necesidades.

¡Gracias por dar a conocer el testimonio de su vida en Cristo a un mundo necesitado!

—Asociación Evangelística Billy Graham

# CÓMO OBTENER PAZ CON DIOS

NOTA: Si la persona inmediatamente manifiesta estar dispuesta a recibir a Cristo, salte los primeros cuatro pasos y vaya directamente a la sección titulada: "Para recibir a Cristo, usted debe hacer cuatro cosas".

## 1. El plan de Dios—paz y vida

Dios lo ama y desea que usted experimente su paz y su vida.

La BIBLIA dice: *"Porque de tal manera amó Dios al mundo, que ha dado a su Hijo unigénito, para que todo aquel que en él cree, no se pierda, mas tenga vida eterna"* (Juan 3:16).

## 2. El problema del ser humano—la separación

Estar en paz con Dios no es algo automático, porque, por naturaleza, usted está separado de Dios.

La BIBLIA dice: *"Por cuanto todos pecaron, y están destituidos de la gloria de Dios"* (Romanos 3:23).

## 3. El remedio que Dios da—la cruz



El amor de Dios tiende un puente sobre el abismo que lo separa a usted de Dios. Cuando Jesucristo murió en la cruz y resucitó, pagó el castigo por los pecados de usted.

La BIBLIA dice: *"[Jesús] llevó él mismo nuestros pecados en su cuerpo sobre el madero"* (1 Pedro 2:2).

## 4. Nuestra respuesta—recibir a Cristo

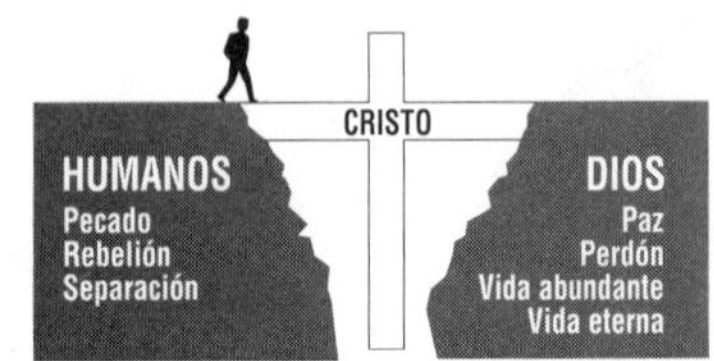


Usted cruza el puente para entrar a la familia de Dios cuando recibe a Cristo, cuando lo invita personalmente a entrar en su vida.

La BIBLIA dice: *"Mas a todos los que le recibieron, a los que creen en su nombre, les dio potestad de ser hechos hijos de Dios"* (Juan 1:12).

* Para recibir a Cristo, usted debe hacer cuatro cosas:

1. ADMITA su necesidad espiritual: "Soy un pecador".
2. ARREPIÉNTASE y esté dispuesto a dejar su pecado.
3. CREA que Cristo murió por usted en la cruz.
4. RECIBA a Jesucristo, con una oración, en su vida.

CRISTO dice: *"He aquí, yo estoy a la puerta y llamo; si alguno oye mi voz y abre la puerta, entraré a él, y cenaré con él, y él conmigo"* (Apocalipsis 3:20).

La BIBLIA dice: *"Todo aquel que invocare el nombre del Señor, será salvo"* (Romanos 10:13).

## Cómo orar:

"Querido Señor Jesús, sé que soy un pecador y que necesito tu perdón. Creo que tú moriste por mis pecados. Quiero apartarme de mis pecados. Te invito ahora a entrar en mi corazón y en mi vida. Quiero confiar en ti y seguirte como mi Señor y Salvador, en amistad con otros creyentes. En el nombre de Jesús. Amén".

* Después de guiar a la persona en esta oración, coméntele lo que dicen las páginas siguientes: **Confirmación de la decisión de recibir a Cristo**.

# CONFIRMACIÓN DE LA DECISIÓN DE RECIBIR A CRISTO

Usted oró para entregar su vida a Cristo. ¿Qué dice la Biblia que ha sucedido?

## 1. Usted es salvo.

Jesús dijo: *"Yo soy la puerta; el que por mí entrare, será salvo"* (Juan 10:9).

CRISTO

Cielo

Vida eterna

Salvación

¿Qué dijo Jesús acerca de sí mismo?

Yo soy ____________________ (a la vida eterna).

¿Qué sucede cuando una persona entra por esa puerta (cuando recibe a Cristo)?

Será ______________________.

La BIBLIA dice: *"He aquí, yo estoy a la puerta y llamo; si alguno oye mi voz y abre la puerta, entraré a él, y cenaré con él, y él conmigo"* (Apocalipsis 3:20).

La BIBLIA dice: *"Todo aquel que invocare el nombre del Señor, será salvo"* (Romanos 10:13).

## 2. Usted es un hijo de Dios.

La BIBLIA dice: *"Mas a todos los que le recibieron, a los que creen en su nombre, les dio potestad de ser hechos hijos de Dios"* (Juan 1:12).

¿Qué sucedió cuando usted recibió a Cristo?

Me convertí en un ________________________________________.

## 3. Usted tiene vida eterna.

La BIBLIA dice: *"Porque de tal manera amó Dios al mundo, que ha dado a su Hijo unigénito, para que todo aquel que en él cree, no se pierda, mas tenga vida eterna"* (Juan 3:16).

Ahora que usted cree en Cristo, ¿de qué puede estar seguro?

Que tengo ________________________________________.

En resumen, ponga énfasis en las siguientes preguntas y respuestas:

| **¿Cómo sabe usted que...** | **Lo sé porque...** |
|---|---|
| es salvo o salva? | Dios lo dice... en su Palabra. |
| es un hijo o una hija de Dios? | Yo lo creo... en mi corazón. |
| tiene vida eterna? | Eso le basta... a mi intelecto. |

## Pasos para el seguimiento

Después de presentar el evangelio a la persona y confirmar su decisión, sugiérale que continúe de la siguiente manera:

1. Defínase claramente por Jesucristo; haga que su vida tenga sentido. Cuéntele a alguien la decisión que ha tomado.
2. Lea y estudie con fidelidad la Palabra de Dios.
3. Ore todos los días.
4. Busque una iglesia que enseñe la Biblia, donde usted pueda adorar a Dios, ser instruido, tener compañerismo con otros cristianos y servir a Dios.

# AFIRMACIÓN DE LA SEGURIDAD DE LA SALVACIÓN

**(Para una persona que ha recibido a Cristo, pero tiene dudas.)**

## INVOQUE ESTAS PROMESAS

1. La BIBLIA dice: "*Porque de tal manera amó Dios al mundo, que ha dado a su Hijo unigénito, para que todo aquel que en él cree, no se pierda, mas tenga vida eterna*" (Juan 3:16).

¿Qué dio Dios para que la vida eterna sea posible?________________________.

¿Qué debe hacer usted para tener vida eterna? _________________________.

¿Qué le promete Dios? ___________________________________.

2. La BIBLIA dice: "*El que tiene al Hijo, tiene la vida [...]. Estas cosas os he escrito a vosotros que creéis en el nombre del Hijo de Dios, para que sepáis que tenéis vida eterna*" (1 Juan 5:12).

Si usted cree en Cristo, ¿de qué puede estar seguro?

Tengo _____________________________________________________.

3. La BIBLIA dice: "*Mis ovejas oyen mi voz, y yo las conozco, y me siguen, y yo les doy vida eterna; y no perecerán jamás, ni nadie las arrebatará de mi mano. Mi Padre que me las dio, es mayor que todos, y nadie las puede arrebatar de la mano de mi Padre*" (Juan 10:27–29).

¿Cuál es la promesa de Jesús?

- "Yo les doy_____________________________________".
- "Y no_________________________________________".
- "Nadie las____________________de mi _______________".
- "Nadie las puede _____________de la ________________de mi Padre".

En resumen, ponga énfasis en las siguientes preguntas y respuestas.

| **¿Cómo sabe usted que...** | **Lo sé porque...** |
|---|---|
| tiene vida eterna? | Dios lo dice... en su Palabra. |
| no perecerá jamás? | Yo lo creo... en mi corazón. |
| está seguro en las manos de Dios? | Eso le basta... a mi intelecto. |

## Pasos para el seguimiento

Después de hablar sobre la seguridad de la salvación con la persona, sugiérale que continúe de la siguiente manera:

1. Defínase claramente por Jesucristo; haga que su vida tenga sentido. Cuéntele a alguien la decisión que ha tomado.

2. Lea y estudie con fidelidad la Palabra de Dios.

3. Ore todos los días.

4. Busque una iglesia que enseñe la Biblia, donde usted pueda adorar a Dios, ser instruido, tener compañerismo con otros cristianos y servir a Dios.

# BÚSQUEDA DEL PERDÓN Y LA RESTAURACIÓN

**(Para una persona que ha recibido a Cristo pero le falló, y ahora busca su perdón.)**

## 1. Arrepiéntase y confiese su pecado a Dios.

La BIBLIA dice: "*Si confesamos nuestros pecados, él es fiel y justo para perdonar nuestros pecados, y limpiarnos de toda maldad*" (1 Juan 1:9).

¿Qué debemos hacer para ser perdonados? ______________________.

¿Qué dice Dios que hará si confesamos nuestros pecados? ______________.

Confesar significa "estar de acuerdo" con Dios. Estoy de acuerdo con Dios en que mentí, o engañé, o fui desconsiderado o di rienda suelta a mi mal humor. Sea específico al confesar silenciosamente a Dios su pecado.

El pecado nos aparta del camino de Dios que nos lleva a la paz y el gozo. La confesión vuelve a ponernos sobre ese camino.

## 2. Decídase a abandonar en su vida todo pecado del que es consciente.

La BIBLIA dice: "*El que encubre sus pecados no prosperará; mas el que los confiesa y se aparta alcanzará misericordia*" (Proverbios 28:13).

¿Qué sucede si encubrimos nuestros pecados?

No ______________________.

Después de confesar, debemos ______________ de nuestros pecados.

## 3. Arregle todo lo que sepa que ha hecho mal.

Es importante que no solo confesemos el pecado y nos apartemos de él, sino que también arreglemos las cosas con cualquier persona a la que le hayamos hecho mal.

La BIBLIA dice: "*Y por esto procuro tener siempre una conciencia sin ofensa ante Dios y ante los hombres*" (Hechos 24:16, NVI).

## 4. El resultado será una comunión renovada.

La BIBLIA dice: "*Pero si andamos en luz, como él está en luz, tenemos comunión unos con otros, y la sangre de Jesucristo su Hijo nos limpia de todo pecado*" (1 Juan 1:7).

| **¿Cómo sabe usted que...** | **Lo sé porque...** |
|---|---|
| fue perdonado? | Dios lo dice... en su Palabra. |
| fue limpiado? | Yo lo creo... en mi corazón. |
| fue restaurado? | Eso le basta... a mi intelecto. |

## Pasos para el seguimiento

Después de guiar a la persona a una renovación individual, sugiérale que continúe de la siguiente manera:

1. Defínase claramente por Jesucristo; haga que su vida tenga sentido. Cuéntele a alguien la decisión que ha tomado.
2. Lea y estudie con fidelidad la Palabra de Dios.
3. Ore todos los días.
4. Busque una iglesia que enseñe la Biblia, donde usted pueda adorar a Dios, ser instruido, tener compañerismo con otros cristianos y servir a Dios.

# INSEGURIDAD CON RESPECTO A LA RELACIÓN PERSONAL CON CRISTO

**Comience por formular la pregunta básica: "¿En algún momento confió usted en Jesucristo como su Señor y Salvador personal?"**

1. Si la respuesta es "Sí", pídale que le cuente cómo fue, para poder determinar en qué situación está verdaderamente la persona.
   A. Si usted cree que la persona se entregó a Cristo verdaderamente, pero no está segura de ser salva, repase la sección sobre la seguridad de la salvación (p. 17).
   B. Si la persona parece firme en su compromiso con Cristo, quizá necesite ayuda con relación a otro problema espiritual. Repase la sección sobre la búsqueda de perdón y restauración (p. 19).
2. Si la respuesta es "No", háblele de **Cómo obtener paz con Dios** (p. 12).
3. Si la respuesta es vaga ("Tengo dudas...", "No estoy seguro..."), pregúntele: "Si usted muriera esta noche, ¿está seguro de que iría al cielo?")
   A. Si la persona no lo sabe, háblele de **Cómo obtener paz con Dios** (p. 12).
   B. Si la persona está segura de que iría al cielo, háblele de la sección sobre la seguridad de la salvación (p. 17).
   C. Si continúa dando respuestas vagas ("Siempre he ido a la iglesia…", "Me comporto lo mejor que puedo…" o "Trato de seguir la moral…", etc.), diga:
      1) "Permítame que le indique cómo puede saber con seguridad que si muriera hoy, iría al cielo".
      2) Háblele de **Cómo obtener paz con Dios** (p. 12).
4. Siempre, concluya la conversación con una oración.

# EL ABORTO

La Biblia nos enseña que otorguemos el más alto valor a la vida humana. Nuestra vida es sagrada y de incomparable valor para Dios, que nos creó *"a su imagen"* (Génesis 1:26–27); que nos sustenta (Job 12:10); y que nos redimió (2 Corintios 5:19). La Biblia reconoce al ser que aún no ha nacido como totalmente humano: *"Mi embrión vieron tus ojos, y en tu libro estaban escritas todas aquellas cosas que fueron luego formadas, sin faltar una de ellas"* (Salmos 139:16).

## Estrategia para el aconsejamiento

Como cristiano, hay varios aspectos del tema del aborto que usted puede tener que enfrentar: la mujer que está pensando hacerse un aborto; la culpa de alguien que ya ha pasado por esa experiencia; los padres de una jovencita embarazada; un padre no casado; personal médico que ha realizado o ayudado a realizar abortos.

### *La mujer que está pensando hacerse un aborto:*

1. Agradézcale por hablar con usted. Pídale a Dios compasión, sensibilidad, una actitud de servicio y una adecuada comprensión de la situación.

2. Con compasión y sensibilidad, recuérdele que es posible que ella misma tenga sentimientos encontrados en relación con las implicaciones morales y espirituales del aborto, porque de lo contrario no tendría luchas al respecto. No la juzgue. Por ejemplo, si ella es joven y no está casada, su embarazo quizá se deba a que ha estado buscando el amor, la atención y el afecto que, posiblemente, jamás haya recibido en su hogar. Al mismo tiempo, evite minimizar el error de su conducta sexual, porque es un pecado. Recuerde: nuestro propósito, en última instancia, es fortalecer su fe en Cristo, y no debemos "lastimar al que está herido".

3. Pregúntele qué piensa sobre el aborto:

    - ¿Qué la motivó a hablar sobre su situación?
    - ¿Qué ideas o convicciones tiene usted sobre el aborto?

4. Ya sea que la mujer crea que el aborto está mal, o no, háblele de los pasajes bíblicos que se mencionan en el primer párrafo, junto con otros que usted crea que son adecuados.

5. Pídale que considere las alternativas. Si la mujer decide hacerse un aborto, complicará su situación y aumentará su sentido de culpabilidad.

Sugiérale que considere la posibilidad de dar a luz el niño y pedir a Dios que haga surgir algo bueno de esa experiencia. Hay casos bíblicos y contemporáneos en los cuales mujeres en dificultad han dado a luz, y sus hijos o hijas han logrado cosas grandes. Dios puede hacer lo mismo en esta mujer si se entrega ella misma a Dios, y deja su problema en sus divinas manos: *"Y sabemos que a los que aman a Dios, todas las cosas les ayudan a bien"* (Romanos 8:28).

Si está preocupada por no poder cuidar al bebé o costear su crianza, pídale que piense en la posibilidad de darlo en adopción. Hay muchos matrimonios que buscan un niño para adoptar, y que pueden brindarle amor y un buen hogar. Hay muchas organizaciones a las que puede acudir en busca de ayuda. Sugiérale que busque el consejo del pastor de una iglesia, que podría ayudarla a iniciar el proceso de entregar al niño en adopción. Pregúntele si hay alguien en su familia que pueda criar al niño.

6. Pregúntele si ha recibido alguna vez a Cristo como su Señor y Salvador. Si la situación es la adecuada, preséntele **Cómo obtener paz con Dios** (p. 12).
7. Sugiérale que comience a leer la Biblia. Para reestructurar su vida según los principios bíblicos, necesitará leer y estudiar la Palabra de Dios.
8. Pregúntele si asiste a alguna iglesia. Anímela a buscar una iglesia donde se enseñe la Biblia y donde ella pueda encontrar compañerismo y aliento, y pueda crecer en su fe.
9. Quizá ella necesite, temporalmente, un alojamiento o cierto tipo de apoyo para criar al niño. Ayúdela a encontrar un lugar donde puede experimentar el amor de verdaderos cristianos.

## *La mujer que se hizo un aborto y sufre culpa:*

1. Anímela diciéndole que ha tomado la decisión correcta al buscar ayuda. Nos interesa su situación y queremos ayudarla de cualquier forma que podamos. Dios tiene una respuesta para cada situación, y ella puede confiar en que Él obrará para su bien.
2. No juzgue moralmente su situación; tampoco minimice la gravedad de la decisión que ella tomó. El hecho de que esté dispuesta a expresar la culpa que siente es una indicación de que Dios le habla.
3. Expláyese sobre el perdón de Dios para quienes están dispuestos a arrepentirse y confesar sus pecados al Señor. A la mujer que fue atrapada en el acto mismo de adulterio, Jesús le dijo: *"Ni yo te condeno; vete, y no peques más"* (Juan 8:11).

4. Si ella confiesa su pecado, no continúe hablando sobre el pasado (vea Filipenses 3:13–14).

5. Pregúntele si alguna vez recibió a Jesús como su Salvador personal. Si resulta apropiado, presente **Cómo obtener paz con Dios** (p. 12).

6. Sugiérale que busque la comunión con Dios por medio de la lectura de la Biblia y la oración. El perdón es inmediato, pero la sensación de restauración y aceptación llegarán a su debido tiempo. Si ella practica esta importante disciplina de la oración y el estudio bíblico, crecerá en su relación con Dios.

7. Sugiérale que busque, o restablezca, la comunión con una iglesia donde se enseñe la Biblia. Allí podrá contar con el consejo de un pastor, escuchar la enseñanza de la Palabra de Dios y hallar fortaleza en las relaciones con otros cristianos.

8. Ore con ella. Pídale a Dios que le dé su perdón, le permita comprometerse con Él y le dé fortaleza para el futuro.

# Pasajes bíblicos

## *La maravilla de la vida:*

*"He aquí, herencia de Jehová son los hijos; cosa de estima el fruto del vientre"* (Salmos 127:3).

*"Porque tú formaste mis entrañas; tú me hiciste en el vientre de mi madre. Te alabaré; porque formidables, maravillosas son tus obras; estoy maravillado, y mi alma lo sabe muy bien. No fue encubierto de ti mi cuerpo, bien que en oculto fui formado, y entretejido en lo más profundo de la tierra. Mi embrión vieron tus ojos, y en tu libro estaban escritas todas aquellas cosas que fueron luego formadas, sin faltar una de ellas"* (Salmos 139:13–16).

## *Perdón:*

(Busque Salmos 32:1–5, versículos que fueron escritos por una persona culpable de adulterio y asesinato.)

*"El es quien perdona todas tus iniquidades, el que sana todas tus dolencias; el que rescata del hoyo tu vida, el que corona de favores y misericordias"* (Salmos 103:3–4).

*"Si confesamos nuestros pecados, él es fiel y justo para perdonar nuestros pecados, y limpiarnos de toda maldad"* (1 Juan 1:9).

## *Valor y fortaleza para continuar:*

*"¿Por qué te abates, oh alma mía, y por qué te turbas dentro de mí? Espera en Dios; porque aún he de alabarle, Salvación mía y Dios mío"* (Salmos 42:11).

*"Pero los que esperan a Jehová tendrán nuevas fuerzas; levantarán alas como las águilas; correrán, y no se cansarán; caminarán, y no se fatigarán"* (Isaías 40:31).

# EL ABUSO DE NIÑOS

Hay niños que son víctimas de la violencia familiar, en todos los grupos socioeconómicos, culturales, raciales y de edades. Con frecuencia, en las familias, la violencia se constituye en un patrón de conducta; el que es golpeado se convierte en golpeador. El abuso de niños puede ser verbal, emocional, físico y sexual. Cualquiera de ellos puede ser tan devastador en la vida de un niño como para provocarle un daño del que, quizá, nunca se recupere.

El abuso verbal suele ser degradante y desvaloriza al niño que, quizá, sienta que el abuso físico que sigue al verbal es merecido. El padre o la madre suelen gritarle palabras injuriantes y que expresan el poco valor que le otorgan al niño: "Nunca haces nada bien"; "Deja de actuar como un bebé"; "Deberías ser como Fulano, o como Mengano". Esto le quita la autoestima a un niño, le causa problemas de identidad y lo deprime hasta el punto de paralizarlo emocionalmente.

Estos niños, con frecuencia, no rinden adecuadamente en la escuela, tienen problemas de comportamiento y cometen delitos. Generalmente engañan y mienten, roban, son tramposos y no respetan los derechos de los demás. Al dar por sentado que la violencia es un comportamiento normal, recurren a ella como forma de solucionar problemas en la escuela, con sus pares y con su familia. Muchas veces tienen impulsos suicidas y pueden abrigar ideas de asesinar a sus padres.

Es casi imposible que un niño que sufre abusos responda emocionalmente de forma adecuada; pero una actitud amorosa y llena de ternura puede, al menos, comenzar a abrir una posibilidad para llegar a una solución.

## Estrategia para el aconsejamiento

1. Acérquese al niño con sensibilidad, paciencia y cariño. Este quizá sea incapaz de comprender más allá del nivel emocional.
2. Asegure al niño que hace bien en hablar del tema, y dígale:
    - Nos alegra que quieras hablar con nosotros.
    - Estamos para ayudarte.
    - Dios te ama, y nosotros también te amamos.
    - Tú eres muy especial para Dios y para nosotros.
    - Dios sabe lo que pasa en tu vida, y te ayudará.

3. Pregúntele al niño qué siente acerca de sí mismo. Mientras le relate el abuso que puede haber sufrido de manos de su padre, madre o un hermano mayor, averigüe qué siente con respecto a ese abuso constante. Muchas veces las personas que sufren abuso sienten que lo merecen.
4. Asegure al niño que lo que sufre no es porque él sea malo. Quizá el abusador actúa por otro motivo y está descargando su enojo sobre el niño. Algunas veces los padres no se dan cuenta de que están cometiendo abusos con sus hijos. No necesariamente tienen que tener un motivo para lastimar al niño.
5. Cuéntele al niño sobre el amor de Jesús y cómo Él lo demostró: Jesús murió en la cruz por él. Jesús prepara un reino especial para los niños ("*...porque de los tales es el reino de los cielos*", Mateo 19:14).
6. Pregúntele si alguna vez recibió a Jesús como su Salvador. Si no lo hizo, pase a **Cómo obtener paz con Dios** (p. 12).
7. Pregúntele si tiene una Biblia. Anímelo a leerla. De ser necesario, ofrézcase a conseguirle un ejemplar de la Biblia en lenguaje actual.
8. ¿Va a la iglesia el pequeño? Si el niño conoce al pastor, sugiérale que le cuente todo lo que le pasa, aunque le resulte muy vergonzoso hacerlo. El pastor tiene que saber sobre el abuso, para poder ayudarlo. El pastor puede hablar con los padres, acordar una cita para aconsejamiento y ponerse en contacto con las autoridades, de ser necesario.
9. Ore con el niño, para alentarlo.
10. Si el niño está en extremo peligro, quizá usted deba informar de la situación a las autoridades civiles, pero debe estar seguro de que el niño estará protegido de un abuso aun peor si el abusador se encoleriza al enterarse de este contacto y continúa cerca del niño.

# Pasajes bíblicos

"*Vengan a mí todos ustedes que están cansados y agobiados, y yo les daré descanso*" (Mateo 11:28, NVI).

"*Entonces Jesús dijo: –Dejen que los niños vengan a mí, y no se lo impidan, porque el reino de los cielos es de quienes son como ellos*" (Mateo 19:14, DHH).

"*Así que pongan sus preocupaciones en las manos de Dios, pues él tiene cuidado de ustedes*" (1 Pedro 5:7, TLA).

# LA PERSONA ABUSADORA

Las personas que cometen abusos se encuentran en todas partes. Hay mujeres abusadoras tanto como hombres. Las características que detallamos a continuación pueden aplicarse a ambos. Aunque todos los abusadores tienen características similares, podemos detallar brevemente tres categorías:

## *La persona que abusa de su cónyuge*

Aunque las historias personales varían, hay tendencias similares en todos los casos. La persona que abusa de su cónyuge:

- Tiene tendencia a reaccionar airadamente muy pronto y solo puede ventilar su ira por medio del abuso.
- Tiene baja autoestima y frecuentemente siente que es un fracasado.
- No puede relacionarse bien con los demás.
- Es celosa, acusa a su cónyuge o a otros de no darle apoyo o de serle infiel.
- Trata de controlar todas las actividades de su cónyuge y llega a espiarlo, porque cree que tal comportamiento es para el bien de su familia.
- Muchas veces ofende sin sentimiento y no admite culpa emocional, aun después de reconocer el problema.

El abusador tiende a justificarse creyendo que su cónyuge provoca la situación de abuso o negando que tal abuso se produzca. La frustración es un disparador del abuso: dado que la persona no puede golpear a su jefe en el trabajo, descarga su ira y su frustración sobre su cónyuge y sus hijos en su hogar. El alcoholismo y el abuso de las drogas también son, algunas veces, causas para el maltrato explosivo.

## *La persona que abusa de niños*

La mayor parte de los síntomas que hemos detallado anteriormente están presentes en el abusador de niños. Sumemos a esto que el abusador es muy exigente y desea ser obedecido ciegamente y de inmediato. Es extremadamente impaciente y muchas veces descarga sus frustraciones—los dolores y las heridas de su propia infancia—sobre los niños. Las expectativas de estos padres son demasiado elevadas para sus hijos, así que los desvalorizan. Muchas veces el abuso verbal, acompañado por un lenguaje obsceno, es tan devastador que los niños comienzan a aceptar pasivamente el abuso físico y creen que lo merecen. Se convierten en víctimas. El alcohol y las otras drogas son factores desencadenantes de este tipo de abuso, en muchos casos.

## *La persona que comete incesto*

*NOTA: Las niñas no son las únicas que sufren abuso sexual; también hay muchos varones víctimas de abusos.*

Las características de la persona que abusa de su cónyuge se aplican, en general, a quien abusa de niños. Se trata de una persona emocionalmente aislada, aunque parece ser sana en este aspecto. Aparentemente es pasiva, pero ejerce un creciente y rígido control sobre las acciones del niño. Es insensible, egocéntrica, autoindulgente, y ve a los niños solo como objetos. Muchas veces el incesto está relacionado con la adicción al alcohol y otras drogas.

El abuso sexual generalmente se desarrolla a lo largo de un período extenso, es repetitivo y va acompañado de intimidación y coerción. Cuando se lo confronta, el adulto abusador niega su participación o su responsabilidad, y tiende a culpar a la víctima. Es muy probable que el abusador también haya sido abusado en su infancia.

El cónyuge que no protege a su hijo del abuso sexual –aun cuando tenga conocimiento de ello– permanece pasivo y, generalmente, apoya las negaciones o las explicaciones racionales del victimario. Cuando se lo confronta, el abusador generalmente promete "no volver a hacerlo". ¡No debe confiarse en esas promesas!

A partir de estas descripciones es fácil comprender que tratar con esta clase de personas es muy difícil. Pero quizá las indicaciones siguientes puedan serle útiles.

# Estrategia para el aconsejamiento

1. Hable con amor. No juzgue ni acuse. A medida que pueda derivar la conversación hacia la Palabra de Dios, permita que sea ella la que dé convicción de pecado al abusador.

2. Asegure al abusador que ha hecho lo correcto al admitir su problema. Dígale que le alegra hablar con él o ella, porque la Biblia tiene respuestas para todos los problemas humanos.

3. Haga énfasis en que la persona debe enfrentar la realidad de lo que ha

hecho o de lo que sucede. Todos tienen el derecho, dado por Dios, de ser tratados decentemente, y con amor y preocupación por su mayor bienestar. El abusador debe comprender que está destruyendo a su cónyuge o a sus hijos. Pero Dios puede ayudarle a controlar ese comportamiento.

4. Pregúntele si alguna vez ha recibido a Jesucristo como su Señor y Salvador. Comparta **Cómo obtener paz con Dios** (p. 12).

NOTA: El abusador debe estar dispuesto a confesar el abuso como pecado y buscar corrección y liberación en Dios. Dios perdonará su pecado; para eso envió a su Hijo a la cruz. Si es apropiado, hable sobre la sección que enseña la seguridad de la salvación (p. 17).

5. Sugiérale que lea y estudie la Biblia. La Biblia tiene respuestas para todos los problemas del comportamiento humano. Ofrezca enviarle un buen libro de estudio bíblico, si tiene alguno disponible.
6. Anime a la persona a orar. Si queda alguna posibilidad de restaurar las relaciones rotas en la familia, la oración ayudará en ese proceso.
7. Recomiéndele que busque una buena iglesia donde se enseñe la Biblia. Allí, la enseñanza de la Biblia y la comunión con el pueblo de Dios pueden ser factores de corrección y sanidad.
8. Sugiérale que mantenga un contacto personal cercano con el pastor de la iglesia. Él podrá continuar el aconsejamiento y realizar un seguimiento del comportamiento dentro de la familia.
9. Recomiende que tanto el abusador como a su familia se comprometan seriamente a buscar la ayuda de un consejero profesional. La persona abusadora tiene un problema muy serio y generalmente profundamente arraigado, que solo puede resolverse por medio de aconsejamiento y rendición de cuentas prolongados. Los efectos de esta situación sobre la familia también deberían ser tratados por un profesional.

# Pasajes bíblicos

*"No erréis; ni los fornicarios, ni los idólatras, ni los adúlteros, ni los afeminados, ni los que se echan con varones, ni los ladrones, ni los avaros, ni los borrachos, ni los maldicientes, ni los estafadores, heredarán el reino de Dios. Y esto erais algunos; mas ya habéis sido lavados, ya habéis sido santificados, ya habéis sido justificados en el nombre del Señor Jesús, y por el Espíritu de nuestro Dios"* (1 Corintios 6:9–11).

*"En cambio, el Espíritu de Dios nos hace amar a los demás, estar siempre alegres y vivir en paz con todos. Nos hace ser pacientes y amables, y tratar bien a los demás,*

*tener confianza en Dios, ser humildes, y saber controlar nuestros malos deseos. No hay ley que esté en contra de todo esto"* (Gálatas 5:22, TLA).

*"Maridos, amad a vuestras mujeres, así como Cristo amó a la iglesia, y se entregó a sí mismo por ella, [...]. Así también los maridos deben amar a sus mujeres como a sus mismos cuerpos. El que ama a su mujer, a sí mismo se ama. Porque nadie aborreció jamás a su propia carne, sino que la sustenta y la cuida, como también Cristo a la iglesia"* (Efesios 5:25, 28–29).

*"Y ustedes, padres, no hagan enojar a sus hijos, sino críenlos según la disciplina e instrucción del Señor"* (Efesios 6:4, NVI).

## *Otros pasajes bíblicos sugeridos:*

1 Pedro 3:7

# LAS VÍCTIMAS DEL ABUSO

Los niños y adultos que han sufrido o sufren abusos representan una de las caras más horribles de la conducta humana. El abuso—físico y sexual, como así también el verbal y emocional—puede prolongarse durante años. Personas de cualquier edad, raza, nivel educacional y socioeconómico pueden ser víctimas del abuso. Ni siquiera los cristianos son inmunes a él.

El abusador a menudo domina el "arte" de la desvalorización de las personas, el lenguaje sucio y ofensivo, y las amenazas. Algunas veces este abuso destruye de tal manera la personalidad, que la víctima siente que merece los golpes físicos que lo siguen.

La víctima de abuso se caracteriza por la baja autoestima y la depresión. Se siente atrapada y vulnerable, confundida e insegura. Puede demostrar una gran frustración combinada con una capacidad de soportar, que es típica de un mártir: la víctima suele sentirse responsable por el comportamiento del abusador. Existe en ella una vaga esperanza de que "muy pronto" habrá un cambio y de que "alguien pronto vendrá a sacarme de todo esto". Al mismo tiempo se aísla emocionalmente y no tiene verdadero contacto con su familia.

Si se trata de una esposa, puede ser que solo después de muchos meses de aconsejamiento pueda comenzar a sanarse emocionalmente, aun después de haber sido separada de quien la atormentaba. Una vez que ella y sus hijos estén en un lugar seguro—donde el esposo no pueda encontrarlos—y ella haya tenido tiempo de reflexionar y ordenar sus sentimientos, es posible que sienta mucha ira.

Quien abusa de su cónyuge y su familia rara vez cambia, a menos que sea expuesto y enviado a juicio. En algunas sociedades es posible que no puedan presentarse cargos contra un abusador de sexo masculino.

## Estrategia para el aconsejamiento

1. Aliente y afirme a la persona. Dígale que hace lo correcto al hablar sobre su problema, y que usted quiere escucharla y ayudarla.

2. Haga algunas preguntas. Es muy común que las personas que sufren abuso tengan dificultad para expresar lo que sienten. Pregúntele:

   - ¿Qué siente con relación a la forma en que la tratan?
   - ¿Cuánto tiempo hace que sucede esto?
   - Cuénteme sobre la persona que abusa de usted. ¿Cómo es?

- ¿Qué siente con respecto a usted misma en este momento?
- ¿Qué cree que puede hacer acerca de esta situación?

Basándose en la situación de la persona abusada y en el daño emocional que haya sufrido, es posible que tenga que hacer otras preguntas. La meta es llevar a la víctima a expresar lo que siente, para ayudarla a sanar, y a darse cuenta de si es un hijo o una hija de Dios.

3. Inste a la persona a no sentir que merece el abuso. *No tiene por qué continuar siendo una víctima.* Aunque el abusador culpa a la víctima y trata de justificar el abuso, no es culpa de la víctima.
4. Subraye que no tiene por qué seguir tolerando el abuso. ¡Eso tiene que terminar! La conducta del abusador es incorrecta y no debe permitírsele continuar.
5. Para romper el ciclo de abuso la víctima debe ponerse en contacto con un pastor o una organización de ayuda a la familia, y hablar abiertamente y con total sinceridad sobre el abuso. Ellos podrán ayudarla o indicarle el lugar adecuado para conseguir ayuda. Averigüe si existe un lugar seguro donde la persona abusada y sus hijos puedan esconderse del abusador.
6. Es imperativo que la víctima de abuso reciba más orientación y apoyo emocional. Es necesario coordinarlo con un pastor capacitado, un profesional cristiano o un servicio de aconsejamiento. Insista en que la persona debe tomar una decisión urgentemente y actuar con firmeza. Usted puede brindarle sugerencias, pero la misma víctima es la que debe actuar concretamente.
7. Haga énfasis en el amor de Dios para la persona que sufre el abuso. Dios comprende lo que ella ha sufrido mejor que ningún otro. ¡Jesús sufrió abuso, tanto verbal como físico! ¿Alguna vez recibió la víctima a Jesús como su Señor y Salvador? Si no lo hizo, repase con ella **Cómo obtener paz con Dios** (p. 12). Si la respuesta es afirmativa, pase a la sección que trata sobre la seguridad de la salvación (p. 17).
8. Anime a la persona a comenzar a leer la Biblia, y hallar solaz y fortaleza espiritual en la Palabra de Dios.
9. Explique a la víctima los beneficios de una buena relación con una iglesia, para ella y su familia. La comunión con otros cristianos puede darle apoyo emocional y espiritual, por medio de la oración compartida y el estudio bíblico. También es posible que puedan brindarle aconsejamiento profesional.
10. Ore pidiendo fortaleza y comprensión, y entregue a la persona que

sufre el abuso al especial cuidado y al amor de Dios.

# Pasajes bíblicos

*"Busqué a Jehová, y él me oyó, y me libró de todos mis temores. Los que miraron a él fueron alumbrados, y sus rostros no fueron avergonzados"* (Salmos 34:4–5).

*"Confía de todo corazón en el Señor y no en tu propia inteligencia. Ten presente al Señor en todo lo que hagas, y él te llevará por el camino recto"* (Proverbios 3:5–6, DHH).

*"Señor, tú conservas en paz a los de carácter firme, porque confían en ti. Confíen siempre en el Señor, porque él es refugio eterno"* (Isaías 26:3–4, DHH).

*"Ustedes viven siempre angustiados; siempre preocupados. Vengan a mí, y yo los haré descansar"* (Mateo 11:28, TLA).

*"Echando toda vuestra ansiedad sobre él, porque él tiene cuidado de vosotros"* (1 Pedro 5:7).

## *Otros pasajes bíblicos sugeridos:*

Salmo 23

Salmos 42:11 (especialmente NVI)

# EL ADULTERIO

La Palabra de Dios deja en claro que el matrimonio es un compromiso mutuo de por vida entre un hombre y una mujer. Este compromiso implica exclusividad. "*Por esto el hombre dejará padre y madre, y se unirá a su mujer, y los dos serán una sola carne*" (Mateo 19:5).

El adulterio es prohibido y condenado por Dios en su Palabra:

"*Tengan todos en alta estima el matrimonio y la fidelidad conyugal, porque Dios juzgará a los adúlteros y a todos los que cometen inmoralidades sexuales*" (Hebreos 13:4, NVI).

"*¿No sabéis que los injustos no heredarán el reino de Dios? No erréis; ni los fornicarios, ni los idólatras, ni los adúlteros [...] heredarán el reino de Dios*" (1 Corintios 6:9–10).

"*Huyan de la inmoralidad sexual. Todos los demás pecados que una persona comete quedan fuera de su cuerpo; pero el que comete inmoralidades sexuales peca contra su propio cuerpo*" (1 Corintios 6:18, NVI).

Consideremos algunas de las consecuencias del adulterio:

- Emocionales: culpa, temor, ansiedad, pérdida de la autoestima, personalidades destruidas, depresión.
- Físicas: nacimientos ilegítimos, enfermedades venéreas, abortos.
- Espirituales: separación de Dios en esta vida y en la vida por venir.

---

*Billy Graham escribe: "¡Cuántos hogares son destruidos por hombres y mujeres que son infieles! ¡Cuánto pecado se comete cada día en este sentido! Dios no lo tendrá a usted por inocente. Hay un día en que deberá rendir cuentas. 'Vuestro pecado os alcanzará' (Números 32:23). Sí, su pecado lo alcanzará en su propia vida familiar aquí, en su relación con su cónyuge; y su pecado lo alcanzará en la vida por venir".*

---

El adulterio es pecado, pero también es un síntoma de que algo no anda bien en un matrimonio. Puede haber muchas razones para el adulterio:

- Nuestros propios deseos pecaminosos y egoístas: "*Cada uno es tentado, cuando de su propia concupiscencia es atraído y seducido*" (Santiago 1:14).
- Falta de madurez: El egoísmo y la inmadurez, en cualquier edad, pueden llevar a la infidelidad. Otra señal de inmadurez es no estar

dispuestos a aceptar la responsabilidad para con una familia.

- Un esposo o una esposa exigente, crítico, regañón o sermoneador.
- Falta de satisfacción sexual en alguno de los cónyuges.
- Transferir al cónyuge la hostilidad hacia una madre o padre.
- Parientes políticos entrometidos que abruman al esposo y la esposo con críticas o consejos bien intencionados.
- Falta de adecuada educación sexual.

Estas causas pueden ayudar a explicar algunos actos de adulterio, pero no deben ser admitidas como excusas. El adulterio es un pecado que requiere arrepentimiento y perdón. No hay soluciones fáciles cuando se trata un problema de adulterio. Pero Dios puede obrar el milagro del nuevo nacimiento para el que no es cristiano y la renovación espiritual para sus hijos que han caído. Si usted logra que la persona se comprometa verdaderamente con Cristo, podrá confiar en que esto traerá una nueva perspectiva que hará más fácil sanar las vidas y alcanzar soluciones permanentes.

# Estrategia para el aconsejamiento

## *Para la persona que cometió adulterio:*

1. Trátela con consideración y atención. Dígale que para usted es un privilegio ayudarla, y que espera poder hallar una solución.
2. No juzgue ni adopte una actitud de superioridad espiritual. No comience a citar pasajes bíblicos que condenan el pecado; ellos surgirán normalmente cuando usted hable de Cristo, en el momento adecuado. Es probable que la persona ya se sienta culpable.
3. Anime a la persona a hablar sobre la situación para poder tener un cuadro completo de las circunstancias, pero no pida demasiados detalles.
4. Cuando crea tener suficiente información, dígale a la persona que quisiera ayudarla a encontrar una solución, pero que lo primero que desea hacer es preguntarle si alguna vez recibió a Jesucristo como su Señor y Salvador.
    - Si no lo hizo, explíquele **Cómo obtener paz con Dios** (p. 12).
    - Si se trata de un cristiano que ha caído, pase a la sección sobre restauración (p. 19). Ore para que la persona renueve su compromiso, y luego continúe.

5. Pregunte qué solución sugeriría la persona para el adulterio.

6. Pase a la Biblia. Señale que Dios no solo exige que confesemos el adulterio como pecado, sino que lo desterremos de nuestra vida. "*El que encubre sus pecados no prosperará; mas el que los confiesa y se aparta alcanzará misericordia*" (Proverbios 28:13).

7. Sugiera que la persona reflexione sobre las razones que posiblemente la llevaron a ser infiel. Para ayudarla a pensar podría mencionarle algunas de las razones que hemos indicado en los párrafos iniciales.

8. Según cuál haya sido la circunstancia del pecado sexual, probablemente sea necesario que los cónyuges traten sinceramente con este pecado y sus consecuencias. En la mayoría de los casos necesitarán la ayuda de un pastor capacitado o un consejero matrimonial cristiano que pueda guiarlos en el proceso de arrepentimiento, perdón, corrección de la actitud o la práctica que contribuyó al adulterio, y la restauración de la relación matrimonial y la confianza.

9. Sugiera que ambos cónyuges comiencen a leer y estudiar juntos la Palabra de Dios con regularidad. Esto les mostrará sus responsabilidades y los fortalecerá contra la tentación y el pecado. Además, anímelos a orar juntos.

10. Anímelos a buscar una iglesia donde se enseñe la Biblia y a integrarse a ella. Esto les dará fortaleza por medio de la comunión, la adoración y el estudio de la Biblia. Su meta debería ser convertirse en cristianos comprometidos. La ausencia de una relación vital con Jesucristo es el factor principal en este problema.

11. Aconseje a la persona que cometió adulterio, que busque un pastor calificado para que la anime, la aconseje y siga de cerca su comportamiento. Si no encuentra la ayuda necesaria de parte de un pastor, debería buscarla en un psicólogo o un psiquiatra cristiano.

## *Para el cónyuge del adúltero:*

El cónyuge del adúltero suele sentirse traicionado, rechazado y dolido. Aunque solo un cónyuge haya cometido infidelidad, muchas veces ambos *contribuyeron* a ello.

1. Anime a la persona a preguntarse:

   A. ¿En qué medida puedo haber contribuido a provocar la infidelidad de mi cónyuge? ¿Le doy mi apoyo, o siempre lo critico?

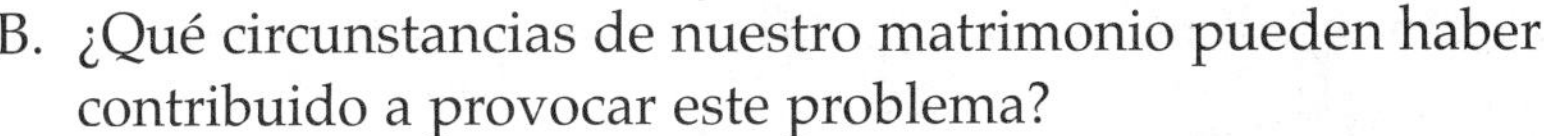

B. ¿Qué circunstancias de nuestro matrimonio pueden haber contribuido a provocar este problema?

- ¿Conflictos con los parientes políticos?
- ¿Horarios de trabajo o ausencias del hogar?
- ¿Falta de comunicación?
- ¿La necesidad de mayor comprensión mutua o de lo que se necesita para tener un buen matrimonio?

C. ¿Cómo puedo ayudar a aportar una solución para salvar nuestra relación?

2. Ayude a la persona a decidir cuál es el mejor curso de acción:

A. *Perdonar.* Las cosas nunca podrán resolverse si no hay arrepentimiento y perdón. Quizá sea difícil, pero puede encontrarse una manera. Ambos deben pedir la gracia y la sabiduría de Dios para enfrentar la situación. En este momento se demostrará verdaderamente el alcance de su amor y su interés mutuo. El cónyuge que cometió el adulterio debe, además, buscar el perdón de Dios y el perdón de su cónyuge.

B. *Comunicarse.* La pareja debe estar decidida a esforzase por comunicarse para tratar abiertamente todas las facetas del problema. La falta de comunicación bien puede haber sido un factor que haya contribuido a esta situación. Ahora es el momento de corregirla.

C. *Orar.* La pareja debe orar unida y confiar que Dios obrará de manera que el matrimonio pueda ser salvado y se fortalezca.

D. *Aconsejamiento.* Deben estar dispuestos a buscar aconsejamiento y supervisión profesional de parte de un pastor capacitado o un psiquiatra cristiano. La solución para este problema puede llevar bastante tiempo.

# Pasajes bíblicos

*"Quitad la iniquidad de vuestras obras de delante de mis ojos; dejad de hacer lo malo; aprended a hacer el bien; buscad el juicio, restituid al agraviado, haced justicia al huérfano, amparad a la viuda. Venid luego, dice Jehová, y estemos a cuenta: si vuestros pecados fueren como la grana, como la nieve serán emblanquecidos; si fueren rojos como el carmesí, vendrán a ser como blanca lana"* (Isaías 1:16–18).

## EL ADULTERIO

Jesús le dijo a la mujer acusada de adulterio: *"Ni yo te condeno; vete, y no peques más"* (Juan 8:11).

*"El hombre debe cumplir su deber conyugal con su esposa, e igualmente la mujer con su esposo. La mujer ya no tiene derecho sobre su propio cuerpo, sino su esposo. Tampoco el hombre tiene derecho sobre su propio cuerpo, sino su esposa"* (1 Corintios 7:3–4, NVI).

*"Tengan todos en alta estima el matrimonio y la fidelidad conyugal, porque Dios juzgará a los adúlteros y a todos los que cometen inmoralidades sexuales"* (Hebreos 13:4, NVI).

*"Si confesamos nuestros pecados, él es fiel y justo para perdonar nuestros pecados, y limpiarnos de toda maldad"* (1 Juan 1:9).

### *Otros pasajes bíblicos sugeridos:*

1 Corintios 6:15–20

# EL ALCOHOLISMO

El consumo habitual de bebidas alcohólicas a menudo conduce al alcoholismo. Las torpezas, las fallas y los problemas de la persona que bebe alcohol generalmente crecen y, muchas veces, hay cambios en la personalidad. Aunque se siente segura bajo la influencia del alcohol, la persona es generalmente inmadura e insegura, y se siente llena de culpa y depresión cuando no bebe. El alcohólico no se siente bien consigo mismo y, muchas veces, no puede enfrentar la adicción y los problemas que este crea; por eso tiende a negar el problema y lo cubre culpando a sus familiares, a sus padres, a sus superiores en el trabajo o a las "cosas malas" de la vida.

Los alcohólicos necesitan ayuda. Los grupos como Alcohólicos Anónimos sostienen que hay poca esperanza de cambio para el alcohólico si no toca fondo y admite que su vida está fuera de control. Admitir que el problema existe es el primer paso del camino hacia la recuperación.

Dios puede liberar a una persona de esta adicción tanto como de cualquier otra.

---

*Billy Graham escribe: "La Biblia enseña que hay liberación de las cosas que vienen sobre el mundo [...] no por medio de sustancias químicas, sino por medio de Cristo, que lleva a la mente y al corazón a la armonía con Dios por medio de la sumisión a su voluntad y la aceptación de su perdón. [...]. Solo en Cristo hay liberación de los torturadores pensamientos del hombre y libertad de los hábitos sórdidos que destruyen a tantas personas. ¿Por qué la Biblia denuncia tan claramente la ebriedad? Porque es una enemiga de la vida humana. Dios está en contra de cualquier cosa que esté en contra del bienestar de una persona".*

---

## Estrategia para el aconsejamiento

1. Si la persona está ebria o eufórica, cualquier ayuda que usted trate de ofrecerle será inútil—sería una conversación con el alcohol, no con la persona;—hasta podría llegar a ser contraproducente para el alcohólico. Organice un encuentro o haga que la persona se comunique nuevamente al día siguiente, cuando esté sobria. Si parece estar fuera de control, haga que vaya a un centro de desintoxicación. En algunos casos puede preguntar si hay alguien que pueda llevar a la persona a un centro tal.

2. A los alcohólicos les cuesta ser sinceros consigo mismos y, por lo tanto, usted debe demostrar un "amor firme" al tratar con una persona que

bebe. Pregúntele si realmente quiere ayuda.

Aun cuando tome una posición firme, no juzgue. Los pasajes bíblicos adecuados irán surgiendo naturalmente a medida que usted presente el evangelio. Asegúrele a quien busca ayuda que habla con la persona indicada, porque a usted le interesa ayudarlo.

3. Haga énfasis en que el alcohólico debe admitir que tiene un problema que no puede solucionar solo, y que debe estar dispuesto a comprometerse a dejar de beber para siempre. ¡Nada menos que esto servirá! Debe admitir que es personalmente responsable por la situación y por los problemas que acarrea.
4. Este podría ser el momento para preguntarle a la persona si alguna vez recibió a Jesucristo como su Señor y Salvador. Jesús fue a la cruz específicamente por ella; Cristo ofrece tanto salvación como cambio. Explíquele **Cómo obtener paz con Dios** (p. 12).
5. Regrese al tema que hablaba en el punto número 3. El alcohólico debe:

   A. No volver a tomar bebidas alcohólicas. Debe vivir un día a la vez y aprender a confiar en la promesa de Dios con respecto a la tentación (1 Corintios 10:13; vea "Pasajes bíblicos").

   B. Cortar toda relación o amistad que lo ate a este patrón de comportamiento: *"No se dejen engañar: 'Las malas compañías corrompen las buenas costumbres'"* (1 Corintios 15:33, NVI).

   C. Establecer nuevas relaciones y / o amistades:

   - Buscar un grupo de Alcohólicos Anónimos u otro grupo de apoyo que esté cercano. Puede preguntarle a su pastor, al respecto.
   - Participar en una iglesia que enseñe la Biblia para contar con el apoyo espiritual de la adoración, el estudio bíblico y el compañerismo.

6. Sea sincero con el alcohólico y adviértale que es posible que haya recaídas, pero también anímelo a tener en cuenta que una recaída no significa que todo está perdido. Debe buscar ser renovado basándose en 1 Juan 1:9, y los pasos que indica el punto 5 deben ponerse en práctica "un día a la vez".
7. Ore para que la persona sea liberada de la compulsión que la domina, y para que su mente y su vida sean transformadas por el poder de Dios (vea Romanos 12:1–2). Explique la importancia de tener una vida de oración.

8. Si la persona es un cristiano que ha caído víctima del alcohol, proceda como se ha indicado hasta ahora y luego presente el contenido de la sección sobre restauración (p. 19). Destaque especialmente 1 Juan 1:9 y 2:1.

9. Sea cual fuere la situación, inste al alcohólico a buscar aconsejamiento en un pastor o psicólogo que comprenda la dependencia del alcohol o de otras sustancias químicas. Muchas veces es necesario tratar las causas subyacentes de la adicción, que pueden ser: inseguridad, culpa, fracaso, estrés o un comportamiento sexual desviado.

# Pasajes bíblicos

"*El que encubre sus pecados no prosperará; mas el que los confiesa y se aparta alcanzará misericordia*" (Proverbios 28:13).

"*Tú guardarás en completa paz a aquel cuyo pensamiento en ti persevera; porque en ti ha confiado*" (Isaías 26:3).

"*Así que, si el Hijo os libertare, seréis verdaderamente libres*" (Juan 8:36).

"*No os ha sobrevenido ninguna tentación que no sea humana; pero fiel es Dios, que no os dejará ser tentados más de lo que podéis resistir, sino que dará también juntamente con la tentación la salida, para que podáis soportar*" (1 Corintios 10:13).

"*Por lo tanto, el que está unido a Cristo es una nueva persona. Las cosas viejas pasaron; se convirtieron en algo nuevo*" (2 Corintios 5:17, DHH).

"*Si decimos que no tenemos pecado, nos engañamos a nosotros mismos, y la verdad no está en nosotros. Si confesamos nuestros pecados, él es fiel y justo para perdonar nuestros pecados, y limpiarnos de toda maldad*" (1 Juan 1:8–9).

## *Otros pasajes bíblicos sugeridos:*

Mateo 11:28

Juan 3:16

Romanos 12:1–2

Romanos 14:11–12

2 Corintios 2:14

Gálatas 5:22–23

# LA AMARGURA Y EL RESENTIMIENTO

La amargura es producto de una intensa animosidad caracterizada por el cinismo y la mala voluntad. El resentimiento es una suma de disgusto, indignación y mala voluntad que son resultado de una mala acción, un insulto o una herida, que pueden ser reales o imaginadas. La amargura y el resentimiento suelen ir de la mano; resultados, ambos, de la ira no resuelta.

---

*Billy Graham dice: "La Biblia no prohíbe disgustarse, pero determina dos controles. El primero es que el enojo esté libre de amargura, resentimiento y odio. El segundo es que diariamente revisemos cómo hemos manejado los sentimientos negativos. Hay un antiguo proverbio latino que dice: 'El que se va a la cama enojado lleva a dormir consigo al diablo'. Naturalmente, en la vida hay muchas cosas que nos irritan. Ellas se convierten en excelentes oportunidades para que Satanás nos haga caer en una pasión maligna".*

---

Los sentimientos reprimidos y acumulados nos carcomen hasta tal punto, que algunas personas se convierten en inválidos emocionales y enferman físicamente. Su capacidad para funcionar se ve disminuida, y pierden efectividad. A menudo tienen problemas para dormir; y sus relaciones personales, tanto dentro como fuera de la familia, se erosionan. Algunas personas se obsesionan tanto por las ansias de "venganza" que pueden llegar a matar a alguien. La persona que tiene una ira profunda no resuelta, no es una persona sana.

Un clásico caso del síndrome de "resentimiento y ansias de venganza" es la historia de Caín y Abel (vea Génesis 4:1–16). Caín estaba airado porque su ofrenda no había sido aceptada, pero la de su hermano, sí. En realidad, no era un problema entre Caín y Abel, sino entre Caín y Dios, porque fue Dios quien rechazó la ofrenda de Caín. Pero Caín se resintió y se deprimió. En lugar de arrepentirse y pedir a Dios que lo perdonara, descargó su amargura y su resentimiento contra su hermano.

Muchas veces las personas no admiten tener problemas de esta naturaleza, porque buscan que los demás las apoyen o se compadezcan de ellas. Dicen que fueron malentendidas, dañadas o tratadas con maldad, sin darse cuenta de las implicaciones pecaminosas que tiene su propio comportamiento.

La Palabra de Dios dice: "*Pero ahora dejad también vosotros todas estas cosas: ira, enojo, malicia, blasfemia, palabras deshonestas de vuestra boca"* (Colosenses 3:8).

## Estrategia para el aconsejamiento

1. Cuando la persona le relate el problema, manténgase neutral. Asegúrele que Dios tiene una solución para todo problema.

2. Asegúrese de estar hablando con alguien que ha recibido verdaderamente a Cristo. Si no es así, repase **Cómo obtener paz con Dios** (p. 12).

3. Si la persona no se ha dado cuenta que tiene un problema de amargura y resentimiento, o sí lo sabe y desea sinceramente buscar una solución, asegúrese de que comprenda que la amargura es pecado. Ignorar esto impediría llegar a una solución real.

4. El arrepentimiento y la confesión llevarán al perdón y la restauración de la comunión con Dios. Explique la sección que habla sobre la restauración (p. 19). Haga énfasis en 1 Juan 1:9. Oren juntos, y pida a la persona que confiese en forma privada a Dios toda amargura y resentimiento.

5. Si ya ha cumplido los pasos anteriores, corresponde comenzar con los pasos hacia la reconciliación, especialmente si ha habido acusaciones, recriminaciones, críticas y ruptura de relaciones. La victoria se produce cuando se resuelven los conflictos tanto en el plano vertical como en el horizontal. La recompensa es "*una conciencia sin ofensa ante Dios y ante los hombres*" (Hechos 24:16).

   Jesús dijo: "*Reconcíliate primero con tu hermano*" (Mateo 5:24).

   Pablo aconsejó: "*Hasta donde dependa de ustedes, hagan cuanto puedan por vivir en paz con todos. [...] 'Si tu enemigo tiene hambre, dale de comer; y si tiene sed, dale de beber; así harás que le arda la cara de vergüenza.' No te dejes vencer por el mal. Al contrario, vence con el bien el mal*" (Romanos 12:18, 20–21, DHH). Si hay reconciliación, Dios estará complacido y la herida quedará cerrada. Pero, aun cuando no suceda nada positivo, la persona habrá hecho todo lo que Dios requiere. Habrá sido obediente y podrá vivir con la conciencia limpia.

6. Inste a la persona a orar para sentir un profundo amor por la otra persona, ya sea que haya reconciliación o no: "*El amor [...], no guarda rencor; no se goza de la injusticia*" (1 Corintios 13:4–6).

7. Si la amargura y el resentimiento son de larga data, y la persona sostiene obcecadamente que ella es la que tiene razón, muéstrele la amonestación de Pablo: "*Abandonen toda amargura, ira y enojo, gritos y calumnias, y toda forma de malicia. Más bien, sean bondadosos y compasivos unos con otros, y*

*perdónense mutuamente, así como Dios los perdonó a ustedes en Cristo"* (Efesios 4:31–32, NVI). Pida a la persona que reflexione sobre este pasaje y que ore por sus enemigos a la luz de esta verdad.

8. Ore con la persona.

# Pasajes bíblicos

*"Porque si perdonáis a los hombres sus ofensas, os perdonará también a vosotros vuestro Padre celestial; mas si no perdonáis a los hombres sus ofensas, tampoco vuestro Padre os perdonará vuestras ofensas"* (Mateo 6:14–15).

*"Bendigan a quienes los persiguen; bendigan y no maldigan. Alégrense con los que están alegres; lloren con los que lloran. Vivan en armonía los unos con los otros. No sean arrogantes, sino háganse solidarios con los humildes. No se crean los únicos que saben. No paguen a nadie mal por mal. Procuren hacer lo bueno delante de todos. Si es posible, y en cuanto dependa de ustedes, vivan en paz con todos. No tomen venganza, hermanos míos, sino dejen el castigo en las manos de Dios, porque está escrito: 'Mía es la venganza; yo pagaré', dice el Señor"* (Romanos 12:14–19, NVI).

*"Busquen la paz con todos, y la santidad, sin la cual nadie verá al Señor. Asegúrense de que nadie deje de alcanzar la gracia de Dios; de que ninguna raíz amarga brote y cause dificultades y corrompa a muchos"* (Hebreos 12:14–15, NVI).

*"Cuando lo insultaban, [Jesús] jamás contestaba con insultos, y jamás amenazó a quienes lo hicieron sufrir. Más bien, dejó que Dios se encargara de todo y lo cuidara, pues Dios juzga a todos con justicia"* (1 Pedro 2:23, TLA).

# *Vea también* La ira

# EL AMOR

Hasta que las buenas nuevas de Jesucristo irrumpieron en la escena humana, la palabra "amor" se entendía principalmente en términos de buscar el provecho propio. Amar lo que no merecía ser amado era algo incomprensible. Un Dios amoroso que condescendiera a tratar con seres humanos pecadores era algo inconcebible.

Los escritores del Nuevo Testamento escogieron una palabra griega poco usada para el amor, *agape*, para expresar lo que Dios quiso revelar de sí en Cristo y cómo quería que los cristianos se relacionaran entre ellos: "*En esto hemos conocido el amor, en que él puso su vida por nosotros; también nosotros debemos poner nuestras vidas por los hermanos*" (1 Juan 3:16).

Este nuevo vínculo de amor tuvo su máxima expresión en el Calvario. Los redimidos por la muerte de Cristo podrían acercarse a Dios y entre sí en una dimensión nunca antes entendida o experimentada. El *agape* sería, ahora, el "camino aun más excelente" para la vida (1 Corintios 12:31). Este nuevo tipo de amor se convirtió rápidamente en la característica distintiva de la Iglesia primitiva. Jesús había dicho: "*Un mandamiento nuevo os doy... como yo os he amado, que también os améis unos a otros. En esto conocerán todos que sois mis discípulos, si tuviereis amor los unos con los otros*" (Juan 13:34–35).

Pero, al pasar los años, gran parte de la verdadera fuerza del *agape* se disipó. La Iglesia de hoy está en la posición de tener que redescubrir su significado. El *agape* no es mero sentimiento; el amor inactivo es impotente. El amor es dinámico solo cuando ama a Dios activamente, tal como Él nos amó a nosotros; solo cuando surge, incontenible, amando a hermanos, hermanas, vecinos y el mundo por quien murió Jesús (1 Juan 4:10–12; 2 Corintios 5:14).

En el plano humano, al igual que en el divino, el amor dice: "Te respeto. Me interesas. Soy responsable por ti".

> *Te respeto*: Te veo como eres: una persona única, como somos únicos todos. Te acepto como eres y permitiré que te desarrolles según los propósitos de Dios para ti. No te explotaré para mi propio beneficio. Trataré de conocerte lo mejor posible, porque sé que una mejor comunicación y conocimiento mejorarán mi respeto por ti.
>
> *Me interesas*: Lo que te ocurre a ti me importa. Estoy preocupado por tu vida y por tu crecimiento. Deseo promover tus intereses, aun cuando signifique sacrificar los míos.

*Soy responsable por ti*: Responderé a ti, no por un sentido de deber, sino voluntariamente. Tus necesidades espirituales me motivarán a orar por ti. Te protegeré, pero evitaré sobreprotegerte. Te corregiré en amor, pero intentaré no corregirte en exceso. No encontraré ningún placer en tus debilidades y fracasos, y no llevaré la cuenta de ninguno de ellos. Por la gracia de Dios seré paciente y no te fallaré (1 Corintios 13).

Entendemos el amor de Dios solo en la medida que respondemos a ese amor en Cristo. El punto más importante de la vida de toda persona es el momento en que decide recibir este amor que no ha merecido ni ha ganado, a través del cual aprendemos a amar a Cristo y a transmitir su amor a otros.

> *"Dios es amor. Así manifestó Dios su amor entre nosotros: en que envió a su Hijo unigénito al mundo para que vivamos por medio de él. En esto consiste el amor: no en que nosotros hayamos amado a Dios, sino en que él nos amó"* (1 Juan 4:8–10, NVI).

# Estrategia para el aconsejamiento

## *Para la persona que no es creyente:*

Si la persona interesada nunca ha experimentado el amor perdonador de Dios, explique **Cómo obtener paz con Dios** (p. 12). Ponga énfasis en Juan 3:16.

## *Para el creyente:*

1. Si la persona interesada es un creyente que dice que quiere amar más a Dios, elógielo y aliéntelo por esto, porque esto es, también, el mayor deseo de Dios para con nosotros: *"Jesús le dijo: Amarás al Señor tu Dios con todo tu corazón, y con toda tu alma, y con toda tu mente"* (Mateo 22:37).

   A. Debemos amar a Dios porque Él nos amó primero (1 Juan 4:10).

   B. Debemos amarlo *"porque el amor de Dios ha sido derramado en nuestros corazones por el Espíritu Santo que nos fue dado"* (Romanos 5:5). *"El fruto del Espíritu es amor"* (Gálatas 5:22).

   C. Debemos amarlo a través de la obediencia: *"Respondió Jesús y le dijo: El que me ama, mi palabra guardará; y mi Padre le amará, y vendremos a él, y haremos morada con él. El que no me ama, no guarda mis palabras; y la palabra que habéis oído no es mía, sino del Padre que me envió"* (Juan 14:23–24).

   D. Demostramos nuestro amor a través de nuestra devoción a Dios: *"El hacer tu voluntad, Dios mío, me ha agradado, y tu ley está en medio de mi corazón"* (Salmos 40:8).

(1) Lo buscamos a través de su Palabra: *"Sino que en la ley de Jehová está su delicia, y en su ley medita de día y de noche"* (Salmos 1:2).

(2) Lo buscamos a través de la oración: *"Entonces ustedes me invocarán, y vendrán a suplicarme, y yo los escucharé. Me buscarán y me encontrarán, cuando me busquen de todo corazón. Me dejaré encontrar –afirma el SEÑOR–"* (Jeremías 29:12–14, NVI).

(3) Buscamos servirlo: *"Así que, hermanos míos amados, estad firmes y constantes, creciendo en la obra del Señor siempre, sabiendo que vuestro trabajo en el Señor no es en vano"* (1 Corintios 15:58). *"Porque Dios no es injusto para olvidar vuestra obra y el trabajo de amor que habéis mostrado hacia su nombre, habiendo servido a los santos y sirviéndoles aún"* (Hebreos 6:10).

El amor *agape* es la mayor motivación para participar en la evangelización y las misiones, al buscar compartir el amor de Dios con un mundo perdido.

2. Si la persona interesada es un creyente que tiene problemas para amar a otro creyente, señálele que solo comenzamos a entender el amor de Dios al proyectarnos con amor los unos hacia los otros:

   A. Es una orden de Dios que amemos a otros creyentes: *"Ámense los unos a los otros con amor fraternal, respetándose y honrándose mutuamente"* (Romanos 12:10, NVI).

   B. Porque Dios nos ha amado, debemos poder amar independientemente de que el objeto de nuestro amor lo merezca o no: *"El amor de Dios ha sido derramado en nuestros corazones por el Espíritu Santo que nos fue dado"* (Romanos 5:5). Enseñe el bosquejo de las dimensiones del amor *agape*: respeto, interés y responsabilidad.

---

*Billy Graham dice: "El fruto del Espíritu es amor. No puedo amar por mi cuenta. No puedo tener gozo, paz, paciencia, benignidad, bondad, fe, mansedumbre y templanza por mi cuenta. No hay nadie que tenga la capacidad de amar realmente [...] hasta que la persona llega a Cristo. Hasta que el Espíritu Santo tenga control de su vida, no tiene el poder de amar".*

---

   C. Señale que el amor no se demuestra automáticamente; es un comportamiento que se aprende y se practica. Cuanto más amamos, y cuanto más profundamente lo hagamos, más se perfecciona el amor en nosotros:

(1) El amor por otros estimula un amor profundo por ellos.

(2) Las acciones de bondad, servicio y sacrificio agregan la dimensión dinámica del amor: *"Ámense los unos a los otros con amor fraternal, respetándose y honrándose mutuamente" (Romanos 12:10, NVI). "El que ama tiene paciencia en todo, y siempre es amable. El que ama no es envidioso, ni se cree más que nadie. No es orgulloso. No es grosero ni egoísta. No se enoja por cualquier cosa. No se pasa la vida recordando lo malo que otros le han hecho. No aplaude a los malvados, sino a los que hablan con la verdad. El que ama es capaz de aguantarlo todo, de creerlo todo, de esperarlo todo, de soportarlo todo. Solo el amor vive para siempre"* (1 Corintios 13:4–8, TLA).

Ejemplos:

- Llevar a un amigo al aeropuerto para que no tenga que pagar el estacionamiento, y luego buscarlo cuando vuelve.
- Las mujeres africanas llevan baldes de agua a las casas de sus amigas enfermas.

# Pasajes bíblicos

*"Porque de tal manera amó Dios al mundo, que ha dado a su Hijo unigénito, para que todo aquel que en él cree, no se pierda, mas tenga vida eterna"* (Juan 3:16).

*"Nadie tiene mayor amor que este, que uno ponga su vida por sus amigos"* (Juan 15:13).

*"El amor debe ser sincero. Aborrezcan el mal; aférrense al bien. Ámense los unos a los otros con amor fraternal, respetándose y honrándose mutuamente"* (Romanos 12:9–10, NVI).

*"Pero Dios, que es rico en misericordia, por su gran amor con que nos amó, aun estando nosotros muertos en pecados, nos dio vida juntamente con Cristo (por gracia sois salvos)"* (Efesios 2:4–5).

*"¡Fíjense qué gran amor nos ha dado el Padre, que se nos llame hijos de Dios! ¡Y lo somos! El mundo no nos conoce, precisamente porque no lo conoció a él"* (1 Juan 3:1, NVI).

*"Nadie ha visto jamás a Dios, pero si nos amamos los unos a los otros, Dios permanece entre nosotros, y entre nosotros su amor se ha manifestado plenamente"* (1 Juan 4:12, NVI).

*Otros pasajes bíblicos sugeridos*

Mateo 22:37

# LA ANSIEDAD, LAS PREOCUPACIONES Y LAS TENSIONES

La ansiedad, la preocupación y la tensión son respuestas naturales a las situaciones que vivimos. Debemos ser compasivos, sensibles, y ofrecer verdadera ayuda.

---

*Billy Graham comenta: "La humanidad siempre ha sido acosada por las preocupaciones, y las presiones de la vida moderna han agravado el problema. [...]. Muchos de ustedes están llenos de ansiedades. ¡Llévenlas a Jesucristo por la fe! [...]. Estoy aprendiendo, día a día, en mi propia vida, a mantener mi mente centrada en Cristo; así, las preocupaciones y las ansiedades del mundo pasan, y solo la 'perfecta paz' queda en el corazón humano".*

---

## Estrategia para el aconsejamiento

1. Ofrezca aliento a la persona: ¡El Señor puede ayudarla! *"¿Por qué te abates, oh alma mía, y te turbas dentro de mí? Espera en Dios; porque aún he de alabarle, salvación mía y Dios mío"* (Salmos 42:5). Un genuino y sano temor de Dios puede ayudar a vencer los temores.

2. Ayude a la persona a descubrir la causa de su ansiedad. Trate de ofrecerle algo más que simplemente un alivio temporario. En la mayor medida posible, trate de encontrar la "raíz" del problema; pero no indague demasiado. El tiempo para tratar el problema es limitado, y es posible que las ansiedades de la persona estén arraigadas en experiencias traumáticas de su pasado, por lo que sus preguntas deberán limitarse a aquellas que le permitan presentar a Cristo como Salvador y consuelo. Algunas preguntas que puede formular son:

    - ¿Por qué cree que tiene miedo (por su trabajo, por su futuro, por su familia, etc.)?
    - ¿Qué lo pone nervioso? ¿Qué le causa los dolores de cabeza? ¿Por qué no puede dormir?
    - Descríbame cómo se siente. ¿Se siente culpable? ¿Qué podría ser la causa de lo que siente?

- ¿Cree que huye de algo?

Repetimos: estas preguntas deben ser formuladas en forma amistosa, amable, comprensiva. Hable sobre estos temas de igual a igual, no desde una posición de superioridad como consejero o líder espiritual.

Si la ansiedad parece haber sido causada por verdaderos sentimientos de culpa, esto podría indicar un comportamiento equivocado que necesita ser corregido. Experimentar el perdón de Dios en Cristo puede quitar la culpa y los sentimientos de culpa, lo cual ayudará a sanar a la persona. Presente **Cómo obtener paz con Dios** (p. 12).

Evite decir a la persona que "si *piensa* en forma positiva, se sentirá bien". Por el contrario; la mayoría de nosotros debemos aprender que *vivir* correctamente nos llevará a *sentirnos* bien. Solo Dios puede darnos pensamientos positivos. Al enfrentar el problema básico—el pecado—, finalmente podremos tener la clase de conducta que agrada a Dios, y esto nos dará una mejor salud emocional.

La ansiedad por el futuro quizá revele preocupación por la muerte y el juicio futuro. Una vez más, esto nos abre la puerta para presentar a Cristo.

3. Comente la necesidad de orar y estudiar la Biblia diariamente. No solo debemos leer la Biblia, sino asimilar sus enseñanzas de tal modo que comiencen a moldear nuestra vida y nuestro carácter. Es de suma importancia que memoricemos pasajes bíblicos. "Pensar los pensamientos de Dios" nos permitirá dejar de lado las preocupaciones y la ansiedad.

   La oración es la compañera del estudio bíblico. La Biblia dice: "*No se inquieten por nada; más bien, en toda ocasión, con oración y ruego, presenten sus peticiones a Dios y denle gracias*" (Filipenses 4:6, NVI).

4. Señale algunas promesas de la Palabra de Dios. Podemos confiar en que Dios guardará sus promesas. Vea la sección "Pasajes bíblicos".

5. Aconseje a la persona que participe de una iglesia donde se enseñe la Biblia. Pensar en los demás y servir a los demás puede ser un antídoto contra la introspección negativa y enfermiza.

6. Ore con la persona y pida a Dios que le dé soluciones genuinas. (Vea Salmos 34:4 en la sección siguiente).

   Si detecta problemas más serios de los que usted puede manejar, sugiera a la persona que busque la ayuda de un psicólogo cristiano.

# Pasajes bíblicos

*"Busqué a Jehová, y él me oyó, y me libró de todos mis temores"* (Salmos 34:4).

*"¿Por qué te abates, oh alma mía, y te turbas dentro de mí? Espera en Dios; porque aún he de alabarle, salvación mía y Dios mío"* (Salmos 42:5).

*"Lo más importante es que reconozcan a Dios como único rey, y que hagan lo que él les pide. Todo lo demás, él se los dará a su tiempo. Así que no se preocupen por lo que pasará mañana. Ya tendrán tiempo para eso. Recuerden que ya tenemos bastante con los problemas de cada día"* (Mateo 6:33–34, TLA).

*"Por nada estéis afanosos, sino sean conocidas vuestras peticiones delante de Dios en toda oración y ruego, con acción de gracias. Y la paz de Dios, que sobrepasa todo entendimiento, guardará vuestros corazones y vuestros pensamientos en Cristo Jesús"* (Filipenses 4:6–7).

*"Echando toda vuestra ansiedad sobre él, porque él tiene cuidado de vosotros"* (1 Pedro 5:7).

## *Otros pasajes bíblicos sugeridos:*

Salmos 55:22, DHH

Proverbios 3:5–6

Romanos 8:28

Filipenses 4:13

Filipenses 4:19, NVI

# EL APARTARSE Y LA INDIFERENCIA ESPIRITUAL

Apartarse significa perder la comunión con el Señor, enfriarse y hacerse indiferente hacia los asuntos espirituales; algunas veces, se llega a abandonar la fe por completo.

La persona que se aparta puede hacerlo en diversas medidas:

*Apostasía*: Abandonar la fe por rechazar conscientemente la verdad de Dios revelada en su Palabra y en su Hijo.

*Pecados de la carne*: Ceder habitualmente a pecados y desobedecer las leyes de Dios para nuestra vida.

*Pecados del espíritu*: Indiferencia espiritual, mentira, engaño, murmuración, envidia, egoísmo o celos (vea Gálatas 5:19–21).

## *Factores que llevan a una persona a apartarse:*

- Desilusión por la mala conducta (real o imaginada) de otros cristianos.
- Una relación de indiferencia con Cristo, o no darle la importancia debida a la Palabra de Dios, la oración y el testimonio en nuestra vida cristiana.
- Desconocimiento de las verdaderas implicaciones de la responsabilidad y las prácticas espirituales.
- Desobediencia a la voluntad revelada de Dios.
- Pecados voluntarios o conscientes que no han sido confesados.

---

*Billy Graham, muy atinadamente, comenta: "Si usted es un verdadero creyente en Cristo, va a estar en guerra. Los deseos de la carne, la influencia del mundo y el diablo harán guerra contra su vida cristiana. La carne luchará contra el espíritu, y el espíritu contra la carne, y habrá un conflicto constante. Solo podrá tener completa paz cuando esté totalmente entregado a Cristo y rendido a Él en cada fase de su vida. Hay muchas personas que quieren tener un pie en el mundo y un pie en el reino de Dios, y es como nadar entre dos aguas: no se es feliz de ninguna de las dos maneras. Defínase por Cristo".*

---

## Estrategia para el aconsejamiento

Debe intentar que la persona se arrepienta verdaderamente, confiese y sea restaurada, para que su vida se renueve en su amor por Cristo, por la Biblia y por el servicio a los demás.

Para lograr este objetivo intente determinar cómo se ha apartado la persona de la comunión o de su relación con el Señor. Si parece insegura acerca de su compromiso original con Cristo, repase con ella **Cómo obtener paz con Dios** (p. 12). Si la persona está dispuesta a enfrentar determinados asuntos, anímela a:

1. Confesar al Señor todo pecado conocido (1 Juan 1:9).
2. Repasar con usted la sección sobre la restauración de la relación con Dios (p. 19). La persona puede ser renovada si confiesa su pecado. Todo pecado es perdonado por Dios, en Cristo.
3. Comenzar a orar, y leer y estudiar la Biblia cada día.
4. Buscar una iglesia donde se enseñe la Biblia para tener allí comunión, instrucción y oportunidades de servicio.
5. Hacer restitución, de ser necesario, para arreglar cualquier cosa que haya ofendido a otra persona, o por medio de la cual se haya aprovechado de alguien.

Ore con la persona para que sea totalmente restaurada y bendecida. Sugiérale que memorice Proverbios 3:5–6 (especialmente en la versión DHH) y que aprenda a descansar en la verdad de ese pasaje en los días por venir.

## Pasajes bíblicos

### *Arrepentimiento y confesión:*

*"Pacientemente esperé a Jehová, y se inclinó a mí, y oyó mi clamor. Y me hizo sacar del pozo de la desesperación, del lodo cenagoso; puso mis pies sobre peña, y enderezó mis pasos. Puso luego en mi boca cántico nuevo, alabanza a nuestro Dios. Verán esto muchos, y temerán, y confiarán en Jehová"* (Salmos 40:1–3).

*"Los sacrificios de Dios son el espíritu quebrantado; al corazón contrito y humillado no despreciarás tú, oh Dios"* (Salmos 51:17).

*"El que encubre sus pecados no prosperará; mas el que los confiesa y se aparta alcanzará misericordia"* (Proverbios 28:13).

*"Si confesamos nuestros pecados, él es fiel y justo para perdonar nuestros pecados,*

*y limpiarnos de toda maldad"* (1 Juan 1:9).

## *Promesa de perdón:*

*"Si se humillare mi pueblo, sobre el cual mi nombre es invocado, y oraren, y buscaren mi rostro, y se convirtieren de sus malos caminos; entonces yo oiré desde los cielos, y perdonaré sus pecados, y sanaré su tierra"* (2 Crónicas 7:14).

*"Deje el impío su camino, y el hombre inicuo sus pensamientos, y vuélvase a Jehová, el cual tendrá de él misericordia, y al Dios nuestro, el cual será amplio en perdonar"* (Isaías 55:7).

## *Crecimiento espiritual:*

*"...para que habite Cristo por la fe en vuestros corazones, a fin de que, arraigados y cimentados en amor, seáis plenamente capaces de comprender con todos los santos cuál sea la anchura, la longitud, la profundidad y la altura, y de conocer el amor de Cristo, que excede a todo conocimiento, para que seáis llenos de toda la plenitud de Dios"* (Efesios 3:17–19).

*"No se inquieten por nada; más bien, en toda ocasión, con oración y ruego, presenten sus peticiones a Dios y denle gracias. Y la paz de Dios, que sobrepasa todo entendimiento, cuidará sus corazones y sus pensamientos en Cristo Jesús"* (Filipenses 4:6–7, NVI).

*"Que habite en ustedes la palabra de Cristo con toda su riqueza: instrúyanse y aconséjense unos a otros con toda sabiduría; canten salmos, himnos y canciones espirituales a Dios, con gratitud de corazón"* (Colosenses 3:16, NVI).

## *Confiar en que Dios nos dará la victoria cada día:*

*"Fíate de Jehová de todo tu corazón, y no te apoyes en tu propia prudencia. Reconócelo en todos tus caminos, y él enderezará tus veredas"* (Proverbios 3:6–7).

*"El que no escatimó ni a su propio Hijo, sino que lo entregó por todos nosotros, ¿cómo no nos dará también con él todas las cosas?"* (Romanos 8:32).

*"Antes, en todas estas cosas somos más que vencedores por medio de aquel que nos amó"* (Romanos 8:37).

# LA BIBLIA

¿Podemos confiar en la Biblia? ¡Sí!

---

*Billy Graham dice: "Hace mucho tiempo decidí aceptar la Biblia por la fe. Esto no tiene por qué ser difícil para nadie. La mayoría de nosotros no entendemos la fisión nuclear, pero la aceptamos. Yo no entiendo la televisión, pero la acepto. [...]. ¿Por qué es tan fácil aceptar todos estos milagros hechos por el hombre, y tan difícil aceptar los milagros de la Biblia?"*

---

## *¿En qué nos basamos para creer en la Biblia?*

1. La Biblia misma afirma ser la Palabra inspirada de Dios:

   *"Toda la Escritura es inspirada por Dios, y útil para enseñar, para redargüir, para corregir, para instruir en justicia, a fin de que el hombre de Dios sea perfecto, enteramente preparado para toda buena obra"* (2 Timoteo 3:16–17).

   *"Entendiendo primero esto, que ninguna profecía de la Escritura es de interpretación privada, porque nunca la profecía fue traída por voluntad humana, sino que los santos hombres de Dios hablaron siendo inspirados por el Espíritu Santo"* (2 Pedro 1:20–21).

2. Jesús y los apóstoles confirmaron la autenticidad del Antiguo Testamento citándolo decenas de veces en sus escritos y en sus ministerios. Jesús dijo: *"Porque de cierto os digo que hasta que pasen el cielo y la tierra, ni una jota ni una tilde pasará de la ley, hasta que todo se haya cumplido"* (Mateo 5:18). Pedro citó palabras de David para fundamentar la resurrección de Jesucristo (vea Hechos 2:29–36).

3. La Iglesia histórica ha reconocido y utilizado la Biblia como el registro inspirado de Dios mismo y de su voluntad. La Biblia siempre ha sido la regla máxima de fe y práctica de la verdadera Iglesia.

4. La historia y la arqueología se unen para confirmar la exactitud de la Biblia. El registro histórico es obvio e indiscutible. Muchos de los lugares que se mencionan en la Biblia pueden ser identificados fácilmente, aún hoy. Cientos de sitios arqueológicos han brindado amplias pruebas que confirman lo que los cristianos sostienen, en el sentido de que podemos confiar en la Biblia. Muchos antiguos manuscritos de la Biblia se han conservado hasta esta época. Entre ellos, podemos mencionar:

   - *Los rollos del Mar Muerto* confirman fragmentos o textos completos de todos los libros del Antiguo Testamento, con excepción de Ester. Algunos de estos manuscritos datan del segundo o tercer siglo a.J.C.

- *La Septuaginta* (traducción del Antiguo Testamento al griego) data del año 250 a.J.C.
- El *Codex Sinaiticus*, que contiene todo el Nuevo Testamento y partes del Antiguo, data aproximadamente del año 330 a.J.C.

Todos estos documentos, y muchos más, están al alcance de cualquier persona que desee examinarlos.

5. Las profecías cumplidas son testimonios de la exactitud de la Biblia. Por ejemplo, personas que vivieron siglos antes de Cristo predijeron que Él:
   - Nacería de una virgen (Isaías 7:14; vea Lucas 2:26–35).
   - Nacería en Belén (Miqueas 5:2; vea Lucas 2:4–7).
   - Viviría una vida sin pecado (Isaías 53:9; vea 2 Corintios 5:21).
   - Sería llevado a la muerte (Isaías 53:5, 7; vea Mateo 27:35).
   - Gritaría desde la cruz: "*Dios mío, Dios mío, ¿por qué me has desamparado?*" (Salmos 22:1; vea Mateo 27:46).
6. La notable unidad y la coherencia de la Biblia confirman su autenticidad. Esto revela la existencia de un único autor—el Espíritu Santo—detrás de la diversidad de escritores humanos. La Biblia tiene una continuidad sorprendente, ya que tanto su mensaje como sus hechos están estrecha y maravillosamente interconectados para revelar al Hijo de Dios, nuestro Señor y Salvador Jesucristo, y su obra en la redención y restauración humanas. Los sesenta y seis libros que conforman la Biblia se conjugan como un solo libro con un solo tema: Jesucristo.
7. La Biblia es confirmada por su poder para transformar las vidas. Su mensaje explotó en la escena humana en los tiempos del Nuevo Testamento para "trastornar" el mundo (vea Hechos 17:6). Hay poder en el mensaje de la Biblia. Desde el tiempo de Pablo hasta la actualidad, el poder del evangelio ha cambiado vidas.

   La Biblia es el único libro de toda la historia que da respuestas satisfactorias para las preguntas fundamentales de la vida: "¿Quién soy? ¿De dónde vengo? ¿Por qué estoy aquí? ¿Adónde voy? ¿Cuál es el propósito de la vida?"

# Estrategia para el aconsejamiento

¡Nunca discuta! Si la persona tiene la mente lo suficientemente abierta como para escuchar, repase los principios bíblicos que hemos presentado anteriormente, y presente lo que sigue:

1. La aceptación de la Biblia por parte de una persona está directamente relacionada con su disposición para aceptar a su Autor. En el momento adecuado, pregunte a la persona si alguna vez recibió a Jesucristo como su Señor y Salvador. Explíquele **Cómo obtener paz con Dios** (p. 12).

2. Sugiera a la persona que consiga una traducción moderna de la Biblia para leerla y estudiarla. El hecho de encararla con una mente abierta, pidiendo a Dios que se revele a sí mismo, que revele su voluntad y sus propósitos eternos, sin duda será una experiencia muy enriquecedora.

3. Recomiéndele que busque una iglesia donde se enseñe la Biblia, para adorar a Dios allí, estudiar la Biblia y tener comunión con otras personas que toman en serio la Biblia.

4. Ore con la persona; pida a Dios que le dé fe y que le permita realizarse en su vida por medio del poder de la Palabra: "*Y ahora, hermanos, os encomiendo a Dios, y a la palabra de su gracia, que tiene poder para sobreedificaros y daros herencia con todos los santificados*" (Hechos 20:32).

## *Sugerencias adicionales*

1. Si la persona admite que no ha leído la Biblia, anímela a comenzar inmediatamente y a seguir el mismo método que se sigue en cualquier experimento: abordar la lectura de la Biblia en forma imparcial y "darle una oportunidad" en su mente. Sugiérale que comience por el evangelio de Lucas, que a continuación lea los Hechos y luego cualquier libro que prefiera.

2. Respuestas a objeciones comunes:

   - "La Biblia dice que los seres humanos viven en la Tierra desde hace aproximadamente solo 6 000 años".

     *Respuesta*: La Biblia no dice en ningún lugar que las personas hayan vivido en la Tierra desde hace solamente 6 000 años. Este error de concepto probablemente se deba a la cronología del obispo Ussher, que se desarrolló en el siglo XVII. La Biblia no

dice que la humanidad tenga 6 000 años de antigüedad, ni 60 000, ni 600 000. Lo que sí dice es: "*En el principio creó Dios los cielos y la tierra*" (Génesis 1:1).

- "La Biblia está llena de errores".

  *Respuesta*: Para probar qué sabe la persona, pregunte: "¿Qué errores?" Si le menciona la creación, el arca de Noé, el día extendido para Josué, el pez que tragó a Jonás, el nacimiento virginal, etc., responda que no podemos explicar estas cosas, aunque creemos que son hechos históricos. No trate de defenderlos. Dios ha hablado. ¡La Biblia exige que ejercitemos nuestra fe! Cite el comentario de Billy Graham en los primeros párrafos de este capítulo. Cuando escribió acerca de las personas que tienen problemas para creer la Biblia, Pablo dijo: "*Los que no tienen el Espíritu de Dios no aceptan las enseñanzas espirituales, pues las consideran una tontería. Y tampoco pueden entenderlas, porque no tienen el Espíritu de Dios*" (1 Corintios 2:14, TLA).

- "Se me hace difícil creer lo que dice la Biblia" o "No la entiendo".

  *Respuesta*: Sugiérale que compre una traducción moderna de la Biblia e intente leerla otra vez.

  Si la persona parece sincera en su duda, sugiérale la oración que presenta John Stott en su libro *Cristianismo básico*: "Dios, si tú existes (y no sé si es así) y si puedes escuchar esta oración (y no sé si puedes), quiero decirte que estoy buscando, sinceramente, la verdad. Muéstrame si Jesús es tu Hijo y el Salvador del mundo. Y si tú me das seguridad en mi mente, confiaré en Él como mi Salvador y lo seguiré como mi Señor".

3. Quizá le resulte útil dar a conocer a la persona este testimonio personal de Dwight L. Moody, con respecto al poder del mensaje de la Biblia:

"Oré para pedir fe y pensé que algún día la fe caería del cielo sobre mi cabeza, como un rayo. Pero la fe no llegaba. Un día, estaba leyendo el capítulo 10 de Romanos: '*Así que la fe es por el oír, y el oír, por la palabra de Dios*' (v. 17). Yo había cerrado la Biblia para rogar por fe. Ahora abrí la Biblia, comencé a estudiarla y, desde entonces, mi fe no ha dejado de crecer".

# Pasajes bíblicos

"*Porque las cosas que se escribieron antes, para nuestra enseñanza se escribieron, a fin de que por la paciencia y la consolación de las Escrituras, tengamos esperanza"* (Romanos 15:4).

*"Por lo cual también nosotros sin cesar damos gracias a Dios, de que cuando recibisteis la palabra de Dios que oísteis de nosotros, la recibisteis no como palabra de hombres, sino según es en verdad, la palabra de Dios, la cual actúa en vosotros los creyentes"* (1 Tesalonicenses 2:13).

*"Ciertamente, la palabra de Dios es viva y poderosa, y más cortante que cualquier espada de dos filos. Penetra hasta lo más profundo del alma y del espíritu, hasta la médula de los huesos, y juzga los pensamientos y las intenciones del corazón"* (Hebreos 4:12, NVI).

## *Otros pasajes bíblicos sugeridos:*

Hechos 20:32, DHH

2 Timoteo 3:16–17

2 Pedro 1:20–21, DHH

# EL CIELO

El cielo es un lugar preparado para los redimidos por la sangre de Cristo (vea Juan 14:1–6), así como el infierno está preparado para quienes rechazaron a Cristo como su salvador personal. Es un lugar conocido, permanente; sabemos que es:

- El lugar donde Dios habita: *"Cuando oren en este lugar, también tú lo oirás en el lugar de tu morada, en los cielos; escucha y perdona"* (1 Reyes 8:30).
- La ciudad de Dios: *"Os habéis acercado al monte de Sion, a la ciudad del Dios vivo, Jerusalén la celestial"* (Hebreos 12:22).
- La casa de Dios: *"En la casa de mi Padre muchas moradas hay; si así no fuera, yo os lo hubiera dicho; voy, pues, a preparar lugar para vosotros"* (Juan 14:2).
- Donde Cristo está en presencia de Dios: *"Porque no entró Cristo en el santuario hecho de mano, figura del verdadero, sino en el cielo mismo para presentarse ahora por nosotros ante Dios"* (Hebreos 9:24).
- El lugar donde moran ángeles y santos: *"Mirad que no menospreciéis a uno de estos pequeños; porque os digo que sus ángeles en los cielos ven siempre el rostro de mi Padre que está en los cielos"* (Mateo 18:10). *"Así os digo que hay gozo delante de los ángeles de Dios por un pecador que se arrepiente"* (Lucas 15:10).
- El hogar eterno de todos los creyentes: *"No nos sentimos tristes, aunque preferiríamos dejar este cuerpo para ir a vivir con el Señor"* (2 Corintios 5:8, TLA). *"Luego nosotros los que vivimos, los que hayamos quedado, seremos arrebatados juntamente con ellos en las nubes para recibir al Señor en el aire, y así estaremos siempre con el Señor"* (1 Tesalonicenses 4:17).
- Un estado de perfecto amor y perfecto descanso: El cielo está completamente separado de las impurezas, las imperfecciones y los engaños de la Tierra. El cielo es un lugar de adoración, alabanza y servicio donde los redimidos seremos por siempre liberados del pecado por Aquel que será nuestro gozo infinito.
- Un lugar perfecto del que serán excluidos los pecadores no redimidos: *"No entrará en ella ninguna cosa inmunda, o que hace abominación y mentira, sino solamente los que están inscritos en el libro de la vida del Cordero"* (Apocalipsis 21:27; vea también Apocalipsis 5:9–13).
- Un lugar donde veremos a Cristo y seremos más semejantes a Él: *"Amados, ahora somos hijos de Dios, y aún no se ha manifestado lo que*

*hemos de ser; pero sabemos que cuando él se manifieste, seremos semejantes a él, porque le veremos tal como él es"* (1 Juan 3:2).

- Reconoceremos a nuestros seres amados que murieron en Cristo, y también tendremos comunión con los grandes santos de la Biblia: *"Y he aquí les aparecieron Moisés y Elías, hablando con él. Entonces Pedro dijo a Jesús: Señor, bueno es para nosotros que estemos aquí; si quieres, hagamos aquí tres enramadas: una para ti, otra para Moisés, y otra para Elías"* (Mateo 17:3–4).
- La plenitud y las glorias del cielo son indescriptibles: *"Mas hablamos sabiduría de Dios en misterio, la sabiduría oculta, la cual Dios predestinó antes de los siglos para nuestra gloria [...] Antes bien, como está escrito: Cosas que ojo no vio, ni oído oyó, ni han subido en corazón de hombre, son las que Dios ha preparado para los que le aman"* (1 Corintios 2:7, 9).

---

*Billy Graham comenta: "El cielo será un lugar en que sus habitantes serán liberados de los temores y las inseguridades que nos acosan y nos persiguen en esta vida presente. [...] Seremos libres de las presiones económicas que nos afligen aquí, libres del temor de sufrir daños personales o físicos. [...] No habrá temor de fracasos personales. [...] Nuestra relación con Él será íntima y directa. Estoy ansiando ese glorioso día en que iré al cielo".*

---

# Estrategia para el aconsejamiento

1. Para el cristiano que necesita mayor seguridad sobre el cielo y la vida futura, repase los puntos ya mencionados. Quizá haya perdido a un ser querido; sea compasivo y sensible a la guía del Espíritu Santo mientras trata de animarlo y consolarlo: *"Alentaos los unos a los otros con estas palabras"* (1 Tesalonicenses 4:18). Asegúrese de que la persona sea cristiana y esté lista para ir al cielo. De ser necesario, explíquele **Cómo obtener paz con Dios** (p. 12).
2. Si la persona no es cristiana y tiene preguntas sobre los hechos futuros y el cielo, explíquele la verdad de la redención de Cristo y el cielo. Preséntele **Cómo obtener paz con Dios** (p. 12).

# Pasajes bíblicos

*"Porque para mí el vivir es Cristo, y el morir es ganancia. Mas si el vivir en la carne resulta para mí en beneficio de la obra, no sé entonces qué escoger. Porque de ambas cosas estoy puesto en estrecho, teniendo deseo de partir y estar con Cristo, lo cual es muchísimo mejor"* (Filipenses 1:21–23).

*"Enjugará Dios toda lágrima de los ojos de ellos; y ya no habrá muerte, ni habrá más llanto, ni clamor, ni dolor; porque las primeras cosas pasaron"* (Apocalipsis 21:4).

## *Otros pasajes bíblicos sugeridos:*

Juan 14:1–6

# LA CULPA

Cuando la gente habla de "culpa" es posible que se refiera a una de dos cosas: a la verdadera culpa, o a los sentimientos de culpa que puede producir una culpa real o imaginaria.

La verdadera culpa, es decir, el pecado, es resultado de quebrantar las leyes de Dios. Cuando el pecador no está dispuesto a enfrentar el problema directamente como Dios lo señala—para poder experimentar el perdón—sufre las consecuencias, tanto en esta vida como en la eternidad.

Los sentimientos de culpa surgen cuando nuestra conciencia nos dice que hemos violado las normas de Dios; o cuando creemos, equivocadamente, que lo hemos hecho; o cuando, simplemente, no llegamos a la medida de nuestras propias expectativas o a las que nos fijan otras personas.

Adán y Eva, en el huerto del Edén, nos brindan un ejemplo tanto de culpa real como de sentimientos de culpa. Su pecado—la desobediencia—produjo una culpa real. Su relación con Dios se rompió, y ellos lo sabían, por lo cual sufrieron sentimientos de culpa y huyeron de Dios, intentaron esconderse para no tener que enfrentar las consecuencias de su comportamiento. Cuando Dios los encontró, trataron de negar su culpa: Adán culpó a Eva, y Eva culpó a la serpiente. Trataron de "tapar" su pecado cosiéndose delantales de hojas de higuera, pero Dios preguntó al hombre: "*¿Quién te enseñó que estabas desnudo?*" (Génesis 3:11). Al hacer esto, Dios obligó al hombre y a la mujer a enfrentar sus sentimientos de culpa. Después, solucionó su culpa real matando un animal para hacer ropa para ellos, dándoles así una "cubierta" o expiación por su pecado (vea Génesis 3:21). Al hacerlo estableció el principio del sacrificio que, finalmente, llevaría al sacrificio de Cristo en la cruz.

Otra ilustración de cómo manejar la culpa es la ocasión en que Natán confrontó directamente a David con sus pecados de adulterio y asesinato, abriendo así la oportunidad para que se arrepintiera y confesara (vea 2 Samuel 11:1–12:25; Salmo 51).

Los sentimientos de culpa suelen estar relacionados con una enfermedad emocional que proviene de experiencias negativas, con frecuencia vividas en la niñez. Aun los cristianos que tienen la seguridad de que Dios los ha perdonado y de que son sus hijos, sufren de "falsa culpa". Estas personas suelen tener muy baja autoestima, suelen sentirse inútiles –piensan que no pueden hacer nada bien o que no llegan a la altura de lo que deben hacer– y sufren depresión. No parecen poder liberarse de la culpa, aunque lo intenten, como en el caso de Esaú, que no tuvo "*oportunidad para el arrepentimiento, aunque la procuró con lágrimas"* (Hebreos 12:17).

Los sentimientos de culpa se manifiestan de maneras diversas y complejas:

- Profunda depresión a causa del constante autorreproche.
- Fatiga crónica y dolores de cabeza u otras enfermedades.
- Exagerada negación de uno mismo y autocastigo.
- La sensación de ser constantemente observado y criticado por los demás.
- Constantes críticas a los demás por sus pecados y faltas.
- Debido a una actitud derrotista, la persona se hunde aún más en pecado para sentirse todavía más culpable.

---

*Billy Graham ha dicho acerca de este complejo problema: "Por lo general, la conciencia humana va más allá de lo que puede comprender un psiquiatra. Con toda su técnica, el profesional no puede llegar al fondo de su depravación y su profundidad. Los seres humanos no pueden librarse de la culpa que los acosa como resultado de un corazón aplastado bajo el peso del pecado. Pero allí donde los humanos han fallado, Dios ha tenido éxito".*

---

# Estrategia para el aconsejamiento

## *Para la persona que no es cristiana:*

1. Ofrézcale esperanza asegurándole que Dios puede solucionar cualquier problema. Dios no solo puede perdonar, sino borrar todo pecado y toda culpa.

2. No minimice, de ninguna manera, los pecados que la persona le cuenta. Todo ser humano desobedece y peca, y esto debe ser resuelto a la manera de Dios; es decir, la persona debe confesar y ser perdonada. No tenemos esperanzas de encontrar solución para la culpa si encubrimos nuestro pecado: *"El que encubre sus pecados no prosperará; mas el que los confiesa y se aparta alcanzará misericordia"* (Proverbios 28:13).

3. Pregunte a la persona si alguna vez ha recibido a Jesucristo como su Señor y Salvador. Explíquele **Cómo obtener paz con Dios** (p. 12). Haga énfasis en que la muerte de Jesús en la cruz nos da libertad de la culpa, pero nosotros debemos confiar en Él para ser limpios.

4. Anime a la persona a leer la Biblia y estudiarla, comenzando por los Evangelios.

5. Recomiéndele que cultive el hábito de orar diariamente. Cuando ore, puede confesar todos sus pecados actuales, y pedir perdón y limpieza. Debe practicar agradecer a Dios por quitar el pecado y la culpa, recordando que Él se lleva todos nuestros pecados.

6. Sugiérale que busque una iglesia donde se enseñe la Biblia, y participe de ella. Allí podrá tener comunión con personas perdonadas por Dios, y escuchar y estudiar la Palabra de Dios.

7. Ore con la persona para que sea liberada y sienta paz en su corazón: *"Porque él es nuestra paz"* (Efesios 2:14).

8. Si la persona no parece poder responder inmediatamente a lo que usted le ha dicho acerca de Cristo, si continúa luchando contra la culpa, anímela a buscar un pastor de una iglesia donde se enseñe la Biblia, para recibir más ayuda. Es posible que, a su tiempo, pueda responder. Haga énfasis en que ella misma debe tomar la iniciativa para buscar al pastor.

## *Para la persona que es cristiana:*

Para el cristiano que admite tener problemas recurrentes de culpa, proceda de la siguiente forma:

1. Asegúrele del amor y el perdón de Dios. Dios puede limpiar toda nuestra culpa. Si Dios lo ha perdonado, él debe perdonarse a sí mismo también. Un cristiano tiene el derecho de invocar con confianza la verdad de 1 Juan 1:9. Cristo, nuestro Salvador, quita todos nuestros pecados: pasados, presentes y futuros, por medio de su obra completa en la cruz.

2. Anime a la persona a profundizar en la Biblia, leerla, estudiarla y reflexionar profundamente sobre pasajes como Salmos 103:1–6; Salmo 51; Isaías 53, y Juan 18 y 19. Sugiérale que anote estas citas bíblicas para poder encontrarlas en su Biblia. Seguramente se sentirá aliviada de su culpa a medida que se adueñe del sacrificio de Cristo y del perdón y la limpieza que Él nos ha prometido.

3. Sugiérale que ore específica y fielmente para tener *"una conciencia sin ofensa ante Dios y ante los hombres"* (Hechos 24:16). Debe continuar orando hasta que reciba paz.

4. Recomiende a la persona que se ponga en contacto con un pastor para pedir más ayuda.

# Pasajes bíblicos

*"Yo deshice como una nube tus rebeliones, y como niebla tus pecados; vuélvete a mí, porque yo te redimí"* (Isaías 44:22).

*"Así que, si el Hijo os libertare, seréis verdaderamente libres"* (Juan 8:36).

*"Y yo sé que en mí, esto es, en mi carne, no mora el bien; porque el querer el bien está en mí, pero no el hacerlo. [...] Pero veo otra ley en mis miembros, que se rebela contra la ley de mi mente, y que me lleva cautivo a la ley del pecado que está en mis miembros. ¡Miserable de mí! ¿Quién me librará de este cuerpo de muerte? Gracias doy a Dios, por Jesucristo Señor nuestro"* (Romanos 7:18, 23–25).

*"Ahora, pues, ninguna condenación hay para los que están en Cristo Jesús, los que no andan conforme a la carne, sino conforme al Espíritu"* (Romanos 8:1).

*"Una cosa hago: olvidando ciertamente lo que queda atrás, y extendiéndome a lo que está delante, prosigo a la meta, al premio del supremo llamamiento de Dios en Cristo Jesús"* (Filipenses 3:13–14).

# LOS DEMONIOS

La Biblia reconoce que la actividad demoníaca es real: "*Porque no tenemos lucha contra sangre y carne, sino contra principados, contra potestades, contra los gobernadores de las tinieblas de este siglo, contra huestes espirituales de maldad en las regiones celestes*" (Efesios 6:12).

Los demonios, también llamados "*espíritus inmundos*" (vea Lucas 4:36) y "*espíritus engañadores*" (vea 1 Timoteo 4:1) en la Biblia, son espíritus totalmente malignos, invisibles e inteligentes.

Como Satanás, los demonios cayeron en la condenación a causa de la soberbia, y son adversarios tanto de Dios como de los seres humanos. Aunque Satanás y sus mensajeros—los demonios—son reales y están en actividad, muchas veces se les atribuyen cosas de las que no son culpables. Algunos cristianos tienden a adscribir cualquier comportamiento errático a la "posesión demoníaca", cuando, en realidad, la mayor parte de ese comportamiento se debe a la naturaleza pecaminosa y egoísta del ser humano. Además, algunas veces las personas que toman drogas o están enfermas mentalmente aparentarán estar afligidas por demonios.

El cristiano que desea ser utilizado por Dios para ayudar a personas que tienen problemas espirituales hará bien en seguir la admonición del apóstol Juan en cuanto a no creer "a todo espíritu" sino probar a los espíritus para saber "si son de Dios" o si responden al "espíritu del anticristo" (vea 1 Juan 4:1, 3). Por ello los creyentes deben discernir, probar, resistir y rechazar a los demonios (1 Corintios 12:10; Efesios 4:27; 6:10–18; Santiago 4:7; 1 Pedro 5:8–9; 1 Juan 4:1–6).

Por medio de la victoria de Jesucristo sobre Satanás y sus colaboradores demoníacos, y en el poderoso nombre de Jesucristo y con el poder del Espíritu Santo, el hijo de Dios puede vencer a Satanás y sus demonios (vea Mateo 8:16–17; 12:28; Marcos 16:17; Hechos 19:15).

Los recursos con que contamos contra las huestes de maldad son:

- El poder del Señor Jesucristo (Romanos 1:4).
- La cruz de Cristo (Colosenses 2:15).
- La sangre de Cristo (Apocalipsis 12:10–11).
- Estar alerta (1 Pedro 5:8).
- La oración (Mateo 26:41).
- El uso de "toda la armadura de Dios" (Efesios 6:10–18).

# Estrategia para el aconsejamiento

## *Si la persona no es cristiana:*

Si la persona habla de ataduras espirituales, actividad o comportamiento demoníaco, o ha participado de prácticas ocultistas o religiones orientales, hágale algunas preguntas. Trate de discernir si la situación es verdaderamente como la persona la describe. "Cuénteme" es la palabra que deberá usar y repetir hasta que surja el verdadero problema. No tema presionar para obtener respuestas.

1. Haga énfasis en que el sacrificio de Cristo en la cruz es suficiente para resolver el problema del pecado: "*La sangre de Jesucristo su Hijo nos limpia de todo pecado*" (1 Juan 1:7). Preséntele **Cómo obtener paz con Dios** (p. 12).

2. Si la persona recibe a Cristo, anímela a leer y estudiar la Biblia diariamente. La persona también debe orar todos los días. Estas dos disciplinas generalmente se arraigan en la persona que se integra a una iglesia donde se enseña la Biblia y donde puede encontrar comunión, adorar al Señor, estudiar la Biblia y aprender a gozar de una vida consagrada a Dios.

3. Si descubre que conversa con una persona que realmente está endemoniada, siga los pasos que se describen en la sección "Cómo tratar con personas endemoniadas", en este artículo.

## *Si la persona es cristiana:*

Si la persona es un verdadero creyente en Cristo y teme que en su vida haya actividad demoníaca, proceda de la siguiente forma:

1. Pregunte por las circunstancias. ¿Por qué cree que hay actividad demoníaca en su vida? Algunas veces los temores son inducidos por otros cristianos bien intencionados pero errados.

2. Recuérdele a la persona que todos los recursos de Dios están a nuestra disposición:

   - Satanás es un enemigo vencido (1 Juan 3:8).
   - Cristo vive en el creyente (Colosenses 1:27).
   - El Espíritu Santo nos da poder (Hechos 1:8; 2 Timoteo 1:7).
   - La Palabra de Dios nos guía (2 Timoteo 3:16–17).

3. El cristiano tiene la seguridad de la victoria cuando se somete

constantemente al señorío de Cristo, a la autoridad y la iluminación de la Biblia, a la disciplina de la oración vencedora y a la integración a un grupo de creyentes dinámico en una iglesia donde se enseñe la Biblia.

4. Puede suceder que el creyente sufra de una profunda culpa por un pecado real no confesado, y presente el tema de la influencia demoníaca para tratar de transferir la culpa a otro, en lugar de enfrentar su responsabilidad por el pecado. Con un verdadero arrepentimiento y confesión de pecado, la culpa desaparecerá, así como las causas de la "opresión". Explíquele lo relativo a la restauración de la relación con Dios (p. 19); haga énfasis en 1 Juan 1:9.
5. Puede ser que usted trate con una persona que verdaderamente está endemoniada. De ser así, siga los pasos que se detallan a continuación.

## *Cómo tratar con personas endemoniadas:*

**¡Tenga mucho cuidado!** Busque la ayuda de alguien que esté capacitado para manejar la situación; por ejemplo, un pastor. Usted debe estar seguro de que enfrenta un verdadero caso de posesión demoníaca, y no las consecuencias de algún desorden físico, psicológico o espiritual. La persona podría sufrir un gran daño si le dice que está poseída por un demonio y esto no fuera verdad.

1. Observe cuidadosamente los síntomas de la persona poseída y pida discernimiento y sabiduría al Señor. Una persona endemoniada es precisamente eso: alguien que está bajo la fuerte influencia de un espíritu maligno, o que ha sido invadida por un espíritu maligno. Es posible que manifieste comportamientos muy extraños. Su voz quizá sea completamente diferente de la voz normal de la persona.
2. No debe tomarse a la ligera el trato con esta persona. Muchas veces el espíritu se resiste tenazmente y se requiere mucho tiempo para solucionar adecuadamente todas las dificultades. Sugiera a la persona que busque la ayuda de un pastor capacitado o un consejero cristiano profesional.

NOTA: (a) En los casos de personas endemoniadas que fueron liberadas, quienes participaron del proceso declararon unánimemente que es muy necesario que haya mucha oración ferviente, generalmente por parte de un grupo de cristianos especialmente convocados para orar específicamente por el caso. Deben orar basándose en la muerte de Cristo, su sangre derramada en la cruz, su resurrección y su palabra de amor y verdad. (b) Una persona debe asumir el rol de líder y ser el vocero. (c) Según lo indique el Espíritu de Dios, y en los momentos que Él lo ordene, debe darse una orden para expulsar al espíritu maligno en el nombre del Señor Jesucristo y por su autoridad (Mateo 28:18). (d) Al producirse la liberación, debe proclamarse la victoria inmediatamente en el nombre del Señor Jesucristo y alabar a Dios por ella.

Inste a la persona liberada a formar amistades firmes dentro de la familia de Dios. Es posible que necesite la compañía constante de cristianos que oren para que sea protegida de espíritus malignos durante esta etapa en que aún es un bebé espiritual. Fortalecerá de gran manera la obra de Dios en su vida, si lee y estudia la Palabra de Dios, ora y testifica de la maravillosa obra de Dios en su vida.

# Pasajes bíblicos

*"Jesús se acercó entonces a ellos y les dijo:—Se me ha dado toda autoridad en el cielo y en la tierra"* (Mateo 28:18, NVI).

*"Someteos, pues, a Dios; resistid al diablo, y huirá de vosotros"* (Santiago 4:7).

*"Sed sobrios, y velad; porque vuestro adversario el diablo, como león rugiente, anda alrededor buscando a quien devorar; al cual resistid firmes en la fe, sabiendo que los mismos padecimientos se van cumpliendo en vuestros hermanos en todo el mundo"* (1 Pedro 5:8–9).

*"Amados, no creáis a todo espíritu, sino probad los espíritus si son de Dios; porque muchos falsos profetas han salido por el mundo. En esto conoced el Espíritu de Dios: Todo espíritu que confiesa que Jesucristo ha venido en carne, es de Dios; y todo espíritu que no confiesa que Jesucristo ha venido en carne, no es de Dios; y este es el espíritu del anticristo, el cual vosotros habéis oído que viene, y que ahora ya está en el mundo"* (1 Juan 4:1–3).

## *Otros pasajes bíblicos sugeridos:*

1 Juan 3:8

Apocalipsis 12:11 (especialmente DHH)

# LA DEPRESIÓN

La depresión es, posiblemente, la causante de más dolor y sufrimiento que cualquier otra aflicción de la humanidad. Los diccionarios definen a la depresión como un estado anímico o una situación emocional caracterizada por sentimientos de desesperanza, inhibición, baja autoestima, abatimiento, tristeza, dificultad para pensar y concentrarse, y una disminución de la actividad y el desarrollo. Tanto los cristianos como los no cristianos pueden sufrir de depresión.

Muchas depresiones tienen causas físicas. Las personas que están profundamente deprimidas deberían ser derivadas a un médico o a un psiquiatra. Esto es particularmente importante si la persona tiene impulsos suicidas. Es posible que se necesite cierta medicación para superar la dificultad. Las personas que están deprimidas tienen una imagen negativa de sí mismas, muchas veces acompañada de culpa, vergüenza y autocrítica. La depresión neurótica puede estar relacionada con una conducta o con un comportamiento negativo y reacciones equivocadas hacia tal conducta. Después de una serie de actos incorrectos y las consiguientes reacciones erradas, se instalan la culpa y la depresión.

Si el centro del problema es el pecado, no debe minimizárselo. Tampoco debe apoyarse la idea de que otras cosas y otras personas son responsables por los problemas de comportamiento. Darle la razón a la persona en esto, o no tomar en serio su expresión de pecado y culpa, puede impedir llegar a soluciones reales y duraderas.

Generalmente a la persona deprimida solo le preocupa sentirse mejor. Pero esa no es la prioridad. Deben buscarse las causas que podrían haber contribuido a la depresión. Poner en orden la vida espiritual puede ayudar a que, finalmente, la depresión sea erradicada.

En este punto la Biblia puede utilizarse de manera muy eficaz. La liberación del poder del Espíritu Santo producirá, inevitablemente, un avance en el camino hacia la recuperación y la salud. El testigo cristiano debe tratar de alentar a la persona deprimida. Aunque no tome una decisión espiritual, trate de que la persona deprimida quede con una sensación de esperanza y bienestar. Tenga paciencia. La depresión generalmente incluye problemas complejos que no tienen una solución fácil y rápida. La persona deprimida no saldrá de su problema "instantáneamente", en respuesta a una orden. A menudo, son necesarios muchos meses de tratamiento con un profesional.

Sepa escuchar.

# Estrategia para el aconsejamiento

## *Si la persona no es cristiana:*

1. La persona quizá revele síntomas de depresión como consecuencia de situaciones como, por ejemplo, ira no resuelta, resentimiento, ofensas reales o imaginadas, autocompasión, culpa o comportamientos inmorales. Asegúrele que le interesa ayudarla y que desea acompañarla en la búsqueda de soluciones.

2. Pregúntele si se ha entregado a Jesús como su Señor y Salvador. Si resulta apropiado, preséntele **Cómo obtener paz con Dios** (p. 12). Recuerde que minimizar de cualquier forma la seriedad del pecado, sería en realidad algo perjudicial para la persona. Para que pueda experimentar el perdón, debe haber reconocimiento y confesión de pecado.

3. Explique lo relativo a la seguridad de la salvación (p. 17). Haga énfasis en que esta experiencia con Cristo ofrece una esperanza real. Debería aportar una nueva conciencia y mejor comprensión a la batalla contra la depresión.

4. Estimule la lectura y el estudio de la Biblia. Esto le enseñará a la persona la voluntad y los caminos de Dios, lo que le ayudará a ajustar sus pensamientos a Dios y a tener paz interior (vea Isaías 26:3).

5. Recomiende a la persona deprimida que ore diariamente. Por medio de la oración confesamos nuestros pecados y somos renovados. Aprendemos a experimentar la presencia y la aprobación constantes de Dios. Adoramos a Dios cuando le damos gracias y lo alabamos. Y expresamos nuestras propias necesidades y las necesidades de los demás.

6. Sugiérale que cultive amistades con personas que le den apoyo y aliento. Podrá encontrar estos amigos en una iglesia donde se enseñe la Biblia, en un estudio bíblico o en un grupo cristiano. Esta comunión también le dará oportunidades para el servicio cristiano, en el cual la preocupación está puesta en las necesidades de los demás.

7. Anímela a buscar un pastor capacitado o un psicólogo cristiano que le ofrezca aconsejamiento continuado, para que todas las facetas de la depresión puedan ser resueltas a la luz de la Biblia.

## *Si la persona es cristiana:*

1. Un cristiano puede estar deprimido a causa de situaciones adversas, derrotas y dificultades como una muerte en la familia, un hijo desobediente o la pérdida del trabajo:

   A. En tales casos, es importante ofrecer siempre una palabra de aliento, como por ejemplo: "Usted no está solo en su sufrimiento", o "Dios se preocupa por usted y no lo dejará solo", o "El Señor Jesús no solo llevó sobre Él nuestro pecado, sino también nuestras penas y dolores".

   B. Sugiérale que la depresión actual quizá se deba a la incapacidad de confiar en Dios plenamente en todas las circunstancias de la vida. Es posible que sea necesario que la persona rededique su vida a Cristo y se comprometa a responder en obediencia a la voluntad de Dios (vea Romanos 12:1–2).

   C. Sugiérale que se comprometa nuevamente a practicar las disciplinas del estudio bíblico y la oración (Proverbios 3:5–6; Isaías 26:3).

   D. Anímela a adorar a Dios y servir fielmente en la iglesia.

2. También es posible que el cristiano esté deprimido debido a que desobedeció espiritualmente, o a la existencia de un pecado no resuelto como, por ejemplo, enojo y amargura, celos, resentimiento o inmoralidad:

   A. Cuando el problema se haga evidente, asegure a la persona que ha hecho bien en buscar una solución: el primer paso para volver a la sanidad es la renovación espiritual.

   B. Explíquele lo que dice la sección sobre la restauración de la relación con Dios (p. 19); haga énfasis en Proverbios 28:13 y 1 Juan 1:9.

   C. Cuando la persona responda a los pasajes bíblicos que se encuentran en la sección sobre restauración, señale que es posible que sea necesario algo más que renovar el compromiso. Por ejemplo, quizá tenga que arreglar daños resultantes de chismes, críticas, envidia o comportamientos inmorales. En los casos en que haya habido robo o fraude, habrá que analizar la posibilidad de hacer restitución.

   D. Anime a la persona a comprometerse seriamente a estudiar la Biblia. Aprender a pensar los pensamientos de Dios es una valiosa ayuda para la recuperación espiritual (vea Romanos 12:2; Filipenses 4:8).

E. Sugiérale que se integre a una iglesia donde se enseñe la Biblia y pueda practicar la adoración, la comunión, y tenga oportunidades para servir.

F. Sugiérale que se comprometa a obtener ayuda profesional de parte de un pastor capacitado o un psicólogo cristiano, hasta que todos los factores causantes de la depresión hayan sido resueltos a la luz de la Biblia.

3. Es posible que un cristiano se deprima porque se ha fijado pautas y metas más allá de sus posibilidades. El fracaso produce depresión.

   A. Pacientemente, señale a la persona que las metas que otros se fijan y parecen obtener quizá no sean adecuadas para él o ella. Su depresión puede ser un indicador de que las metas son inalcanzables.

   B. Señale que el éxito o fracaso no pueden medirse con referencia a parámetros humanos. Sugiera, en cambio, los siguientes parámetros:

      - ¿Está de acuerdo lo que deseo con la voluntad de Dios? ¿Tiene sustento bíblico?
      - ¿Es lo que deseo para la gloria de Dios, o es para satisfacer un capricho personal o una ambición egoísta?
      - ¿Me motiva el orgullo espiritual?
      - Lo que deseo, ¿está de acuerdo con la guía que brinda Pablo?

        * Ser lo que soy; lo que Dios me ha hecho. Aprender a vivir con mis puntos fuertes y mis puntos débiles: *"Por la gracia de Dios soy lo que soy"* (1 Corintios 15:10).

        * Tratar de emular a otra persona ("estar a la altura de los Rodríguez") es espiritualmente indeseable y contraproducente (2 Corintios 10:12).

4. Sugiera a la persona que renueve su compromiso espiritual: *"Buscad primeramente el reino de Dios y su justicia, y todas estas cosas os serán añadidas"* (Mateo 6:33).

5. Anime a la persona a aprender las disciplinas de la oración y el estudio bíblico.

6. Sugiérale que reordene sus prioridades para que estén más de

acuerdo con sus capacidades.

7. Si cree que se necesita algún tipo de seguimiento, recomiéndele que se comprometa a buscar aconsejamiento profesional con un pastor capacitado o con un psicólogo cristiano.

# Pasajes bíblicos

*"Confía de todo corazón en el Señor y no en tu propia inteligencia. Ten presente al Señor en todo lo que hagas, y él te llevará por el camino recto"* (Proverbios 3:5–6, DHH).

*"En la enfermedad, el ánimo levanta al enfermo; ¿pero quién podrá levantar al abatido?"* (Proverbios 18:14, NVI).

*"Ciertamente llevó él nuestras enfermedades, y sufrió nuestros dolores; y nosotros le tuvimos por azotado, por herido de Dios y abatido. Mas él herido fue por nuestras rebeliones, molido por nuestros pecados; el castigo de nuestra paz fue sobre él, y por su llaga fuimos nosotros curados"* (Isaías 53:4–5).

*"Estamos atribulados en todo, mas no angustiados; en apuros, mas no desesperados; perseguidos, mas no desamparados; derribados, pero no destruidos"* (2 Corintios 4:8–9).

*"Con Cristo estoy juntamente crucificado, y ya no vivo yo, mas vive Cristo en mí; y lo que ahora vivo en la carne, lo vivo en la fe del Hijo de Dios, el cual me amó y se entregó a sí mismo por mí"* (Gálatas 2:20).

## *Otros pasajes bíblicos sugeridos:*

Salmos 38:1–4, 21–22

1 Reyes 19 (especialmente NVI)

# LAS DIFICULTADES ECONÓMICAS

El manejo sabio y prudente de su dinero debería ser algo prioritario para toda persona. Gran parte de nuestras tensiones, fricciones en la familia y frustraciones son causadas directa o indirectamente por el dinero. Una de las principales causas de divorcio son los desacuerdos en el manejo de los asuntos económicos. La familia cristiana no es inmune a esto. Si una familia no puede o no quiere pagar sus cuentas, o está acosada por otros problemas relacionados con el dinero, es de mal testimonio para las personas no creyentes. Son muy pocas las iglesias que ofrecen capacitación a sus miembros sobre cómo manejar el dinero.

## *Las principales causas de los problemas económicos*

- *Actitudes erradas con relación al dinero.* La codicia y la avaricia llevan rápidamente a toda clase de males (vea 1 Timoteo 6:10). El síndrome de invertir especulando para "hacerse rico rápidamente" suele llevar al desastre.
- *Gastar más de lo que se gana.* La falta de disciplina puede resultar en un endeudamiento crónico (vea Lucas 14:28–30). Algunas personas parecen ser muy susceptibles a la publicidad, y sucumben ante la atracción de los productos y las ofertas aparentemente ventajosas de compra a crédito.
- *Comprar a crédito.* El mejor consejo posible para quienes tienen problemas económicos, es que no compren nada a crédito.
- *Los gastos superfluos.* Comprar cosas innecesarias y consumir artículos superfluos o lujosos, son hábitos que demuestran autoindulgencia. Las personas necesitan revisar sus hábitos de compras. Es necesario preparar cuidadosamente un presupuesto de ingresos y egresos, y mantenerse dentro de él.
- *La falsa creencia de que los bienes materiales producen felicidad. "[Jesús] miró entonces a los que estaban allí y les dijo: '¡No vivan siempre deseando tener más y más! No por ser dueños de muchas cosas se vive una vida larga y feliz'"* (Lucas 12:15, TLA).
- *Falta de un presupuesto para proyectar y controlar los gastos.* Los ingresos de una persona tienen un límite.

## *Principios bíblicos para el manejo del dinero*

- El uso de los recursos materiales es un asunto espiritual; por lo tanto, es fundamental que la persona comprenda el señorío del Jesucristo. El dinero pone en perspectiva la totalidad de la vida en su relación con la voluntad de Dios y las cuestiones de la eternidad:

  *"Porque 'del Señor es la tierra y todo cuanto hay en ella'"* (1 Corintios 10:26, NVI).

  *"No sois vuestros [...] habéis sido comprados por precio"* (1 Corintios 6:19–20).

  *"Cada uno de ustedes, en adoración espiritual, ofrezca su cuerpo como sacrificio vivo, santo y agradable a Dios. No se amolden al mundo actual, sino sean transformados mediante la renovación de su mente. Así podrán comprobar cuál es la voluntad de Dios, buena, agradable y perfecta"* (Romanos 12:1–2, NVI).

- Debemos comprender que somos mayordomos—administradores— de todo lo que Dios ha puesto bajo nuestro cuidado. No somos sus dueños. Nuestra vida, nuestro tiempo y nuestros bienes son dones de Dios. Somos responsables ante Dios por ellos, y Él nos pedirá que le rindamos cuentas (vea Mateo 25:14–30).

- Dios desea que dependamos de Él, no de las posesiones materiales. *"A los ricos de este siglo manda que no sean altivos, ni pongan la esperanza en las riquezas, las cuales son inciertas, sino en el Dios vivo, que nos da todas las cosas en abundancia para que las disfrutemos"* (1 Timoteo 6:17; vea también Salmos 37:25; Proverbios 3:5, 6; Filipenses 4:19).

- El plan de Dios es que sus administradores entreguen una parte de sus ingresos para Él y su obra: *"Traigan su diezmo al tesoro del templo, y así habrá alimentos en mi casa. Pónganme a prueba en eso, a ver si no les abro las ventanas del cielo para vaciar sobre ustedes la más rica bendición"* (Malaquías 3:10, DHH; vea también Proverbios 3:9; Lucas 12:34).

---

*Billy Graham dice: "Aunque, en realidad, todo nuestro dinero le pertenece a Dios, la Biblia sugiere que el diezmo es una respuesta mínima de gratitud a Él. [...] No hay opción; la Biblia promete bendición espiritual y material para la persona que da a Dios. Nunca podemos dar más que Dios. Lo desafío a que pruebe, y verá que es cierto".*

---

# Estrategia para el aconsejamiento

1. Si la persona admite tener problemas económicos, sugiérale que necesita ver las cosas con la perspectiva que se tiene al gozar de una relación eterna con Jesucristo como Señor y Salvador. Debemos conocerlo personalmente y solo entonces podemos esperar recibir su ayuda. Explíquele **Cómo obtener paz con Dios** (p. 12).

2. Después que la persona le haya dicho cuál es su problema económico, sugiérale que lo considere, básicamente, como un problema espiritual; que no busque solo una solución temporaria, sino que coloque a Dios en el centro de su vida, incluyendo el manejo de su dinero. Solo esto le brindará soluciones duraderas. Si usted escucha las posibles explicaciones o excusas de la persona sobre sus problemas económicos—por ejemplo, la situación económica del país en general—no la ayudará en nada. Muchas personas están en problemas porque han administrado mal.

3. La forma en que se manejen los problemas económicos en el futuro dependerá de la actitud de la persona para con los principios de la Biblia. Repáselos con ella, uno por uno. Después, pregúntele por la causa de sus problemas económicos:

   - ¿Tiene actitudes erradas con relación al dinero?
   - ¿Compra a crédito?
   - ¿Gasta más de lo que gana?
   - ¿Hace gastos superfluos?
   - ¿No ha hecho un presupuesto, o ha planificado mal sus gastos?

4. Haga énfasis en que es necesario ordenar los aspectos económicos y la vida, y hacer todos los cambios o sacrificios que se requieran. El futuro de la persona y el de su familia dependen de que actúe con determinación.

5. Si las soluciones económicas propuestas parecen estar más allá de las posibilidades de la persona, aun cuando ella ha tratado de honrar los principios bíblicos, sugiérale que pida a un pastor que le recomiende a un consejero profesional especializado en asuntos económicos, que pueda trazar un plan para su recuperación, o que se dirija ella misma, directamente, a un consejero tal, si sabe a quién recurrir.

6. Sugiera a la persona que asista a un seminario sobre administración del dinero.

# Pasajes bíblicos

"*Y yo pregunto: ¿Acaso un hombre puede defraudar a Dios? ¡Pues ustedes me han defraudado! Y todavía preguntan: '¿En qué te hemos defraudado?' ¡En los diezmos y en las ofrendas me han defraudado! Sí, toda la nación, todos ustedes, me están defraudando, y por eso voy a maldecirlos. Yo, el Señor todopoderoso, les digo: Traigan su diezmo al tesoro del templo, y así habrá alimentos en mi casa. Pónganme a prueba en eso, a ver si no les abro las ventanas del cielo para vaciar sobre ustedes la más rica bendición*" (Malaquías 3:8–10, DHH).

"*Mas buscad primeramente el reino de Dios y su justicia, y todas estas cosas os serán añadidas*" (Mateo 6:33).

"*Mi Dios, pues, suplirá todo lo que os falta conforme a sus riquezas en gloria en Cristo Jesús*" (Filipenses 4:19).

# LA DISCIPLINA DE DIOS

La Biblia enseña claramente que las diversas dificultades o los problemas que algunas veces enfrentamos los cristianos, son resultados de que Dios decide disciplinarnos para hacernos más fieles a Él. De tanto en tanto pueden revelarse en una conversación problemas y dificultades que indican que Dios obra en el creyente de esta manera. Hay diferencia entre el castigo por el pecado y la disciplina para el crecimiento espiritual.

## *La disciplina del Señor es un concepto bíblico*

*"Dichoso aquel a quien tú, SEÑOR, corriges; aquel a quien instruyes en tu ley, para que enfrente tranquilo los días de aflicción mientras al impío se le cava una fosa"* (Salmos 94:12–13, NVI).

*"No rechaces, hijo mío, la corrección del Señor, ni te disgustes por sus reprensiones; porque el Señor corrige a quien él ama, como un padre corrige a su hijo favorito"* (Proverbios 3:11–12, DHH).

---

*Billy Graham comenta: "La Biblia dice que Dios 'corrige a quien él ama'. Si la vida fuera toda fácil, ¿no nos volveríamos unos debiluchos? Cuando el constructor de un barco necesitaba madera para hacer el mástil, no lo buscaba en el valle, sino en la ladera de la montaña, donde los árboles habían sido castigados por los vientos. Él sabía que esos árboles eran los más fuertes de todos. Nosotros no elegimos las dificultades; pero si las enfrentamos con valor, ellas fortalecerán la fibra de la que está hecha nuestra alma.*

*"Dios no nos disciplina para someternos, sino para prepararnos para una vida útil y bendecida. En su sabiduría, Él sabe que una vida sin control es una vida infeliz, así que pone riendas a nuestras almas desbocadas para que puedan ser dirigidas hacia los caminos de justicia".*

---

## *Dios tiene buenas razones para disciplinarnos*

1. Él quiere llevarnos al arrepentimiento: *"Ahora me gozo, no porque hayáis sido contristados, sino porque fuisteis contristados para arrepentimiento; porque habéis sido contristados según Dios, para que ninguna pérdida padecieseis por nuestra parte"* (2 Corintios 7:9).
2. Dios quiere restaurar nuestra comunión: *"Lo que hemos visto y oído, eso os anunciamos, para que también vosotros tengáis comunión con nosotros; y*

*nuestra comunión verdaderamente es con el Padre, y con su Hijo Jesucristo"* (1 Juan 1:3).

3. Él desea hacernos más fieles: *"Ahora bien, se requiere de los administradores, que cada uno sea hallado fiel"* (1 Corintios 4:2).
4. Dios desea que siempre seamos humildes: *"Y para que la grandeza de las revelaciones no me exaltase desmedidamente, me fue dado un aguijón en mi carne, un mensajero de Satanás que me abofetee, para que no me enaltezca sobremanera; respecto a lo cual tres veces he rogado al Señor, que lo quite de mí. Y me ha dicho: Bástate mi gracia; porque mi poder se perfecciona en la debilidad"* (2 Corintios 12:7–9).
5. Él desea enseñarnos discernimiento espiritual: *"Si nos examináramos a nosotros mismos, no se nos juzgaría; pero si nos juzga el Señor, nos disciplina para que no seamos condenados con el mundo"* (1 Corintios 11:31–32, NVI).
6. Dios desea prepararnos para un servicio más efectivo: *"Así que, hermanos míos amados, estad firmes y constantes, creciendo en la obra del Señor siempre, sabiendo que vuestro trabajo en el Señor no es en vano"* (1 Corintios 15:58).

# Estrategia para el aconsejamiento

1. Anime a la persona. Dígale que puede sentirse agradecida por la disciplina del Señor. Cuando Dios disciplina no es porque descarta a un hijo o una hija, sino que:
   A. Confirma su amor por él o ella: *"Porque el Señor al que ama, disciplina"* (Hebreos 12:6).
   B. Confirma su relación con él o ella: *"Pero si se os deja sin disciplina, de la cual todos han sido participantes, entonces sois bastardos, y no hijos"* (Hebreos 12:8).
   C. Desea que responda en obediencia y fidelidad a Él: *"Antes que fuera yo humillado, descarriado andaba; mas ahora guardo tu palabra"* (Salmos 119:67).
2. Ayude a la persona a abrir su corazón ante el Señor como lo hizo el salmista:

   *"Examíname, oh Dios, y conoce mi corazón; pruébame y conoce mis pensamientos; y ve si hay en mí camino de perversidad, y guíame en el camino eterno"* (Salmos 139:23–24).

Algunas preguntas podrían ayudarle. Por ejemplo:

- ¿Por qué cree usted que Dios lo disciplina?
- ¿Cree usted que hay alguna desobediencia o pecado en su vida que Dios trata de solucionar?

3. De ninguna manera minimice el pecado o la desobediencia que la persona admita. Esto es el fundamento sobre el cual usted podrá pedirle que se arrepienta, confiese y vuelva a la comunión.
4. Pase a la sección sobre restauración de la relación con Dios (p. 19); haga especial énfasis en 1 Juan 1:9.
5. Anime a la persona a iniciar y continuar un encuentro devocional diario con Dios por medio de la lectura de su Palabra y la oración.
6. Anime a la persona a buscar la dirección de Dios y descubrir el propósito de Él para su vida. Después de recibir la disciplina de Dios, puede pasarse a vivir en obediencia y con bendición, y tener oportunidades de vivir para Cristo y servirlo.
7. Recomiéndele que busque una buena iglesia donde haya comunión según las pautas bíblicas. Los amigos cristianos ayudan a fortalecernos.
8. Ore por la completa restauración y renovación de la persona.

# Pasajes bíblicos

*"Dichoso aquel a quien tú, SEÑOR, corriges; aquel a quien instruyes en tu ley, para que enfrente tranquilo los días de aflicción mientras al impío se le cava una fosa"* (Salmos 94:12–13, NVI)

*"Hijo mío, no desprecies la disciplina del SEÑOR, ni te ofendas por sus reprensiones. Porque el SEÑOR disciplina a los que ama, como corrige un padre a su hijo querido"* (Proverbios 3:11–12, NVI).

*"Más bien, golpeo mi cuerpo y lo domino, no sea que, después de haber predicado a otros, yo mismo quede descalificado"* (1 Corintios 9:27, NVI).

# EL DIVORCIO

El divorcio se produce cuando un hombre o una mujer deciden no continuar casados. Aunque generalmente uno solo de los cónyuges inicia el proceso, ambos, en cierta medida, pueden haber contribuido a la ruptura.

El divorcio es una experiencia que destroza a la persona, y las heridas que causa tardan mucho en sanar. Se necesita tiempo para que cada una de las partes ordene las cosas de tal modo que pueda manejar objetivamente su propia vida, y la situación que ha vivido. Es posible que le resulte muy difícil ver y pensar por encima de los sentimientos de aislamiento, rechazo, amargura y confusión.

---

*Billy Graham comenta: "Me opongo al divorcio y considero el aumento del número de divorcios como uno de los problemas más alarmantes de nuestra sociedad. Sin embargo, sé que el Señor puede perdonar y sanar aun cuando se hayan cometido grandes pecados. La Iglesia está formada por pecadores. Cuando Pablo le escribió a la iglesia de Corinto, presentó una larga lista de males y después, agregó: 'Y esto erais algunos' (1 Corintios 6:11). Pero ellos habían sido perdonados y se habían convertido en parte de la Iglesia, el cuerpo de Cristo".*

---

## Estrategia para el aconsejamiento

1. La persona necesita mucho aliento. Quizá se sienta rechazada; quizá sienta que ha perdido el sentido de su valor como ser humano. Esto es muy común entre quienes se divorcian. Dígale a la persona que está agradecido por darle la oportunidad de hablar con ella. Dios nos ama y nos acepta como somos.

2. Pregunte a la persona cuál es su relación con Jesucristo. ¿Alguna vez lo recibió como su Señor y Salvador? Si es apropiado, explíquele **Cómo obtener paz con Dios** (p. 12). Aunque la persona pueda sentirse rechazada, aislada y devastada, asegúrele que Dios puede hacer nuevas todas las cosas (vea 2 Corintios 5:17). Lo que se ha hecho—el divorcio—quizá no pueda ser deshecho. La persona debe comenzar desde donde está ahora a construir su vida con un nuevo fundamento. Ese fundamento es Jesucristo.

3. Háblele sobre la importancia de leer la Biblia y orar para encontrar fortaleza. ¿Tiene una Biblia la persona? Si no la tiene, sugiérale que se acerque a una librería cristiana cercana para comprar una

traducción—fácil de entender.

4. Sugiérale que busque una iglesia donde se enseñe la Biblia para tener comunión, adorar a Dios y encontrar oportunidades para servir. Si la iglesia tiene un grupo de personas solas, ese grupo puede ser el entorno en que encuentre aliento y comprensión, y pueda construir nuevas relaciones.
5. Ore para que sean sanadas las emociones, para que la persona tenga paz interior, una nueva confianza, fortaleza y comprensión espiritual.
6. Si la persona siente que lo necesita, sugiérale un aconsejamiento especial. Un pastor o un psicólogo cristiano podrán ayudarla.

## *Aspectos para recordar al hablar con una persona divorciada*

1. Lo que se hizo está en el pasado. Comience por donde la persona está ahora y avance a partir de allí.
2. Trate de guiar la conversación de manera que la persona no sienta la necesidad de hundirse en el duelo, por la experiencia. Trate de dirigir su atención hacia Dios, que puede ayudarla a encontrar soluciones reales.
3. Permanezca neutral. No presuma que la persona es culpable o inocente. Una actitud de juicio o de superioridad espiritual le cerrará las puertas para testificar.
4. Si la persona es verdaderamente cristiana, anímela a:

   A. Confesar cualquier amargura, enojo u otro pecado y, de ser necesario, enfrentar de forma realista cualquier actitud equivocada que haya contribuido al divorcio. Explíquele lo relativo a la restauración de su relación con Dios (p. 19). Haga énfasis en 1 Juan 1:9.

   B. Desarrollar un nuevo interés en la lectura y el estudio de la Biblia, y en la oración: "*Echando toda vuestra ansiedad sobre él, porque él tiene cuidado de vosotros*" (1 Pedro 5:7).

   C. Establecer o renovar su relación con una iglesia, a pesar de los sentimientos de culpa o el miedo a las críticas. Ahora la persona necesita la iglesia más que nunca. Quizá haya allí un grupo de personas solas o un grupo de apoyo que será útil para quien se ha divorciado recientemente.

D. Ore con la persona para que tenga sanidad, paz interior y para que pueda hacer los ajustes necesarios para un nuevo estilo de vida.

# Pasajes bíblicos

## *Para animar a la persona a caminar con el Señor:*

*"Confía de todo corazón en el Señor y no en tu propia inteligencia. Ten presente al Señor en todo lo que hagas, y él te llevará por el camino recto"* (Proverbios 3:5–6, DHH).

*"Por nada estéis afanosos, sino sean conocidas vuestras peticiones delante de Dios en toda oración y ruego, con acción de gracias"* (Filipenses 4:6).

*"Procura con diligencia presentarte a Dios aprobado, como obrero que no tiene de qué avergonzarse, que usa bien la palabra de verdad"* (2 Timoteo 2:15).

*"Antes bien, creced en la gracia y el conocimiento de nuestro Señor y Salvador Jesucristo"* (2 Pedro 3:18).

## *Sanidad para las heridas:*

*"Bendice, alma mía, a Jehová, y no olvides ninguno de sus beneficios. El es quien perdona todas tus iniquidades, el que sana todas tus dolencias; el que rescata del hoyo tu vida, el que te corona de favores y misericordias; el que sacia de bien tu boca de modo que te rejuvenezcas como el águila"* (Salmos 103:2–5).

*"Sáname, oh Jehová, y seré sano; sálvame, y seré salvo; porque tú eres mi alabanza"* (Jeremías 17:14).

### *Otros pasajes bíblicos sugeridos:*

Salmos 23:3

2 Timoteo 1:7

# EL DIVORCIO DESPUÉS DE ALGUNOS AÑOS DE MATRIMONIO

Cuando alguien abandona a su cónyuge o se divorcia después de muchos años de matrimonio, la persona abandonada se siente conmocionada, dolorida, perpleja, vacía, enojada, rechazada, aislada; su autoestima es dañada y, muchas veces, queda social y económicamente devastada. Se pregunta: "¿Realmente me sucede esto a mí? ¿Cómo pudo hacerme esto? ¿En qué fallé? ¿Qué podría haber hecho de otra manera? ¿Qué hago ahora?"

A pesar del trauma del divorcio, hay que ayudar a la persona a comprender que la vida continúa. Debe aceptar la realidad del divorcio; ahora es una persona sin pareja y debe enfrentar el futuro, sola. Es inútil escarbar constantemente en el pasado y tratar de revivirlo. Esas preguntas que tanto la torturan no cambiarán los hechos. Es muy posible que esta persona no hubiera podido hacer nada diferente que hubiese salvado el matrimonio.

La meta sana que la Biblia nos presenta es dejar atrás el pasado, y continuar y crecer en el presente. Pablo da su ejemplo:

"*...lo que sí hago es olvidarme de lo que queda atrás y esforzarme por alcanzar lo que está delante*" (Filipenses 3:13, DHH).

La persona divorciada debe considerar esta experiencia como una transición, un tiempo para hacer ajustes, crecer en su personalidad por medio de la lectura y la reflexión, y para formar nuevas amistades o retomar algunas anteriores que la ayuden a crecer.

Si la persona necesita aconsejamiento profesional durante la transición, debe buscar un pastor capacitado, o un psicólogo o psiquiatra cristiano que pueda enfocar el problema a la luz de la Biblia.

## Estrategia para el aconsejamiento

1. Anime a la persona con amor y comprensión. Las heridas, el vacío y la sensación de rechazo pueden ser muy profundos.
2. Sepa escuchar. Trate de tener un panorama completo de la situación antes de hacer cualquier comentario. Algunas veces nos lanzamos a aconsejar demasiado pronto, cuando sería mejor hacer una pregunta

para estimular la conversación.

3. Cuando crea tener un panorama adecuado de la situación, déle seguridad a la persona con los versículos bíblicos que presentamos al final de este artículo. Haga hincapié en que Dios la ama y le preocupa lo que sucede. Jesús sabe lo que es el dolor y las heridas, porque *"los hombres lo despreciaban y lo rechazaban"* (Isaías 53:3, DHH). Pregúntele a la persona si alguna vez recibió a Jesucristo como su Señor y Salvador. Explíquele **Cómo obtener paz con Dios** (p. 12).

4. Háblele de la importancia de la lectura y el estudio de la Biblia. Esto le dará a la persona perspectiva y comprensión, mientras trata de acomodarse a su nuevo estilo de vida, y la ayudará a crecer en el Señor.

5. Inste a la persona a orar todos los días: *"Por nada estéis afanosos, sino sean conocidas vuestras peticiones delante de Dios en toda oración y ruego, con acción de gracias. Y la paz de Dios, que sobrepasa todo entendimiento, guardará vuestros corazones y vuestros pensamientos en Cristo Jesús"* (Filipenses 4:6–7).

6. Recomiéndele que se integre a una iglesia donde se enseñe la Biblia. Quizá encuentre un grupo cristiano de personas solas que le dará oportunidades para hablar de sus experiencias, crecer y servir. En los días por venir la persona tendrá gran necesidad de amigos cristianos; esto la ayudará a vencer la soledad.

7. Ore con la persona para pedir la ayuda del Señor en este tiempo tan difícil de transición, mientras se esfuerza por construir una nueva vida.

# Pasajes bíblicos

*"Me mostrarás la senda de la vida; en tu presencia hay plenitud de gozo; delicias a tu diestra para siempre"* (Salmos 16:11).

*"¡Cuán preciosos me son, oh Dios, tus pensamientos! ¡Cuán grande es la suma de ellos! Si los enumero, se multiplican más que la arena; despierto, y aún estoy contigo"* (Salmos 139:17–18).

*"El Señor es quien me ayuda: por eso no me hieren los insultos; por eso me mantengo firme como una roca, pues sé que no quedaré en ridículo"* (Isaías 50:7, DHH).

*"Porque yo sé muy bien los planes que tengo para ustedes—afirma el SEÑOR—, planes de bienestar y no de calamidad, a fin de darles un futuro y una esperanza"* (Jeremías 29:11, NVI).

*Otros pasajes bíblicos sugeridos:*

Salmos 16:8, DHH

Salmos 18:2, NVI

# INTENCIONES DE DIVORCIO

El divorcio, es decir, la disolución legal de un matrimonio, se aparta de la intención de Dios y no cuenta con apoyo bíblico excepto bajo ciertas condiciones limitadas. El divorcio es el resultado del pecado en la vida de uno o de ambos cónyuges. La mayoría de las veces ambos en cierta medida son responsables. El orgullo y el egoísmo a menudo contribuyen a las situaciones que llevan al divorcio.

Muchas veces el divorcio es producto de voluntades inflexibles: "*—Moisés les permitió divorciarse de su esposa por lo obstinados que son—respondió Jesús—. Pero no fue así desde el principio*" (Mateo 19:8, NVI). El divorcio no era parte del diseño original de Dios para el matrimonio.

La Biblia señala:

> "*Por tanto, dejará el hombre a su padre y a su madre, y se unirá a su mujer, y serán una sola carne*" (Génesis 2:24).
>
> Pablo escribió: "*Pero a los que ya están casados, les doy este mandato, que no es mío, sino del Señor: que la esposa no se separe de su esposo [...] De la misma manera, el esposo no debe divorciarse de su esposa*" (1 Corintios 7.10–11, DHH).
>
> "*¿Acaso no hizo el SEÑOR un solo ser, que es cuerpo y espíritu? [...] Así que cuídense ustedes en su propio espíritu, y no traicionen a la esposa de su juventud. 'Yo aborrezco el divorcio—dice el SEÑOR, Dios de Israel—'*" (Malaquías 2:15–16, NVI).

## *Situaciones en las que podría permitirse el divorcio*

- Cuando uno de los cónyuges es culpable de inmoralidad sexual, tal como adulterio u homosexualidad, y no tiene intenciones de arrepentirse o buscar el perdón de Dios y vivir con fidelidad a su cónyuge (Mateo 19:9).
- Cuando un cónyuge abandona al otro, especialmente cuando un cónyuge no creyente abandona a uno cristiano (1 Corintios 7:15).

Sin embargo, el hecho de tener un cónyuge que no es cristiano no es, automáticamente, fundamento para el divorcio. Por el contrario, al cónyuge cristiano se lo anima a "vivir en paz" con su cónyuge no cristiano, con la meta de ganarlo para la fe en Cristo (vea 1 Corintios 7:12–16).

Si la persona se ha divorciado y vuelto a casarse, debería tratar de que su segundo matrimonio funcione. Dejar al segundo cónyuge para volver con el primero sería un segundo error. Y dos errores nunca constituyen un acierto.

### *Debe tenerse en cuenta el costo del divorcio*

- ¿Es desagradable a Dios? (Malaquías 2:15–16).
- ¿Alterará la continuidad de la vida y afectará de forma negativa a otras personas, como hijos, padres o familias extensas?
- ¿Resolverá realmente algún problema, o creará nuevos problemas? El divorcio es una experiencia emocionalmente traumática.

### *Deben agotarse todas las opciones antes de considerar el divorcio*

1. Traten de arreglar las cosas en lo personal, con un espíritu de humildad y perdón (Mateo 18:21–22).
2. Sométanse a un aconsejamiento serio con un consejero matrimonial cristiano o un pastor capacitado.
3. De ser necesario, consideren la posibilidad de pasar un tiempo separados mientras buscan una solución redentora. En un caso de abuso físico o psicológico, homosexualidad, ebriedad, drogas, etc., podría ser aconsejable una separación.

## Estrategia para el aconsejamiento

1. Demuestre una actitud atenta y llena de amor. Déle seguridad a la persona diciéndole que está dispuesto a ayudarla a buscar una solución. Dígale que quiere ser su amigo y aconsejarla en todo lo que pueda ayudar.
2. Escuche con atención. Permita que la persona explique los hechos y ventile sus sentimientos hasta que usted haya captado la situación.
3. No juzgue. No tome partido por uno o por otro. Su meta será presentar un punto de vista bíblico y desafiar a la persona a tomar una decisión, sabiendo que tendrá que vivir con esa decisión toda la vida.

   Recuerde el ejemplo de Jesús. Él trató con cariño a la mujer que estaba junto al pozo, aunque sabía que ella había tenido cinco esposos y ahora vivía con un hombre que no era su esposo. Él se reveló como Salvador y le ofreció *"agua viva"* (vea Juan 4:9–42).
4. Explique a la persona que recibir la ayuda de Dios implica entregarle su vida a Cristo, cueste lo que costare. Ese compromiso debe ser permanente, más allá de la resolución de la situación actual.

Pregúntele si alguna vez recibió a Jesús como Señor y Salvador. Si es apropiado, háblele de **Cómo obtener paz con Dios** (p. 12).

5. Después de recibir a Cristo la persona tiene derecho a esperar que el Señor la ayude. Ahora encontrará una nueva dimensión de la vida y una nueva perspectiva que le será útil para alcanzar soluciones. Para comprender mejor lo relativo al divorcio, debería comenzar a leer y estudiar la Palabra de Dios, y a hablar con Dios en oración. La oración y el estudio bíblico le darán nuevas dimensiones a la personalidad y a la propia disposición de la persona, y ayudarán a producir la restauración con su cónyuge, por medio del arrepentimiento y la confesión.
6. Anime a la persona a agotar todas las opciones en busca de una solución bíblica.
7. Ore para que Dios intervenga y vuelva a unir al matrimonio según lo quiere la Biblia.
8. Si la persona es cristiana, explíquele lo relativo a la restauración (p. 19). Haga énfasis en 1 Juan 1:9 y Romanos 12:1–2.

# Pasajes bíblicos

"*Quien halla esposa halla la felicidad: muestras de su favor le ha dado el SEÑOR*" (Proverbios 18:22, NVI).

"*Por ejemplo, una mujer casada está ligada por ley a su esposo mientras este vive; pero si el esposo muere, la mujer queda libre de la ley que la ligaba a él. De modo que si ella se une a otro hombre mientras el esposo vive, comete adulterio, pero si el esposo muere, ella queda libre de esa ley, y puede unirse a otro hombre sin cometer adulterio*" (Romanos 7:2–3, DHH).

"*El hombre debe cumplir su deber conyugal con su esposa, e igualmente la mujer con su esposo. La mujer ya no tiene derecho sobre su propio cuerpo, sino su esposo. Tampoco el hombre tiene derecho sobre su propio cuerpo, sino su esposa*" (1 Corintios 7:3–4, NVI).

"*No hagan nada por egoísmo o vanidad; más bien, con humildad consideren a los demás como superiores a ustedes mismos. Cada uno debe velar no sólo por sus propios intereses sino también por los intereses de los demás. La actitud de ustedes deber ser como la de Cristo Jesús*" (Filipenses 2:3–5, NVI).

"*En cuanto a ustedes, los esposos, sean comprensivos con sus esposas. Denles el honor que les corresponde, teniendo en cuenta que ellas son más delicadas y están llamadas a compartir con ustedes la vida que Dios les dará como herencia. Háganlo así para no poner estorbo a sus propias oraciones*" (1 Pedro 3:7, DHH).

# LAS DOCTRINAS FALSAS

El apóstol Juan escribió en su segunda carta: *"Si no permanecen fieles a lo que Cristo enseñó, Dios se apartará de ustedes. Pero si se mantienen firmes en lo que Cristo enseñó, Dios el Padre y el Hijo estarán siempre con ustedes"* (2 Juan 9, TLA).

---

*Billy Graham ha escrito: "A lo largo de toda la Biblia se nos advierte sobre los falsos profetas y los falsos maestros, 'que vienen a vosotros con vestidos de ovejas, pero por dentro son lobos rapaces' (Mateo 7:15). Algunas veces, es extremadamente difícil para un cristiano discernir a un falso profeta. [...] Jesús habló de los 'falsos profetas' que 'harán grandes señales y prodigios, de tal manera que engañarán, si fuere posible, aun a los escogidos'" (Mateo 24:24).*

---

El principio subyacente en todas las tácticas de Satanás es el engaño. Es astuto y se oculta de maneras muy ingeniosas. Su engaño comenzó en el huerto del Edén y continúa hasta la actualidad.

¿Qué es una falsa enseñanza? Es cualquier enseñanza que sea contraria a las doctrinas básicas de Dios, como las relativas a la Trinidad, el nacimiento virginal de Cristo, su muerte expiatoria, su resurrección corporal y su segunda venida, la salvación por gracia por medio de la fe, la resurrección corporal de todos los creyentes y la realidad del cielo y el infierno.

## Estrategia para el aconsejamiento

### *Para la persona que no es cristiana:*

1. Elogie a la persona por querer expresar sus pensamientos y descubrir la verdad. Dígale que espera serle útil por medio de esta conversación.

2. Si a la persona le resulta difícil aceptar la Biblia directamente, es posible que nunca haya recibido a Jesucristo como Señor y Salvador. Haga énfasis en que esto es crucial para poder comprender la Biblia (vea 1 Corintios 2:14; 2 Corintios 4:4). Explique **Cómo obtener paz con Dios** (p. 12) e invite a la persona a recibir a Cristo.

3. Si la respuesta es positiva, presente los pasos de seguimiento:

   A. Anime a la persona a leer y estudiar la Biblia.

   B. Si la persona está bajo la influencia de una secta o relacionada con ella, recomiéndele que salga inmediatamente de ese grupo y corte todo lazo con él. En cambio, debería participar de una iglesia donde se enseñe la Biblia para adorar a Dios, orar, tener comunión con creyentes nacidos de nuevo y recibir instrucción sobre la Palabra del Señor.

4. Ore con la persona, pida que ella pueda comprender claramente la Biblia; que tenga *"la mente de Cristo"* (vea 1 Corintios 2:16) en todo lo concerniente a la Palabra de Dios.

## *Para la persona que es cristiana:*

No es inusual que un cristiano que aparentemente conoce bien la doctrina esté bajo la influencia de alguna falsa enseñanza.

1. Tenga cuidado de no ofender a la persona sugiriendo que está equivocada o ha sido crédula. Recuerde que Satanás suele disfrazarse como *"ángel de luz"* (2 Corintios 11:14). No sugiera al comienzo de la conversación que la persona deje el grupo o la secta con que está relacionada.

2. Confíe en el Espíritu Santo para guiarlo, y consulte otras fuentes que le den información sobre los temas doctrinales en cuestión. Quizá le sea útil algo que encuentre en este libro en el artículo sobre **Las sectas**, o en el Apéndice B: **Una comparación de la fe cristiana con las principales religiones y sectas**. Use su propio conocimiento de la Biblia y su experiencia para ayudar a la persona.

3. Pida a la persona que anote lo que usted le dice y los pasajes bíblicos que menciona para poder, luego, estudiarlos y reflexionar con mayor profundidad sobre ellos.

4. Finalmente, ore con la persona para que pueda tener su mente abierta y conocer la voluntad de Dios mientras procura conocer la Biblia.

5. Si, en este momento, la persona le pide que le recomiende una iglesia, simplemente, sugiérale que busque un grupo de creyentes donde se enseñe y se predique la Palabra de Dios; y confíe en que el Espíritu Santo la guiará al lugar adecuado. No sugiera una denominación o iglesia en particular, a menos que la persona le solicite que lo haga.

# Pasajes bíblicos

*"Hay camino que parece derecho al hombre, pero su fin es camino de muerte"* (Proverbios 16:25).

*"Mirad que nadie os engañe por medio de filosofías y huecas sutilezas, según las*

*tradiciones de los hombres, conforme a los rudimentos del mundo, y no según Cristo. Porque en él habita corporalmente toda la plenitud de la Deidad"* (2 Corintios 2:8–9).

*"Pero el Espíritu dice claramente que en los últimos tiempos algunos renegarán de la fe, siguiendo a espíritus engañadores y enseñanzas que vienen de los demonios. Harán caso a gente hipócrita y mentirosa, cuya conciencia está marcada con el hierro de sus malas acciones"* (1 Timoteo 4:1–2, DHH).

*"Procura con diligencia presentarte a Dios aprobado, como obrero que no tiene de qué avergonzarse, que usa bien la palabra de verdad"* (2 Timoteo 2:15).

*"Amados, no creáis a todo espíritu, sino probad los espíritus si son de Dios; porque muchos falsos profetas han salido por el mundo. En esto conoced el Espíritu de Dios: Todo espíritu que confiesa que Jesucristo ha venido en carne, es de Dios; y todo espíritu que no confiesa que Jesucristo ha venido en carne, no es de Dios; y este es el espíritu del anticristo, el cual vosotros habéis oído que viene, y que ahora ya está en el mundo"* (1 Juan 4:1–3).

## *Vea también* Las sectas, La Biblia y La Trinidad

# EL ABUSO DE LAS DROGAS

Cualquier persona puede desarrollar la adicción física y psicológica a una droga si recibe altas dosis de ella durante un período suficientemente prolongado.

El drogadicto puede pertenecer a cualquier grupo humano. Muchas veces la dependencia tiene sus raíces en la inseguridad, el temor, la culpa, la decepción, la inmoralidad o un comportamiento sexual desviado, la frustración, el estrés, la presión de los pares y la competitividad intensa, como sucede con los deportistas profesionales. A esto se suman el gran vacío espiritual que ha producido el derrumbe de muchas pautas morales, la desintegración del hogar y la alarmante disponibilidad de drogas de toda clase para todos los grupos de edades.

La drogodependencia es un problema de la persona integral: espiritual, física, emocional y social. Una vez que es adicta, la persona dependiente vive en un mundo ilusorio caracterizado por sentimientos y respuestas emocionales paralizadas, negación mental e ilusiones. Para muchos, se trata de una situación sin esperanzas.

Salir de una adicción a las drogas puede ser muy doloroso, tanto física como psicológicamente. Si este proceso se realiza sin control externo, puede ser muy peligroso. Llegar a ser libre de la dependencia y la subsiguiente rehabilitación tan necesaria, constituye un proceso muy prolongado. Es necesario que la persona cuente con un firme sistema de apoyo que incluya los aspectos espiritual, emocional, mental y físico.

Para poder recibir ayuda espiritual la persona dependiente debe desear ser ayudada y debe dar ciertos pasos iniciales para buscar tal ayuda. Aquí es donde interviene el consejero cristiano. Debemos tratar de que la persona se comprometa con Jesucristo al recibirlo como su Señor y Salvador. Este paso inicial de fe puede darle una nueva perspectiva y una nueva motivación que, es de esperar, llevarán luego a la rehabilitación y a una vida sana.

Sin embargo, aun después que la persona se entrega a Cristo, generalmente es necesario trabajar sobre los problemas personales que llevaron a la adicción, como una baja autoestima, inseguridad, incesto, homosexualidad, inmoralidad, temor o culpa.

## Estrategia para el aconsejamiento

Para ayudar a una persona a ser libre de la drogodependencia, podemos:

- Ayudarla espiritualmente, tratar de que se entregue a Cristo.
- Ponerla en contacto con un centro de rehabilitación local donde pueda comenzar a apartarse de la droga y a recuperarse.
- Permanecer con ella para ayudarla y alentarla hasta que comprenda en mayor profundidad lo que significa comprometerse con Cristo.

1. No sermonee a la persona sobre el mal que causan las drogas o sobre su adicción. Mencione los pasajes bíblicos sobre el pecado, con naturalidad, en su presentación del evangelio.
2. Sea cordial y compasivo. Anime a la persona. Dígale que la comprende y que está dispuesto a escucharla y ofrecerle su ayuda.
3. Escuche a la persona y déle amplia oportunidad para expresar sus sentimientos y opiniones. Asegúrele que Dios la ama. La gracia de Dios es suficiente para satisfacer cualquier necesidad que ella tenga en su vida. (Una definición de gracia: Dios nos ama incondicionalmente).
4. La persona necesita enfrentar su responsabilidad por la adicción. En algún momento ella ha tomado la decisión consciente de tomar drogas. Tiene responsabilidad moral por el comportamiento que llevó a la adicción. Si trata de echarle la culpa por el problema a las circunstancias, a otras personas, a la sociedad, etc., regrese siempre, con mucho tacto, al asunto de la responsabilidad personal y moral propia: "*Cada uno es tentado cuando sus propios malos deseos lo arrastran y seducen*" (Santiago 1:14, NVI).
5. Cuando se presente el momento oportuno, háblele de **Cómo obtener paz con Dios** (p. 12).
6. Si corresponde, continúe con los "Pasos para el seguimiento", que se detallan al final del artículo siguiente al que usted usó: **Confirmación de la decisión de recibir a Cristo** (p. 15) Comenzar a leer y estudiar la Palabra de Dios; aprender a orar; comenzar a participar en una iglesia donde se enseñe la Biblia.
7. El drogodependiente debe abandonar a las personas y los ambientes que lo relacionan con la droga. Debe dejar totalmente de utilizar drogas adictivas que alteran la mente. Esto probablemente signifique iniciar un tratamiento en un centro de rehabilitación para adictos, donde pueda controlarse su separación de la droga y los principios de su rehabilitación. Con frecuencia la persona debe ser supervisada las veinticuatro horas del día.

NOTA: Es posible que usted deba tomar la iniciativa para ayudar a la persona dependiente a encontrar un centro para su tratamiento y a internarse, o ayudar a la familia a hacerlo. Mencione que puede ayudarlo a hacerlo. No siempre se puede confiar en que el adicto lo haga solo. Es posible que lo prometa, pero quizá nunca lo haga realmente. Tanto durante el tratamiento como después de terminado, el consejero debe apoyar a la persona en todo lo posible. Debe visitarla con frecuencia. Debe encaminar a la persona en la lectura y el estudio de la Palabra de Dios y en la oración. Debe ayudarla a encontrar un grupo de apoyo de ex adictos que sean cristianos—si lo hay en las cercanías—y ayudarla a comenzar a participar de la vida de una iglesia amorosa donde se enseñe la Biblia. Ayúdela a comunicarse con un terapeuta profesional cristiano o un grupo experimentado en el tratamiento de adictos. La persona necesitará ayuda continua con relación a los problemas personales que la llevaron a la adicción.

ADVERTENCIA: No prometa ayudar a la persona a conseguir tratamiento; solo prometa que hará todo lo que esté a su alcance.

8. Ore con el adicto, pida a Dios que le dé valentía, que lo ayude a comprometerse y que libere sobre él el poder del Espíritu Santo. Todas estas cosas son necesarias para el proceso de redención: *"Porque no nos ha dado Dios espíritu de cobardía, sino de poder, de amor y de dominio propio"* (2 Timoteo 1:7).

# Pasajes bíblicos

*"El Espíritu del Señor está sobre mí, por cuanto me ha ungido para dar buenas nuevas a los pobres; me ha enviado a sanar a los quebrantados de corazón; a pregonar libertad a los cautivos, y vista a los ciegos; a poner en libertad a los oprimidos. [...] Y comenzó a decirles: Hoy se ha cumplido esta Escritura delante de vosotros. [...] Y estaban todos maravillados, y hablaban unos a otros, diciendo: ¿Qué palabra es esta, que con autoridad y poder manda a los espíritus inmundos, y salen?"* (Lucas 4:18, 21, 36).

*"Si el Hijo os libertare, seréis verdaderamente libres"* (Juan 8:36).

*"Así también, ustedes considérense muertos respecto al pecado, pero vivos para Dios en unión con Cristo Jesús. Por lo tanto, no dejen ustedes que el pecado siga dominando en su cuerpo mortal y que los siga obligando a obedecer los deseos del cuerpo. No entreguen su cuerpo al pecado, como instrumento para hacer lo malo.*

*Al contrario, entréguense a Dios, como personas que han muerto y han vuelto a vivir, y entréguenle su cuerpo como instrumento para hacer lo que es justo ante él"* (Romanos 6:11–13, DHH).

*"Cuando somos tentados, son nuestros propios deseos los que nos arrastran y dominan. Los malos deseos nos llevan a pecar; y cuando vivimos solo para hacer lo malo, lo único que nos espera es la muerte eterna"* (Santiago 1:14–15, TLA).

*"Pues ya basta con el tiempo que han desperdiciado haciendo lo que agrada a los incrédulos, entregados al desenfreno, a las pasiones, a las borracheras, a las orgías, a las parrandas y a las idolatrías abominables"* (1 Pedro 4:3, NVI).

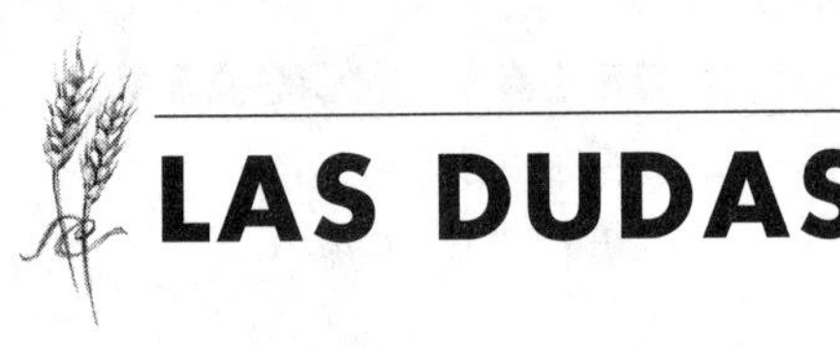

# LAS DUDAS

No es extraño que una persona experimente dudas, aunque sea cristiana. Cuando el cristiano sincero oye a quienes atacan y critican la Biblia, es posible que la tentación de dudar de la Palabra de Dios aumente. Si está confundido por oraciones que no son contestadas, quizá se pregunte: "¿Es real Dios? ¿Es verdad que escucha la oración?" Cuando se ve confrontado con la realidad de sus deseos pecaminosos y egoístas, tal vez se pregunte: "¿Realmente Dios me ha salvado?"

---

*Billy Graham escribe: "Probablemente todos han tenido dudas e incertidumbres en algunos momentos de su experiencia religiosa. Cuando Moisés subió al Monte Sinaí para recibir las tablas de la ley de la mano de Dios, estuvo mucho tiempo fuera de la vista de los hebreos, que esperaban ansiosamente su retorno, hasta que, finalmente, llegaron a dudar de que él fuera a regresar. Entonces erigieron un becerro de oro para adorarlo (vea Éxodo 32:8). La apostasía del pueblo fue el resultado de la duda y la incertidumbre".*

---

A pesar de esta tendencia a dudar, un cuestionamiento sincero puede convertirse en el comienzo de una fe más sólida y un compromiso más profundo con Cristo.

Lo opuesto de la duda, por supuesto, es la fe. Santiago animó a quienes pasaban por pruebas a pedir sabiduría a Dios, y pedir con fe (vea Santiago 1:5–6). Debemos recordar que la duda puede ser una herramienta eficaz para Satanás. Él provocó la incertidumbre en Eva al preguntarle: "*¿Conque Dios os ha dicho...?*" (Génesis 3:1). Él nos afligirá con dudas donde seamos más vulnerables. La desobediencia espiritual, las decepciones, la depresión, las enfermedades, aun la edad avanzada pueden provocar dudas.

## Estrategia para el aconsejamiento

### *Para quienes dudan de su salvación:*

1. Felicite a la persona por preocuparse por algo tan importante. La Palabra de Dios tiene aliento genuino para aquel que duda.

2. Si discierne que la persona ha confiado en otra cosa que no sea una relación personal con Jesucristo, repase con ella **Cómo obtener paz con Dios** (p. 12).

3. Si la persona está convencida de que se ha entregado

verdaderamente a Jesucristo, pregunte:

A. "¿Qué es lo que lo hace dudar?" Explique lo relativo a la restauración (p. 19). Haga énfasis en 1 Juan 1:9.

B. "¿Cómo describiría usted su vida espiritual? ¿Estudio bíblico, comunión con la iglesia, vida de oración?" Explique lo relativo a la restauración (p. 19). Haga énfasis en 1 Juan 1:9 y Romanos 12:1–2.

C. Anime a la persona a dar un nuevo paso de fe, a creerle a Dios (vea Hechos 27:25), a decidirse definitivamente por Cristo, a adentrarse en la Palabra de Dios, a aprender la disciplina de la oración y a comenzar a trabajar para Cristo en una iglesia local donde se enseñe la Biblia.

D. Ore para que la persona pueda tener una relación más firme con Dios por medio de la fe.

## *Para las personas que están decepcionadas:*

La decepción puede instalarse como consecuencia de un divorcio, una muerte en la familia, un hijo que se ha apartado de Dios, una oración no respondida o una traición de otro cristiano.

1. Ofrézcale una palabra de aliento. Dios nos ama y se preocupa por nosotros. Él también desea que la persona aprenda a caminar con Él por fe.

2. Ayude a la persona a descubrir el origen de sus dudas y haga énfasis en que no está mal preguntarse "por qué", pero es mejor preguntar "qué": "Dios, ¿qué quieres que yo aprenda de esto?"

3. Recuérdele que Dios nunca prometió que no sufriríamos adversidades. Puede ser que la persona tenga que dejar de concentrarse en sus problemas para volver a concentrarse en Dios; para ver más allá de las circunstancias de su vida lo que Dios trata de enseñarle por medio de esas circunstancias. Dios es fiel. La intromisión de las dudas no significa que Dios haya dejado de preocuparse por la persona.

4. La persona debe reflexionar sobre la bondad que Dios le ha mostrado en el pasado, recordar evidencias de la fidelidad de Dios en su propia vida y las vidas de otros. Esto la ayudará a recobrar la seguridad. Es necesario renovar la fe. Debe volver a confiar en las promesas de Dios, meditar en la Biblia y creerle a Dios. Jesús dijo: *"Bienaventurados los que no vieron, y creyeron"* (Juan 20:29).

5. Ore para que la persona renueve su fe y pídale que confiese toda duda a Dios y que le pida una fe dinámica.

6. Anímela a ser fiel y continuar reuniéndose con el pueblo de Dios para adorarlo. Cultivar relaciones con otros cristianos le resultará muy útil. Participar en el servicio a Cristo en el ámbito de una iglesia local donde se enseñe la Biblia, ayudará a fortalecer su compromiso.

## *Una renovada seguridad para cristianos mayores:*

Para aquellos que, debido a los diferentes cambios que vienen con la edad avanzada, necesitan renovar la seguridad de su salvación y la relación eterna con Dios, hay tres aspectos para recordar:

1. Las personas de edad avanzada, como todas las demás, pueden continuar confiando sin reparos en el Señor Jesucristo como su Señor y Salvador: "*Por lo cual estoy seguro de que ni la muerte, ni la vida, ni ángeles, ni principados, ni potestades, ni lo presente, ni lo por venir, ni lo alto, ni lo profundo, ni ninguna otra cosa creada nos podrá separar del amor de Dios, que es en Cristo Jesús Señor nuestro*" (Romanos 8:38–39).

2. Pueden confiar sin reparos en su relación con su Padre celestial: "*Mas a todos los que le recibieron, a los que creen en su nombre, les dio potestad de ser hechos hijos de Dios*" (Juan 1:12).

3. También pueden confiar sin reparos en la Palabra de Dios: "*Para siempre, oh Jehová, permanece tu palabra en los cielos. De generación en generación es tu fidelidad*" (Salmos 119:89–90).

# Pasajes bíblicos

"*Pero sin fe es imposible agradar a Dios; porque es necesario que el que se acerca a Dios crea que le hay, y que es galardonador de los que le buscan*" (Hebreos 11:6).

"*Por tanto, nosotros también, teniendo en derredor nuestro tan grande nube de testigos, despojémonos de todo peso y del pecado que nos asedia, y corramos con paciencia la carrera que tenemos por delante, puestos los ojos en Jesús, el autor y consumador de la fe, el cual por el gozo puesto delante de él sufrió la cruz, menospreciando el oprobio, y se sentó a la diestra del trono de Dios*" (Hebreos 12:1–2).

"*Y si alguno de vosotros tiene falta de sabiduría, pídala a Dios, el cual da a todos abundantemente y sin reproche, y le será dada. Pero pida con fe, no dudando nada; porque el que duda es semejante a la onda del mar, que es arrastrada por el viento y echada de una parte a otra. No piense, pues, quien tal haga, que recibirá cosa alguna del Señor. El hombre de doble ánimo es inconstante en todos sus caminos*" (Santiago 1:5–8).

# EL DUELO Y LA AFLICCIÓN

El duelo o luto es un sufrimiento emocional intenso causado por una pérdida personal. Implica una pena aguda, profunda tristeza, sufrimiento, dolor y angustia. El duelo puede definirse más específicamente como la profunda congoja que sigue a la muerte de un ser querido. Este artículo se dedicará fundamentalmente a ese aspecto del duelo.

El duelo es un tiempo difícil. La persona que está de duelo suele sentir que su experiencia es única, que nadie ha soportado una pérdida tal ni ha sufrido tanto como ella. Hay ciclos de sanidad en el duelo, que permiten que la persona se recupere a su debido tiempo. Pero, para algunos, la recuperación completa nunca llega.

El ciclo de sanidad del duelo generalmente sigue la siguiente progresión:

1. *La conmoción inicial de la pérdida*: el intenso impacto emocional que, algunas veces, deja aparentemente paralizada a la persona.
2. *Liberación de emociones*: un tiempo caracterizado por el llanto.
3. *Soledad y depresión*: una sensación de pérdida, generalmente relacionada con el grado de dependencia de la persona fallecida.
4. *Culpa*: una sensación de culpa causada por el cuestionamiento de actitudes anteriores: "Yo podría haber hecho algo más" o "Yo debería haber hecho algo diferente".
5. *Ira y hostilidad*: "¿Por qué Dios me hizo esto?"
6. *Inercia: apatía*: "No puedo continuar" o "No me importa nada".
7. *Un gradual retorno a la esperanza*: "La vida continúa", "Podré superarlo", "Dios me ayudará a superar esto".
8. *El retorno a la realidad y a la normalidad*: admitir la pérdida y adaptarse a ella.

Sin embargo, debemos recordar que el duelo no es predecible, ni puede ser catalogado. Algunas veces, las etapas parecen fundirse o confundirse. La persona que está de duelo quizá sienta que se ha "liberado" de una cierta fase del sufrimiento, aunque esta puede regresar más adelante.

Para ayudar a una persona que ha sufrido una pérdida es necesario ser auténtico, especialmente sensible y tierno, compasivo y empático. Debemos depender de la guía del Espíritu Santo. No hay respuestas fáciles. Nuestras palabras deben ser sinceras y significativas, especiales para cada caso, dado que el verdadero consuelo, para la persona doliente, depende de la etapa del proceso de duelo en que se encuentre.

Por favor, no pretenda tener una respuesta para todo. Admita que no comprende por qué o cómo Dios hace lo que hace.

No intente forzar a la persona a sentir alegría con palabras de ánimo, aunque estén bien intencionadas.

Por favor, no repita frases trilladas ni palabras huecas sobre la muerte y el sufrimiento.

No sugiera que si la persona doliente fuera más espiritual o estuviera más cerca de Dios, su dolor sería menor.

Recuerde que una breve comunicación no responderá todas las necesidades de la persona. Haga lo que pueda para hablarle de Jesucristo y del mensaje de la Biblia, y confíe en que Dios hará su obra.

## Estrategia para el aconsejamiento

1. Diga a la persona que le importa lo que le pasa y que quiere ayudarla. Anímela a contarle sobre su pérdida y lo que siente al respecto. Escuche con paciencia. Ventilar los sentimientos ayuda en el proceso del duelo.

2. Explique que es sano lamentar la pérdida y sufrir por ella. Es una experiencia universal que todos los seres humanos debemos pasar. Alguien ha dicho que el duelo es "un regalo de Dios". Quizá sea su forma de ayudarnos a reaccionar frente a la terrible conmoción de la muerte y sus consecuencias emocionales. Jesús dijo: "*Bienaventurados los que lloran, porque ellos recibirán consolación*" (Mateo 5:4). Jesús mismo lloró ante la tumba de Lázaro (vea Juan 11:35).

3. Haga énfasis en que es bueno expresar los sentimientos de culpa, ira, confusión o desesperación. Estos sentimientos no deben ser reprimidos por el doliente, ni rechazados por el consejero. Anime a la persona a hablar sinceramente sobre lo que siente.

4. Señale a la persona que lo que siente es normal en el proceso de duelo y que llegarán la aceptación y la sanidad, aunque quizá tarden un tiempo. Dios desea llevar nuestro dolor y pérdida y darnos su consuelo, esperanza y ánimo. La vida puede parecer sin valor alguno en este momento, pero recuerde que Cristo es permanente, es la Roca firme, el fundamento sobre el cual se puede reconstruir la vida.

5. Pregúntele si alguna vez ha recibido a Jesucristo como su Señor y Salvador. Si es apropiado, explíquele **Cómo obtener paz con Dios** (p. 12).

*Billy Graham dice: "Nuestra confianza en el futuro está basada firmemente en el hecho de lo que Dios ha hecho por nosotros en Cristo. Dado que Cristo vive, no tenemos por qué desesperar jamás, no importa cuál sea nuestra situación. 'Y si morimos con Cristo, creemos que también viviremos con él [...] Porque la paga del pecado es muerte, mas la dádiva de Dios es vida eterna en Cristo Jesús Señor nuestro' (Romanos 6:8, 23)".*

6. Recuerde a la persona doliente que, para el cristiano, la muerte no es el final de la vida. Por medio de su muerte y su resurrección, Cristo ha vencido al pecado y a la muerte, de modo que creer en Él, ahora, significa:

   - Que "no moriremos jamás" (vea Juan 11:25–26).
   - Que tenemos vida eterna (vea Juan 3:16).
   - Que tenemos un lugar asegurado en el cielo (vea Juan 14:1–6).
   - Que participaremos de la resurrección corporal (vea 1 Corintios 15:51–52).

   Y, algún día, nos reuniremos gloriosamente con todos los que amamos en el Señor: "*Porque si creemos que Jesús murió y resucitó, así también traerá Dios con Jesús a los que durmieron en él*" (1 Tesalonicenses 4:14).

   Anime a la persona a leer y estudiar la Biblia. Es una gran fuente de consuelo y fortaleza.

7. Haga énfasis en que Dios considera nuestra vida terrenal como una preparación para los gozos mayores del cielo (vea Marcos 8:36). Por ello, permite pruebas, sufrimientos y la muerte de seres queridos, que llegan a nuestra vida para que nos demos cuenta de que lo necesitamos a Él: "*Pero tuvimos en nosotros mismos sentencia de muerte, para que no confiásemos en nosotros mismos, sino en Dios que resucita a los muertos*" (2 Corintios 1:9).

8. Si la persona expresa culpa con relación a algún aspecto de la muerte del ser querido—lo cual es muy común en los casos de suicidio—aconséjele no cuestionarse a posteriori la situación en este momento. No debe cargar culpa por algo que debería o no debería haber hecho. La muerte y todo lo que la ha precedido ya es pasado, y la persona que está de duelo debe dejar todos sus lamentos en manos del Señor. Si tiene algo para confesar a Dios, dígale que lo haga y luego acepte la realidad del perdón del Señor (vea 1 Juan 1:9).

9. Si la persona parece abrumada por la sensación de pérdida, de

soledad o de incertidumbre con relación al futuro, sugiérale que confíe en sus familiares o amigos, para encontrar en ellos apoyo y aliento. El hecho de participar en una iglesia puede ayudar de gran manera a llenar áreas que han quedado vacías. El pastor podría ofrecerle un buen apoyo emocional.

Aprender a aceptar la voluntad de Dios por lo que ha sucedido, tener un corazón agradecido por los años de amor compartidos en vida de la persona amada y por la promesa de la vida eterna que vendrá, y acercarse, con amor cristiano, a ayudar a otras personas que sufren, también será una gran terapia y ayudará a la persona doliente a aprender a vivir en plenitud otra vez.

Explique que el tiempo de dolor pasará, y que Dios la ayudará a enfrentar la vida nuevamente. *"Por la noche durará el lloro, y a la mañana vendrá la alegría"* (Salmos 30:5).

10. Ore con la persona; pida comprensión, consuelo y bendición para su vida.

## *Cuando ha muerto un niño:*

La muerte de un niño es especialmente difícil para los padres y familiares que lo sobreviven. La muerte después de una vida tan breve puede producir sentimientos de culpa, melancolía y muchas preguntas. Además de lo ya dicho, lo siguiente puede ayudar:

1. Aunque no podemos saber por qué el niño murió, sabemos que los niños son especialmente valiosos para Dios. Refiriéndose a los niños, Jesús dijo: *"De los tales es el reino de los cielos"* (Mateo 19:14). Interpretado a la luz de la Biblia toda, este pasaje ha llevado a algunos eruditos a creer que los niños que mueren son llevados inmediatamente a la presencia de Dios.

2. Si creemos que Jesús murió y resucitó, y confiamos en Él como nuestro Señor y Salvador, tenemos la bendita esperanza de que veremos a nuestro niño amado otra vez. Cuando el hijo del rey David le fue quitado por la muerte, él dijo: *"Yo iré adonde él está, aunque él ya no volverá a mí"* (2 Samuel 12:23, NVI).

# Pasajes bíblicos

*"Le dijo Jesús: Yo soy la resurrección y la vida; el que cree en mí, aunque esté muerto, vivirá. Y todo aquel que vive y cree en mí, no morirá eternamente. ¿Crees esto?"* (Juan 11:25–26).

*"No se turbe vuestro corazón; creéis en Dios, creed también en mí. En la casa de mi Padre muchas moradas hay; si así no fuera, yo os lo hubiera dicho; voy, pues, a preparar lugar para vosotros. Y si me fuere y os preparare lugar, vendré otra vez, y os tomaré a mí mismo, para que donde yo estoy, vosotros también estéis"* (Juan 14:1–3).

*"Bien sabemos que en este mundo vivimos como en una tienda de campaña que un día será destruida. Pero en el cielo tenemos una casa permanente, construida por Dios y no por humanos"* (2 Corintios 5:1, TLA).

*"Porque para mí, seguir viviendo es Cristo, y morir, una ganancia. [...] Me es difícil decidirme por una de las dos cosas: por un lado, quisiera morir para ir a estar con Cristo, pues eso sería mucho mejor para mí"* (Filipenses 1:21, 23, DHH).

*"¡Alabado sea Dios, Padre de nuestro Señor Jesucristo! Por su gran misericordia, nos ha hecho nacer de nuevo mediante la resurrección de Jesucristo, para que tengamos una esperanza viva y recibamos una herencia indestructible, incontaminada e inmarchitable. Tal herencia está reservada en el cielo para ustedes, a quienes el poder de Dios protege mediante la fe hasta que llegue la salvación que se ha de revelar en los últimos tiempos"* (1 Pedro 1:3–5, NVI).

*"Enjugará Dios toda lágrima de los ojos de ellos; y ya no habrá muerte, ni habrá más llanto, ni clamor, ni dolor; porque las primeras cosas pasaron"* (Apocalipsis 21:4).

### *Otros pasajes bíblicos sugeridos:*

Salmos 23:4–6

## *Vea también* La muerte

# LOS ENEMIGOS

Un enemigo es cualquier persona que demuestre hostilidad o mala voluntad hacia nosotros, o desee hacernos daño. Ninguno está completamente libre de la desgracia causada por las malas acciones de los demás. Es posible que tendamos a vengarnos o devolver el mal. Pero la Palabra de Dios siempre nos propone una respuesta diferente:

- *"Estad en paz con todos los hombres"* (Romanos 12:18).
- *"No paguéis a nadie mal por mal"* (Romanos 12:17).
- *"No os venguéis"* (Romanos 12:19).
- *"Amad a vuestros enemigos, bendecid a los que os maldicen, haced bien a los que os aborrecen, y orad por los que os ultrajan y os persiguen"* (Mateo 5:44).

Ciertas actitudes o acciones pueden ser el origen de la enemistad o de diferencias que se hacen cada vez mayores:

- Acciones egoístas o falta de sensibilidad hacia los demás.
- No estar dispuestos a reconocer que nosotros podemos ser los "ofensores" en lugar de los "ofendidos".
- Hablar *de* los demás, en lugar de hablar *con* ellos; desvalorizarlos o criticar sus actitudes y acciones en lugar de confrontarlos con humildad.
- Ignorar deliberadamente una situación tensa, en lugar de tratar de corregirla.
- Creer que somos moralmente superiores porque hemos encontrado algo condenable en otra persona.
- Negarnos a recorrer *"la segunda milla"* o a *"dar la otra mejilla"* como se enseña en la Biblia. El perdón es la esencia de la vida redimida: *"Perdonad, y seréis perdonados"* (Lucas 6:27).
- Desobedecer la orden de Dios de amar a nuestros enemigos, bendecirlos, hacer cosas buenas por ellos y orar por ellos (vea Mateo 5:44).

---

*Billy Graham escribe: "Dios le dará un espíritu de perdón cuando usted acepte su perdón por medio de Jesucristo. Cuando lo haga, descubrirá que Él le ha perdonado tantas cosas que usted también deseará perdonar cualquier cosa mala que le hayan hecho. En el mundo, la actitud de vengarse del otro tiene amplia aceptación. Entre los cristianos, la actitud indicada es soportar los males por amor a Cristo, y perdonar para que los demás puedan descubrir, a través de nosotros, la gracia de Dios que perdona al pecador".*

# Estrategia para el aconsejamiento

1. Asegure a la persona que Dios está con nosotros en toda situación. Su Palabra tiene algo para decirnos con respecto a los enemigos.
2. Pregúntele si ha recibido a Cristo como su Señor y Salvador. Si no lo ha hecho, preséntele **Cómo obtener paz con Dios** (p. 12).
3. Si la persona es cristiana, anímela a renovar su compromiso con Cristo. Explique lo relativo a la restauración (p. 19). Ponga énfasis en 1 Juan 1:9 y Romanos 12:1. Una relación nueva o renovada con Cristo debería ayudarla a tener un nuevo concepto con respecto a su sentir para con los enemigos.
4. Formule las siguientes preguntas, que pueden abrir posibilidades para una mayor comprensión de la reconciliación. Esfuércese por comprender la situación. Pida información a la persona sobre los problemas y las personas involucradas.

   A. ¿Qué causó la ruptura de la relación?

   B. ¿Ha contribuido la persona a causar el problema?

   C. Hasta donde ella sabe, ¿cuál es la actitud de la otra parte? La persona que acude a la consulta, ¿hace una evaluación totalmente sincera de la situación?

   D. Pregúntele qué siente hacia su "enemigo": ¿resentimiento, amargura, mala voluntad?

   E. Haga énfasis en que su obligación es perdonar, con todo lo que esto implica. Ella debe dar el primer paso para la reconciliación. El cristiano maduro siempre asume la responsabilidad de ser un pacificador. Destaque la actitud de Cristo, que nunca exigió que se respetaran sus "derechos". Aunque fue rechazado y escupido, nunca se vengó.

   F. Haga énfasis en que lo mejor para la persona es aclarar la situación lo antes posible: "*Si alguien te acusa de haberle hecho algo malo, arregla el problema con esa persona antes de que te entregue al juez. Si no, el juez le ordenará a un policía que te lleve a la cárcel. Te aseguro que no saldrás de allí sin haber pagado hasta el último centavo de lo que debas"* (Mateo 5:25–26, TLA).

G. Cualquier intento de reconciliación debe ser hecho con humildad y recordando que ninguno de nosotros es sin pecado: *"La blanda respuesta quita la ira"* (Proverbios 15:1). *"El amor debe hacernos decir siempre la verdad"* (Efesios 4:15, TLA).

H. La persona debe orar sinceramente por la otra parte, con el corazón abierto para encontrar una solución.

I. Ore con la persona, pida a Dios que intervenga, que obre en ambos para que lleguen a una solución exitosa.

J. Pregunte a la persona qué piensa hacer como primer paso para la reconciliación; cualquier demora será un obstáculo para recomponer la relación.

## Pasajes bíblicos

*"Cuando los caminos del hombre son agradables a Jehová, aun a sus enemigos hace estar en paz con él"* (Proverbios 16:7).

*"Pero yo les digo: Amen a sus enemigos, y oren por quienes los persiguen. Así ustedes serán hijos de su Padre que está en el cielo; pues él hace que su sol salga sobre malos y buenos, y manda la lluvia sobre justos e injustos. Porque si ustedes aman solamente a quienes los aman, ¿qué premio recibirán? Hasta los que cobran impuestos para Roma se portan así"* (Mateo 5:44–46, DHH).

*"Y Jesús decía: Padre, perdónalos, porque no saben lo que hacen"* (Lucas 23:34).

*"Si es posible, en cuanto dependa de vosotros, estad en paz con todos los hombres"* (Romanos 12:18).

*"Apártese del mal, y haga el bien; busque la paz, y sígala"* (1 Pedro 3:11).

### *Otros pasajes bíblicos sugeridos:*

Salmos 34:14

Romanos 14:17–19 (especialmente en TLA)

2 Timoteo 2:22

## *Vea también* El Perdón

# ENFERMEDADES MENTALES

"Enfermedad mental" es un término general que suele usarse para abarcar a una gran gama de desórdenes psiconeurológicos. Hay quienes están realmente enfermos y que sufren de algún tipo de mal funcionamiento debido a una lesión cerebral, una enfermedad hereditaria o un desequilibrio glandular o químico. Estos casos deben ser derivados a un médico y, posiblemente, a un psiquiatra.

Sin embargo, hay muchos comportamientos que suelen clasificarse como enfermedad mental, que son el resultado de actitudes o conductas pecaminosas no resueltas. Las personas afectadas tal vez presenten los síntomas de una enfermedad, pero muchas veces estos síntomas están relacionados con el estrés, y se deben a problemas espirituales. En ocasiones este tipo de personas simulan estar enfermas en vez de enfrentar la realidad de su situación. Culpan a otras personas y circunstancias por sus problemas, a fin de desviar la atención de ellas: *"El hombre y su mujer escucharon que Dios el Señor andaba por el jardín a la hora en que sopla el viento de la tarde, y corrieron a esconderse de él [...] El hombre contestó: –La mujer que me diste por compañera me dio de ese fruto, y yo lo comí. [...] Y ella respondió: –La serpiente me engañó, y por eso comí del fruto"* (Génesis 3:8, 12–13, DHH).

Sería perjudicial tratar simplemente los síntomas, o excusar a una persona de estas características solo "porque es así". El hecho es que la persona interesada nunca se sentirá bien hasta que corrija el problema. El primer paso para la recuperación es asumir la responsabilidad personal por las actitudes y acciones erróneas: *"Ninguna cosa creada escapa a la vista de Dios. Todo está al descubierto, expuesto a los ojos de aquel a quien hemos de rendir cuentas"* (Hebreos 4:13, NVI). *"De manera que cada uno de nosotros dará a Dios cuenta de sí"* (Romanos 14:12).

El cambio es posible, si la persona quiere enfrentar la realidad y:

- Exponer abiertamente su vida ante Dios.
- Arrepentirse de lo que está mal en sus actitudes y acciones.
- Confesarlas ante Dios con la intención de abandonarlas, a favor de la vida nueva en Cristo Jesús.

Muchas vidas han sido redireccionadas al recibir a Jesucristo como Señor y Salvador. El poder de la Palabra de Dios y el ministerio del Espíritu Santo, desatados en una vida, tienen efectos positivos.

*En su columna, titulada "Mi respuesta", Billy Graham menciona a las "multitudes de personas que, a través de la Palabra de Dios, se han vuelto personas completamente integradas. En una ocasión, al escribir a Timoteo, el apóstol Pablo dijo:* 'Porque no nos ha dado Dios espíritu de cobardía, sino de poder, de amor y de dominio propio' *(2 Timoteo 1:7)".*

# Estrategia para el aconsejamiento

1. Anime a la persona interesada, dígale que usted está contento de escuchar, hablar y ayudar si es posible.
2. Si la persona interesada está dispuesta a hablar, esté preparado para escuchar. Haga preguntas según sea necesario para estimular la conversación; espere que algo surja que le dará la oportunidad de sugerir una solución espiritual.
3. Cuando sienta que el momento es oportuno, pregúntele si ha recibido alguna vez a Cristo como Señor y Salvador. Explique **Cómo obtener paz con Dios** (p. 12). El compromiso de la persona interesada podría iniciar una nueva conciencia y una nueva percepción, que brindarán el deseo y la motivación para enfrentar la "enfermedad mental".
4. Anime la lectura y el estudio de la Biblia. Esta disciplina la ayudará a dirigir sus pensamientos hacia el Señor, lo que traerá una paz interior (Isaías 26:3).
5. Anime la oración diaria.
6. Recomiende que se involucre con una iglesia que enseña la Biblia, donde la persona interesada pueda adorar, disfrutar de la comunión cristiana y servir a Cristo.
7. Ore con la persona interesada personalmente; pida que un compromiso con Cristo pueda redireccionar sus actitudes y acciones y producir una vida que agrade a Dios. Lea Romanos 12:1–2; señale que, si sigue estos principios, podrá convertirse en una persona completamente sana.
8. Recomiéndele que busque aconsejamiento adicional con un pastor cristiano o un psicólogo cristiano, para que haya una continuidad en el tratamiento de los problemas, a la luz de la Biblia.

Si la persona interesada es un creyente con problemas personales sin resolver, explique la sección de este manual que trata sobre la restauración (p. 19), y luego siga en esa misma sección los "Pasos para el seguimiento".

# Pasajes bíblicos

*"Dichoso el hombre que no sigue el consejo de los malvados, ni se detiene en la senda de los pecadores ni cultiva la amistad de los blasfemos, sino que en la ley del Señor se deleita, y día y noche medita en ella. Porque el Señor cuida el camino de los justos, mas la senda de los malos lleva a la perdición"* (Salmos 1:1–2, 6, NVI).

*"Tú guardarás en completa paz a aquel cuyo pensamiento en ti persevera; porque en ti ha confiado"* (Isaías 26:3).

*"El Espíritu del Señor está sobre mí, por cuanto me ha ungido para dar buenas nuevas a los pobres; me ha enviado a sanar a los quebrantados de corazón; a pregonar libertad a los cautivos, y vista a los ciegos; a poner en libertad a los oprimidos; a predicar el año agradable del Señor"* (Lucas 4:18–19).

*"Por lo tanto, hermanos, tomando en cuenta la misericordia de Dios, les ruego que cada uno de ustedes, en adoración espiritual, ofrezca su cuerpo como sacrificio vivo, santo y agradable a Dios. No se amolden al mundo actual, sino sean transformados mediante la renovación de su mente. Así podrán comprobar cuál es la voluntad de Dios, buena, agradable y perfecta"* (Romanos 12:1–2, NVI).

*"Haya, pues, en vosotros este sentir que hubo también en Cristo Jesús"* (Filipenses 2:5).

# ENFERMEDADES TERMINALES

La persona que lo consulta está muy enferma. Su vida corre peligro; de hecho, tal vez no tenga mucho tiempo de vida. El cáncer, la alta presión sanguínea, un problema cardíaco, una insuficiencia de los riñones o alguna otra enfermedad crítica destruyen su cuerpo. Se siente sola.

Sucesivamente, si bien no necesariamente en forma cronológica, la persona pasa por estas emociones:

- Negación ("Esto no me puede estar pasando a mí").
- Ira ("¿Por qué yo, Señor?").
- Depresión ("No hay esperanza").
- Negociación ("Señor, sácame de esto y haré lo que tú quieras").
- Aceptación ("Sea hecha la voluntad de Dios").

Estos no son sentimientos que se experimentan una vez y luego se olvidan, sino que vuelven vez tras vez. No son sentimientos anormales, sino que suelen ser característicos de quienes pasan por "el valle de sombra".

## Estrategia para el aconsejamiento

1. ¡Lo primero que usted tiene que hacer es escuchar! Escuche con empatía los sentimientos que le comparten. Anime a la persona a hablar. Tal vez quiera explorar delicadamente los sentimientos, algunos de los cuales están cerca de la superficie en tanto otros estarán sumergidos más profundamente.

2. No emita ningún juicio sobre los sentimientos revelados, aun cuando puedan expresarse con ira, autocompasión o amargura. Solo hágale saber a la persona que usted está escuchando lo que dice. No aparezca como arrogante diciendo que usted comprende la profundidad de sus sentimientos. ¡Es imposible que usted pueda comprenderlos! Pero usted puede decir a la persona, que le interesa. Esto puede expresarse en palabras y también puede ser transmitido por el tono de su voz, su amabilidad y su capacidad de sentir y de identificarse: "*Acuérdense [...] también de los que son maltratados, como si fueran ustedes mismos los que sufren*" (Hebreos 13:3, NVI), como si usted mismo sintiera su dolor. Este no es el momento para introducir su propia experiencia de dolor y sufrimiento; el centro de toda la atención es la persona interesada.

3. Evite las frases hechas y trilladas. Evite decir a la persona que simplemente soporte la situación.

   No ofrezca falsas esperanzas sobre sanidad, ni diga a la persona que toda enfermedad es del diablo y que, con la suficiente fe, podría ser sanada. Dios podría sanar o no. Estos son asuntos que corresponden a la voluntad soberana de Dios. De lo que podemos estar seguros es que Dios sanará *espiritualmente* a quienes ponen su fe en Jesucristo.

4. No desaliente ninguna referencia que pueda hacer la persona sobre la muerte. Esto podría ser un condicionamiento saludable de la mente para lo que es inevitable. Las referencias a la muerte podrían preparar el camino para que usted, como una persona que ayuda, le pregunte si podría haber algún asunto pendiente que tendría que atender. Por esto testificamos: para ayudar a las personas a prepararse para la eternidad.

   En un espíritu de amabilidad y preocupación, podría preguntarle: "Si usted se encontrara en las puertas del cielo confrontado con la pregunta: '¿Sobre la base de qué busca ser admitido al cielo de Dios?', ¿qué contestaría?"

   Si es apropiado, explique **Cómo obtener paz con Dios** (p. 12). Si la persona interesada responde positivamente, hable de la sección que trata sobre la seguridad, que se encuentra en la página 17. También puede leerle otros pasajes bíblicos, como el Salmo 23, Juan 14:1–6 ó 1 Tesalonicenses 4:13–18.

5. El compromiso con Cristo debería preparar el camino para preguntar a la persona si tiene algún otro tema pendiente, como relaciones—familia, amigos—, asuntos financieros—un testamento, tal vez—, el manejo de detalles con relación al proceso de la muerte, la muerte misma, los arreglos para el funeral y qué hacer con el cuerpo. Anime a la persona a encargarse de todos estos temas, que busque asesoramiento pastoral o profesional.

6. Sugiérale a la persona o a sus familiares que averigüen si su comunidad tiene una agencia o residencia para enfermos desahuciados. Estas agencias se especializan en brindar apoyo a pacientes cuyas enfermedades se consideran terminales, y para sus familias.

7. Ore por la persona, para que pueda tener la valentía y la fortaleza para ser victoriosa en el dolor, entregándose a Jesús, que llevó nuestros dolores y tristezas.

# Pasajes bíblicos

Salmo 23

*"No se angustien ustedes. Crean en Dios y crean también en mí. En la casa de mi Padre hay muchos lugares donde vivir; si no fuera así, yo no les hubiera dicho que voy a prepararles un lugar. Y después de irme y de prepararles un lugar, vendré otra vez para llevarlos conmigo, para que ustedes estén en el mismo lugar en donde yo voy a estar. Ustedes saben el camino que lleva a donde yo voy. Tomás le dijo a Jesús:*

*—Señor, no sabemos a dónde vas, ¿cómo vamos a saber el camino?*

*Jesús le contestó:*

*—Yo soy el camino, la verdad y la vida. Solamente por mí se puede llegar al Padre"* (Juan 14:1–6, DHH).

*"Porque para mí el vivir es Cristo, y el morir es ganancia"* (Filipenses 1:21).

*"Hermanos, no queremos que ignoren lo que va a pasar con los que ya han muerto, para que no se entristezcan como esos otros que no tienen esperanza. ¿Acaso no creemos que Jesús murió y resucitó? Así también Dios resucitará con Jesús a los que han muerto en unión con él. Conforme a lo dicho por el Señor, afirmamos que nosotros, los que estemos vivos y hayamos quedado hasta la venida del Señor, de ninguna manera nos adelantaremos a los que hayan muerto. El Señor mismo descenderá del cielo con voz de mando, con voz de arcángel y con trompeta de Dios, y los muertos en Cristo resucitarán primero. Luego los que estemos vivos, los que hayamos quedado, seremos arrebatados junto con ellos en las nubes para encontrarnos con el Señor en el aire. Y así estaremos con el Señor para siempre. Por lo tanto, anímense unos a otros con estas palabras"* (1 Tesalonicenses 4:13–18, NVI).

# LA ENVIDIA, LOS CELOS Y LA CODICIA

La envidia, los celos y la codicia son males que están interrelacionados. El descontento con la propia situación y las posesiones suele indicar una actitud que lleva a sentimientos de intolerancia, resentimiento y aun malicia contra un rival real o imaginario. Podemos codiciar el éxito, la personalidad, las posesiones materiales, la apariencia o la posición de otra persona. Entonces, con el fin de compensar la propia frustración, hacemos comentarios malos y destructivos y nos sumergimos en la autocompasión, el enojo, la amargura y la depresión.

Caín envidió a Abel porque la ofrenda de este fue aceptada por Dios, mientras que la que él había presentado, no. Sintió celos y codició lo que se le había negado (vea Génesis 4:3–8). A esto le siguió ira, amargura, depresión y aun homicidio: "*Donde hay envidias y rivalidades, hay también desorden y toda clase de maldad*" (Santiago 3:16, DHH).

La envidia y la ambición de los celos motivaron a Lucifer a rebelarse contra Dios: "*Subiré al cielo; en lo alto, junto a las estrellas de Dios, levantaré mi trono [...] y seré semejante al Altísimo*" (Isaías 14:13–14).

---

*Billy Graham escribe: "No se puede tener una personalidad bien equilibrada y abrigar envidia en el corazón. En Proverbios 14:30 se nos dice: 'El corazón apacible es vida de la carne; mas la envidia es carcoma de los huesos'. La envidia no es un arma defensiva; es un instrumento ofensivo que se utiliza en una emboscada espiritual. Hiere porque sí, y hace daño porque sí".*

---

Pablo nos da el antídoto para los pecados de envidia, celos y codicia: "*Sé vivir humildemente, y sé tener abundancia; en todo y por todo estoy enseñado, así para estar saciado como para tener hambre, así para tener abundancia como para padecer necesidad. Todo lo puedo en Cristo que me fortalece*" (Filipenses 4:12–13).

## Estrategia para el aconsejamiento

### *Para la persona que no es cristiana:*

1. Si usted detecta envidia, celos o codicia en la persona, señale con tacto, pero firmemente, que estas actitudes desagradan a Dios. Explique **Cómo obtener paz con Dios** (p. 12).

2. Anime a la persona a buscar ser liberada de la envidia, los celos y la codicia. Ahora que Cristo ha entrado en su vida, la persona puede comenzar a aprender a redirigir sus pensamientos y acciones de maneras que reflejen una nueva vida en Cristo. Debe confesar la envidia, los celos y la codicia como pecados, y debe pedir diariamente perdón y limpieza.
3. La envidia, los celos y la codicia deben convertirse en "*frutos dignos de arrepentimiento*" (Lucas 3:8; vea también Filipenses 2:3–4):
   - Orar por aquellos que en otro momento ha envidiado.
   - Buscar lo bueno en los demás.
   - Conocer realmente a las personas a las que envidiaba; apreciar sus aspectos buenos y sus cualidades que anteriormente despertaban reacciones negativas y pecado en la persona.
4. Sugiérale que lea, estudie y memorice la Biblia. A medida que la Palabra de Dios comienza a ocupar nuestros pensamientos, desaloja a las obras de la carne (vea Gálatas 5:17–21).
5. Hable con la persona sobre la importancia de orar diariamente.
6. Recomiéndele participar en una iglesia donde se enseñe la Biblia, para adorar a Dios, tener comunión y oportunidades de servir.
7. Ore con la persona para que tenga victoria sobre la envidia, los celos y la codicia. Ore, también, para que su vida sea transformada por su consagración a Jesucristo.

## *Para la persona que es cristiana:*

1. Anime a la persona a romper su círculo vicioso de pensamiento; que reconozca abiertamente el problema. Debe concentrarse en las causas reales del pecado, en lugar de en la "mala suerte", la falta de aceptación o la imposibilidad de "salir adelante".
2. Ayude a la persona a arrepentirse y confesar su pecado. Analice con ella lo relativo a la restauración (p. 19) y ponga énfasis en 1 Juan 1:9 y 2:1. La persona debe ser sincera y específica al hablar con Dios.
3. Anímela a adentrarse en la Palabra de Dios, leerla y estudiarla. Dwight L. Moody dijo: "O el pecado te alejará de este Libro, o este Libro te alejará del pecado". Sugiérale que busque textos que hablen sobre sus problemas, que ore tomando como base esos textos y pida a Dios que confirme la verdad de ellos en su vida. La Palabra de Dios trae convicción de pecado, pero también alivio, cuando

aprendemos a obedecerla.

4. Dígale que trate estos pecados como "malos hábitos" que deben ser rotos. Que comience a poner en práctica el principio de "quitarse" y "ponerse" (vea el artículo **Los malos hábitos**). Esto le será de gran ayuda. La persona debe comenzar con un aspecto del problema y concentrarse en él hasta que esté bajo control, para luego encarar otros aspectos, sucesivamente, hasta que se vayan observando progresos. Muchas veces es útil pedir ayuda al cónyuge o a un amigo cristiano para que controle su progreso. Orar con esta persona sobre temas específicos también es útil.

5. Recomiéndele que participe de alguna clase de servicio cristiano en una iglesia donde se enseñe la Biblia. Esto puede llevar a la persona a pensar de manera más objetiva y constructiva, lo que ayudará a poner sus actitudes bajo control.

6. Anímela a desarrollar una actitud agradecida por la vida y por las personas que se cruzan en su camino. Cambiar las críticas por alabanzas es una buena práctica que siempre da resultados alentadores.

7. Ore con la persona y pida que tenga victoria y un gozo renovado en su vida cristiana.

# Pasajes bíblicos

*"La mente tranquila es vida para el cuerpo, pero la envidia corroe hasta los huesos"* (Proverbios 14:30, DHH).

*"Ya que han resucitado con Cristo, busquen las cosas de arriba, donde está Cristo sentado a la derecha de Dios. Concentren su atención en las cosas de arriba, no en las de la tierra, pues ustedes han muerto y su vida está escondida con Cristo en Dios. Cuando Cristo, que es la vida de ustedes, se manifieste, entonces también ustedes serán manifestados con él en gloria"* (Colosenses 3:1–4, NVI).

*"Y considerémonos unos a otros para estimularnos al amor y a las buenas obras; no dejando de congregarnos, como algunos tienen por costumbre, sino exhortándonos; y tanto más, cuanto veis que aquel día se acerca"* (Hebreos 10:24–25).

*"Sean vuestras costumbres sin avaricia, contentos con lo que tenéis ahora; porque él dijo: No te desampararé, ni te dejaré"* (Hebreos 13:5).

## *Otros pasajes bíblicos sugeridos:*

Proverbios 27:4

1 Corintios 3:3

# EL ESPÍRITU SANTO

El Espíritu Santo es una de las tres personas de la Trinidad. Es igual a las otras dos en posición y poder, y posee todos los aspectos esenciales de la deidad. Comparte todos los atributos de la Divinidad: es eterno, sin principio ni fin (vea Hebreos 9:14); es omnipotente, tiene todo poder (vea Lucas 1:35); es omnipresente, está presente en todas partes al mismo tiempo (vea Salmos 139:7); y es omnisciente, es decir, sabe todo (vea 1 Corintios 2:10–11).

El Espíritu Santo posee todas las características de la personalidad. No es un "ente" (vea Romanos 8:16, 26).

El Espíritu Santo tiene intelecto, emociones y voluntad. Habla (vea Hechos 13:2); intercede (vea Romanos 8:26); testifica (vea Juan 15:26); guía (vea Juan 16:13); ordena (vea Hechos 16:6–7); designa a personas (vea Hechos 20:28); dirige (vea Romanos 8:14) y reprueba y convence de pecado (vea Juan 16:8).

Se le puede mentir y se lo puede probar (vea Hechos 5:3–4, 9); se lo puede resistir (vea Hechos 7:51); se lo puede contristar (vea Efesios 4:30) y se puede blasfemar contra Él (Mateo 12:31). El Espíritu Santo dirige a las personas hacia Cristo (vea Juan 15:26) y nos recuerda las enseñanzas de Jesús (vea Juan 14:26).

Todo cristiano debe comprender su relación personal con el Espíritu Santo.

Lo que ya fue hecho:

- Somos nacidos del Espíritu Santo (vea Juan 3:6, 8).
- Dios nos ha dado el Espíritu Santo (vea Juan 14:16; 16:7).
- Somos bautizados por el Espíritu Santo (vea 1 Corintios 12:13).
- Somos templo del Espíritu Santo (1 Corintios 6:19–20).
- Somos sellados con el Espíritu Santo (vea Efesios 1:13).

Lo que es una realidad potencial:

Todo cristiano tiene el Espíritu Santo, pero no todo cristiano es lleno del Espíritu Santo. Debemos desear esta llenura, porque Dios así lo ordena: "Sed llenos del Espíritu" (Efesios 5:18).

---

*Billy Graham escribe: "Creo que la Biblia enseña que hay un bautismo en el Espíritu Santo, cuando ponemos nuestra fe en Cristo. Pero también enseña que hay muchas ocasiones en que somos llenados; de hecho, debemos ser continuamente llenos del Espíritu Santo. Un bautismo, muchas llenuras. Cuando somos llenos del Espíritu Santo, no es cuestión de que haya más de Él, como si su obra en nosotros se midiera cuantitativamente. No es cuánto del Espíritu tenemos, sino cuánto el Espíritu tiene de nosotros. [...] A medida que comprendemos cada vez más el liderazgo de Cristo, nos rendimos y nos entregamos más a Él. Así que, al buscar la plenitud del Espíritu, recibimos y disfrutamos su llenura y su plenitud, cada vez más".*

---

# Estrategia para el aconsejamiento

1. Si la persona le pregunta sobre el Espíritu Santo, procure responder basándose en lo explicado anteriormente.
2. Si la persona le pregunta o le expresa el deseo de tener la llenura del Espíritu Santo, comuníquele lo siguiente:

   A. Dios ha dado a los cristianos su Santo Espíritu, y Él habita dentro de nosotros.

   B. Dios nos ordena que seamos llenos del Espíritu Santo (vea Efesios 5:18).

   C. Para poder recibir la plenitud del Espíritu Santo debemos enfrentar sinceramente todo pecado conocido en nuestra vida. Esto implica arrepentimiento y confesión a Dios.

   D. Debemos entregar completa y claramente el control de nuestra vida al Señor, en un explícito acto de compromiso. Debemos renunciar a nuestros propios caminos y buscar por sobre todo, someternos continuamente a Cristo como Señor, para ser gobernados por Él en toda área de nuestra vida. Esta obediencia exige una rendición diaria de nuestro ser a Dios, para que podamos aprender los secretos de caminar por fe.

   Cuando nos rendimos a Dios y a su voluntad, somos llenos del Espíritu Santo. El Espíritu Santo nos controla y nos domina. Ahora debemos actuar basándonos en esta verdad, y caminar o vivir con la plena seguridad de que Dios ya nos ha llenado y de que estamos bajo su control.
3. Ore con la persona para que pueda aplicar estas verdades a su vida y para que sea llena del Espíritu Santo.

# Pasajes bíblicos

*"Y yo rogaré al Padre, y os dará otro Consolador, para que esté con vosotros para*

*siempre: el Espíritu de verdad, al cual el mundo no puede recibir, porque no le ve, ni le conoce; pero vosotros le conocéis, porque mora con vosotros, y estará en vosotros"* (Juan 14:16–17).

*"Pero yo os digo la verdad: Os conviene que yo me vaya; porque si no me fuera, el Consolador no vendría a vosotros; mas si me fuere, os lo enviaré. Y cuando él venga, convencerá al mundo de pecado, de justicia y de juicio. De pecado, por cuanto no creen en mí; de justicia, por cuanto voy al Padre, y no me veréis más; y de juicio, por cuanto el príncipe de este mundo ha sido ya juzgado"* (Juan 14:7–11).

*"Pero recibiréis poder, cuando haya venido sobre vosotros el Espíritu Santo, y me seréis testigos en Jerusalén, en toda Judea, en Samaria, y hasta lo último de la tierra"* (Hechos 1:8).

## *Otros pasajes bíblicos sugeridos:*

Juan 3:6–8

Juan 16:13–14

Romanos 8:14–16 (especialmente NVI)

1 Corintios 6:19–20

1 Corintios 12:13 (especialmente NVI)

Efesios 1:13

## *Vea también* El Espíritu Santo, su fruto *y* El Espíritu Santo, sus dones

# EL ESPÍRITU SANTO, SU FRUTO

La llenura del Espíritu Santo (artículo anterior) incluye dos áreas: la evidencia del fruto del Espíritu Santo (este artículo) y los dones del Espíritu (artículo siguiente).

Un creyente lleno del Espíritu Santo deberá demostrar el fruto del Espíritu en su vida. El modelo de vida del Nuevo Testamento aparece en Mateo 7:16: "*Por sus frutos los conoceréis*". La primera evidencia de que una persona está llena del Espíritu Santo es su vida piadosa. Dios quiere cristianos maduros, que manifiesten los frutos del Espíritu que aparecen en Gálatas 5:22–23: "*Amor, alegría, paz, paciencia, amabilidad, bondad, fidelidad, humildad y dominio propio*" (NVI).

---

*"El fruto del Espíritu es lo que Dios espera de nuestra vida", dice Billy Graham. "A diferencia de los dones del Espíritu, el fruto del Espíritu no se reparte entre los creyentes. En cambio, todos los cristianos deberían evidenciar todo el fruto del Espíritu. Dicho en términos más sencillos: la Biblia nos dice que necesitamos el Espíritu para que nuestras vidas den fruto, porque no podemos generar una vida piadosa sin el Espíritu. En nosotros solo tenemos todo tipo de deseos egotistas y egoístas que se oponen a la voluntad de Dios para nuestra vida".*

---

En forma práctica, ¿cómo comenzamos a experimentar este fruto del Espíritu en nuestra vida?

Debemos entregarnos conscientemente al Espíritu Santo (1 Corintios 6:19–20; Romanos 12:1–2). Hágase la siguiente pregunta: ¿Alguna vez tomó conciencia de que usted pertenece a Dios, que su cuerpo es el lugar donde vive, concretamente, el Espíritu Santo? ¿Alguna vez presentó su cuerpo –su vida– a Dios, como lo exige Romanos 12:1?

Luego, debemos vernos como personas que han muerto al pecado pero que están vivas para Cristo (Romanos 6:11). Pablo dice, en Gálatas 2:20: "*Con Cristo estoy juntamente crucificado, y ya no vivo yo, mas vive Cristo en mí; y lo que ahora vivo en la carne, lo vivo en la fe del Hijo de Dios, el cual me amó y se entregó a sí mismo por mí*". Usted está muerto al pecado en el sentido que el pecado ya no tiene control sobre usted (Romanos 6:12–13).

El paso siguiente es proponernos por fe someternos al señorío de Cristo. Esto ocurre gradualmente al poner nuestras mentes bajo su control. Nuestras acciones responden al control del Espíritu sobre nuestros pensamientos: "*No se amolden al mundo actual, sino sean transformados mediante la renovación de su mente. Así podrán comprobar cuál es la voluntad de Dios, buena, agradable y perfecta"* (Romanos 12:2, NVI).

Debemos trabajar de a un "fruto" por vez, orando con fe y confiando en Dios, para que el amor, la alegría, la paz y la paciencia que menciona Gálatas 5:22–23 puedan llegar a ser una realidad en nuestra vida.

# Estrategia para el aconsejamiento

1. Si la persona interesada se demuestra preocupada por saber si tiene el fruto del Espíritu en su vida, usted podría repasar la información que aparece en los primeros párrafos.
2. A veces, las preguntas revelan dónde hace falta hacer hincapié. Pregunte:
   - ¿Hay algún pecado sin confesar en su vida que le impida caminar más cerca de Dios?
   - ¿Es consciente de alguna falta de disciplina personal?
   - ¿Hay alguna relación quebrada que necesita ser sanada?
   - ¿Permanece usted en Cristo, conscientemente?
   - ¿Lee y estudia la Biblia diariamente?
   - ¿Ora acerca de su relación con Cristo, pidiéndole que desarrolle el fruto del Espíritu en usted?
3. Ore con la persona interesada pidiendo que sus deseos de la llenura del Espíritu y del fruto del Espíritu sean satisfechos.

# Pasajes bíblicos

*"De la misma manera, también ustedes considérense muertos al pecado, pero vivos para Dios en Cristo Jesús. Por lo tanto, no permitan ustedes que el pecado reine en su cuerpo mortal, ni obedezcan a sus malos deseos. No ofrezcan los miembros de su cuerpo al pecado como instrumentos de injusticia; al contrario, ofrézcanse más bien a Dios como quienes han vuelto de la muerte a la vida, presentando los miembros de su cuerpo como instrumentos de justicia"* (Romanos 6:11–13, NVI).

*"Por lo tanto, hermanos, tomando en cuenta la misericordia de Dios, les ruego que cada uno de ustedes, en adoración espiritual, ofrezca su cuerpo como sacrificio vivo, santo y agradable a Dios. No se amolden al mundo actual, sino sean transformados mediante la renovación de su mente. Así podrán comprobar cuál es la voluntad de Dios, buena, agradable y perfecta"* (Romanos 12:1–2, NVI).

*"¿O ignoráis que vuestro cuerpo es templo del Espíritu Santo, el cual está en vosotros, el cual tenéis de Dios, y que no sois vuestros? Porque habéis sido comprados por precio; glorificad, pues, a Dios en vuestro cuerpo y en vuestro espíritu, los cuales son de Dios"* (1 Corintios 6:19–20).

## *Otros pasajes bíblicos sugeridos:*

Gálatas 5:22–23

# EL ESPÍRITU SANTO, SUS DONES

Un cristiano comprometido querrá apropiarse de todo lo que Dios tiene preparado para su vida. Hemos recibido la gracia de Dios a través de la persona y la obra del Señor Jesucristo. Ahora debemos estar dispuestos a recibir los dones del Espíritu Santo; y debemos desearlos "*ardientemente*" (1 Corintios 12:31, BLA).

Tenemos que confiar en que el soberano Espíritu Santo repartirá "*a cada uno en particular como él quiere*" (1 Corintios 12:11). No debe considerarse que los dones espirituales hagan que un creyente o un grupo de creyentes estén más adelantados espiritualmente que otros. El orgullo espiritual puede anular la efectividad de cualquier don.

Algunos cristianos tienen los dones que son más "públicos", como predicar, enseñar o evangelizar. Esto no significa que sean "cristianos especiales". Están ejerciendo los dones que Dios les ha dado. El cristiano que ejerce el silencioso don de la fe tiene la misma importancia para Dios y para la edificación del cuerpo. En ninguna parte de la Biblia se nos dice que todos debemos buscar los mismos dones. No todos los dones son iguales, pero todos tienen el mismo objetivo: contribuir a la unidad y a la edificación de la Iglesia, el cuerpo de Cristo (Efesios 4:12–16).

Hay dos porciones de la Biblia que enumeran los dones del Espíritu Santo:

"*Porque a éste es dada por el Espíritu palabra de sabiduría; a otro, palabra de ciencia según el mismo Espíritu; a otro, fe por el mismo Espíritu; y a otro, dones de sanidades por el mismo Espíritu. A otro, el hacer milagros; a otro, profecía; a otro, discernimiento de espíritus; a otro, diversos géneros de lenguas; y a otro, interpretación de lenguas. Pero todas estas cosas las hace uno y el mismo Espíritu, repartiendo a cada uno en particular como él quiere*" (1 Corintios 12:8–11).

"*Y él mismo constituyó a unos, apóstoles; a otros, profetas; a otros, evangelistas; a otros, pastores y maestros, a fin de perfeccionar a los santos para la obra del ministerio, para la edificación del cuerpo de Cristo*" (Efesios 4:11–12).

---

*Son útiles los comentarios de Billy Graham sobre este importante tema: "Estos dones nos llegan a través del Espíritu Santo. Él escoge los dones y decide quién los recibe. Él los distribuye según le place. Si bien debemos rendir cuenta del uso de cualquier don que nos dé, no tenemos ninguna responsabilidad por los dones que no hemos recibido. Tampoco debemos codiciar lo que tiene otro, ni debemos tenerle envidia. Tal vez queramos tener ciertos dones, y aun podremos pedirlos, pero si no es la voluntad del Espíritu Santo, no obtendremos lo que pedimos. Y, si estamos insatisfechos porque el Espíritu Santo no nos da los dones que queremos, pecamos".*

# Estrategia para el aconsejamiento

1. Manténgase dentro de las pautas indicadas anteriormente al hablar sobre el tema de los dones del Espíritu. Hay personas que quieren convertir a los dones en algo distinto del motivo para el que fueron creados, y esto puede hacer que usted se desvíe del tema.
2. Deje en claro que uno debe ser un cristiano nacido de nuevo para apropiarse de los dones del Espíritu. Si bien hay quienes insisten en lo contrario, este orden no puede ser invertido. Pregunte a la persona interesada si ha recibido al Señor Jesucristo como Señor y Salvador. De no ser así, explique **Cómo obtener paz con Dios** (p. 12).
3. Si la persona interesada es un creyente que busca sinceramente identificar un don y la llenura del Espíritu Santo, aliéntelo a dedicar tiempo a estudiar detenidamente los pasajes bíblicos que tratan con estos dones, incluyendo el libro de Hechos y las cartas de Pablo, donde vemos cómo se ejercen los dones. Este estudio debe ir acompañado de una oración cuidadosa y meditada, ya que la persona recibirá el discernimiento espiritual y la sabiduría que la alejarán de los excesos.
4. Advierta a la persona que no se deje influir excesivamente por personas o grupos que insisten en un tipo de enfoque "estándar" para recibir y ejercer cada don o los dones, o que insisten en que todos los creyentes deben poseer ciertos dones. Cada uno debe confiar en el Espíritu Santo para que este los distribuya según su voluntad (Juan 3:8; 1 Corintios 12:11).

*Hay un comentario de Billy Graham que ayuda a poner este tema en perspectiva: "Yo creo que la persona que está llena del Espíritu Santo—la que se somete constantemente al señorío de Cristo—llegará a descubrir sus dones bastante fácilmente. Esta persona quiere la guía de Dios, y ese es el tipo de persona que Dios está dispuesto a bendecir, revelándole los dones que el Espíritu Santo le ha otorgado".*

5. Recuerde a la persona interesada que, junto con los dones del Espíritu Santo, debemos procurar constantemente demostrar el fruto del Espíritu: *"En cambio, el fruto del Espíritu es amor, alegría, paz, paciencia, amabilidad,*

*bondad, fidelidad, humildad y dominio propio. No hay ley que condene estas cosas"* (Gálatas 5:22–23, NVI). El fruto y los dones deben ir de la mano. Somos conocidos por nuestro fruto (Mateo 7:16, 20). Si bien es posible que uno reciba solamente uno o dos dones del Espíritu, todo cristiano debe buscar experimentar todos los frutos del Espíritu.

6. Ore con la persona interesada pidiendo una demostración del fruto del Espíritu en su vida, y un mayor y más eficaz servicio al cuerpo de Cristo y al mundo a través del ejercicio de sus dones.

# Pasajes bíblicos

Estudie 1 Corintios 13 con relación a otros pasajes bíblicos en busca de una perspectiva sobre los dones del Espíritu Santo.

*"Cada uno según el don que ha recibido, minístrelo a los otros, como buenos administradores de la multiforme gracia de Dios"* (1 Pedro 4:10).

# LA FALTA DE FE

Las personas a las que aconsejamos suelen expresar necesidad de tener más fe. Podríamos definir la fe como un compromiso total con todo lo que Dios es, hace y dice. Es "jugarnos por entero" porque confiamos en que realmente Él es digno de confianza. Pero si la fe no se hace activa en nuestra propia vida, es solo una palabra. La definición de fe más conocida que nos da la Biblia es funcional; no nos dice qué es, en realidad, la fe, sino lo que ella hace por nosotros:

*"Es, pues, la fe la certeza de lo que se espera, la convicción de lo que no se ve"* (Hebreos 11:1).

Recibimos el evangelio por la fe. La vida cristiana es un camino de fe. La fe agrada a Dios, y Él nos recompensa por ella: *"Pero sin fe es imposible agradar a Dios; porque es necesario que el que se acerca a Dios crea que le hay, y que es galardonador de los que le buscan"* (Hebreos 11:6).

---

*Billy Graham ha dicho: "La fe se manifiesta de tres maneras: en doctrina, en adoración y en comunión. Se manifiesta en la moralidad de la forma en que vivimos y nos comportamos. La Biblia también enseña que la fe no termina cuando hemos confiado en Cristo para nuestra salvación. ¡La fe continúa! ¡La fe crece! Puede ser débil al principio, pero se fortalecerá a medida que leemos la Biblia, oramos, asistimos a la iglesia y experimentamos la fidelidad de Dios en nuestra vida cristiana".*

---

## Estrategia para el aconsejamiento

### *Para la persona que no es cristiana:*

Si la persona habla de la fe de manera que revela que no comprende lo que es la fe salvadora, vuelva a **Cómo obtener paz con Dios** (p. 12). Ponga énfasis en que solo por fe podemos conocer a Dios. Entrar en una relación correcta con Él por medio de Jesucristo significa comprometerse por la fe con su persona y su obra expresadas en su muerte en la cruz y en su resurrección: *"Así pues, la fe nace al oír el mensaje, y el mensaje viene de la palabra de Cristo"* (Romanos 10:17, DHH); *"Pues por la bondad de Dios han recibido ustedes la salvación por medio de la fe. No es esto algo que ustedes mismos hayan conseguido, sino que es un don de Dios. No es el resultado de las propias acciones, de modo que nadie puede gloriarse de nada"* (Efesios 2:8–9, DHH). Explique lo relativo a la seguridad de la salvación (p. 17) y el artículo que trata sobre **La seguridad de la salvación**.

## *Para la persona que es cristiana:*

Si la persona es cristiana y expresa preocupación por su falta de fe, o desea tener más fe:

1. Pregúntele:

   - ¿Por qué desea tener más fe?
   - ¿Qué desea que esa fe logre en su vida?

   El problema puede ser la falta de seguridad en su relación con Cristo. Si esto surge de la conversación, repase la sección sobre la seguridad de la salvación (p. 17) y lea y comente Efesios 2:8–9.

2. Si la persona parece haber comprendido bien lo que es la salvación por la fe en Cristo, déle algunas ideas sobre una fe que crece:

   A. Una vida de fe no se desarrolla instantáneamente por un proceso misterioso. La disciplina espiritual lleva a una fe más profunda.

   B. Pídale que confiese su falta de fe a Dios como pecado: "*Todo lo que no proviene de fe, es pecado*" (Romanos 14:23). "*Cuídense, hermanos, de que ninguno de ustedes tenga un corazón pecaminoso e incrédulo que los haga apartarse del Dios vivo*" (Hebreos 3:12, NVI).

   C. Destaque a la Biblia como el libro fuente de la fe. Hay aproximadamente quinientas referencias a "fe", "creer", etc., solo en el Nuevo Testamento. Anime a la persona a leer la Biblia y estudiarla, a escribir todas las referencias a la fe que encuentre y luego estudiar cada una en su contexto, para determinar lo que Dios le dice acerca de la fe y cómo puede aplicarlo a su vida.

   D. Explique que es necesario ejercitar la fe por medio de una vida de oración. Hay pasajes que relacionan la fe con la oración, por ejemplo Mateo 17:20 y Santiago 5:15. La fe crecerá a medida que la persona experimente victorias en oración.

   E. Inste a la persona a utilizar lo que aprende acerca de la fe, que lo pruebe en su propia vida. Por ejemplo, en Proverbios 3:5–6 Dios promete su guía si cumplimos ciertas condiciones. Si la persona desea que el Señor la guíe en cierta decisión que debe tomar o algo que debe hacer, debería determinar, a partir de ese pasaje, cuáles son las condiciones que Dios le indica, y cumplirlas, para poder recibir la guía que se le ha prometido.

   F. La persona debe poner a prueba su fe atreviéndose a creerle más a Dios y actuando según esa certidumbre. La verdadera fe es dinámica: ¡produce acción! Anime a la persona a involucrarse en el servicio cristiano: *"Así que, hermanos míos amados, estad firmes y constantes, creciendo en la obra del Señor siempre, sabiendo que vuestro trabajo en el Señor no es en vano"* (1 Corintios 15:58).

# Pasajes bíblicos

*"De cierto os digo, que si tuviereis fe como un grano de mostaza, diréis a este monte: Pásate de aquí allá, y se pasará; y nada os será imposible"* (Mateo 17:20).

*"Respondiendo Jesús, les dijo: Tened fe en Dios"* (Marcos 11:22).

*"Justificados, pues, por la fe, tenemos paz para con Dios por medio de nuestro Señor Jesucristo"* (Romanos 5:1).

*"En lo cual vosotros os alegráis, aunque ahora por un poco de tiempo, si es necesario, tengáis que ser afligidos en diversas pruebas, para que sometida a prueba vuestra fe, mucho más preciosa que el oro, el cual aunque perecedero se prueba con fuego, sea hallada en alabanza, gloria y honra cuando sea manifestado Jesucristo, a quien amáis sin haberle visto, en quien creyendo, aunque ahora no lo veáis, os alegráis con gozo inefable y glorioso; obteniendo el fin de vuestra fe, que es la salvación de vuestras almas"* (1 Pedro 1:6–9).

# EL HOGAR

## *(Cómo ganar a los padres para Cristo)*

Pablo, al escribir a Timoteo, le advirtió:

*"Que nadie te menosprecie por ser joven. Al contrario, que los creyentes vean en ti un ejemplo a seguir en la manera de hablar, en la conducta, y en amor, fe y pureza [...] Ten cuidado de tu conducta y de tu enseñanza. Persevera en todo ello, porque así te salvarás a ti mismo y a los que te escuchen"* (1 Timoteo 4:12, 16, NVI).

Si bien este consejo fue dado hace alrededor de dos mil años, sigue siendo oportuno para la persona joven que ha recibido a Cristo y está profundamente preocupada por el bienestar espiritual de su padre o madre.

Hace poco un pastor dijo que cuando se convierten adolescentes y quieren saber cómo testificar, les aconseja que vayan a su casa, ordenen su habitación, presten atención a sus padres, sonrían, escuchen a los demás, ¡y esperen a que les pregunten "qué pasó", para contarles acerca de Cristo!

Los cristianos adultos –jóvenes y de mediana edad– deben mostrar que aman a sus padres manteniéndose en contacto con ellos y preocupándose por sus necesidades. Deben confiar en que el Señor les dé oportunidades para hablar de temas espirituales.

---

*En "Billy Graham contesta sus preguntas" el Sr. Graham da este consejo: "Ante todo, les sugiero que tengan paciencia con sus padres. Ellos querrán asegurarse de que la experiencia que ustedes tengan con Cristo no sea solo algo pasajero. En segundo lugar, dejen que Cristo los gobierne de manera tal que ellos vean una diferencia en ustedes. Tercero, oren por ellos. Tal vez les parezca que no les prestan atención, pero están escuchando más de lo que ustedes creen. Esto no ocurrirá en una semana, en un mes o tal vez en un año, pero el Espíritu de Dios siempre está trabajando. Recuerden que la Biblia dice:* 'No nos cansemos de hacer el bien, porque a su debido tiempo cosecharemos si no nos damos por vencidos' *(Gálatas 6:9, NVI)".*

---

## Estrategia para el aconsejamiento

1. Elogie a la persona que pide consejo acerca de testificar a sus padres. Indica una preocupación espiritual superior a la común.
2. Lea el consejo de Billy Graham, y luego haga énfasis en los siguientes puntos:

A. En 1 Timoteo 4:12, 16 la palabra clave es "*ejemplo*". En el hogar, la mejor manera de demostrarlo es mediante el respeto, la obediencia y acciones de amor y bondad. Recuerde el viejo dicho: "Lo que haces habla tan fuerte que no me deja oír lo que dices".

B. Asegúrese de ser coherente en su vida cristiana.

3. Recomiende prestar atención al desarrollo espiritual mediante la lectura y el estudio de la palabra de Dios, orando—¡con los nombres de los padres en el primer lugar en la lista de oración!—siendo un buen alumno en la escuela y participando en actividades cristianas con otros jóvenes.

4. Sugiérale orar pacientemente pidiendo oportunidades para testificar. Esto puede hacerse personalmente o invitando a la familia a una función cristiana especial o a la iglesia.

5. Ore con la persona para que el consejo de Pablo a Timoteo (1 Timoteo 4:12, 16) pueda llegar a ser una realidad en su vida. Los métodos indicados para testificar tal vez no parezcan muy emocionantes, pero la experiencia ha indicado que son los más adecuados.

# Pasajes bíblicos

"*Pero recibiréis poder, cuando haya venido sobre vosotros el Espíritu Santo, y me seréis testigos en Jerusalén, en toda Judea, en Samaria, y hasta lo último de la tierra*" (Hechos 1:8).

"*Por lo tanto, ¡protéjanse con la armadura completa! Así, cuando llegue el día malo, podrán resistir los ataques del enemigo. Y cuando hayan peleado hasta el fin, seguirán estando firmes*" (Efesios 6:13, TLA).

"*No se inquieten por nada; más bien, en toda ocasión, con oración y ruego, presenten sus peticiones a Dios y denle gracias. Y la paz de Dios, que sobrepasa todo entendimiento, cuidará sus corazones y sus pensamientos en Cristo Jesús*" (Filipenses 4:6–7, NVI).

"*Que nadie te menosprecie por ser joven. Al contrario, que los creyentes vean en ti un ejemplo a seguir en la manera de hablar, en la conducta, y en amor, fe y pureza [...] Sé diligente en estos asuntos; entrégate de lleno a ellos, de modo que todos puedan ver que estás progresando. Ten cuidado de tu conducta y de tu enseñanza. Persevera en todo ello, porque así te salvarás a ti mismo y a los que te escuchen*" (1 Timoteo 4:12, 15–16, NVI).

# EL HOGAR

## *(Conflictos entre padres y adolescentes)*

Frecuentemente se suscitan conflictos entre padres y sus hijos adolescentes. Estos conflictos pueden crear una barrera en la comunicación. A los padres les cuesta hablar con sus hijos. Demoran en darles explicaciones sobre cambios físicos y mentales críticos, especialmente en cuestiones relacionadas con el sexo y la reproducción. Los padres ajustan su control sobre el adolescente, y este lucha aún más fuerte por su independencia. La brecha se agranda; se convierten en antagonistas… y la batalla continúa.

---

*Billy Graham escribe: "La rebelión, la desobediencia, la falta de disciplina, la confusión y los conflictos impiden las relaciones felices dentro del hogar. Pero a Dios le interesa la familia que usted tiene, su matrimonio, sus hijos. Nos muestra los ideales y las metas para la familia. Está dispuesto a ayudarnos... ¿Ha buscado usted la voluntad de Dios? ¿Se ha puesto de rodillas y ha entregado sus hijos al Señor? ¿Se reúnen para tener un tiempo devocional familiar? La respuesta está en entregar su corazón y su vida a Jesucristo, de manera que cada miembro del hogar llegue a conocerlo a Él y ame la Palabra de Dios".*

---

## Estrategia para el aconsejamiento

Al hablar con padres que tienen conflictos con sus hijos, aliéntelos a ordenar espiritualmente su hogar. Lea la cita de Billy Graham anterior y luego:

1. Adviértales que la paz en todo hogar comienza cuando tenemos la paz de Dios en nuestro corazón. Esto surge de una relación personal con Jesucristo. Explique **Cómo obtener paz con Dios** (p. 12).

2. Anime a los padres con las palabras de Josué: "*Elijan ustedes mismos a quiénes van a servir [...] Por mi parte, mi familia y yo serviremos al Señor*" (Josué 24:15, NVI). Deben consagrarse a tener un hogar que exalte a Cristo.

3. Sugiérales que aprendan a confiar en los recursos de Dios, que están disponibles a través de la oración. Deben hacer pacto con Dios para solicitarle la sabiduría que ofrece (Santiago 1:5) y pedir su ayuda para el desarrollo espiritual adecuado de sus hijos (Filipenses 4:6). Deben aprender a orar *con* sus hijos además de orar por ellos.

4. Inste a los padres a edificar la vida de la familia alrededor de la Palabra de Dios, deben ayudar a cada miembro a entender los asuntos de la vida desde el punto de vista de ella. Aliéntelos a:

   A. Buscar que cada uno de ellos se convierta a Cristo.

   B. Centrar las actividades de la familia alrededor de una iglesia que enseña la Biblia.

   C. Estar dispuestos a tratar pacientemente con las dudas espirituales de los niños.

5. Los padres deben establecer reglas para gobernar el hogar, que sean equitativas y razonables. El respeto se aprende al responder a la autoridad. Sea lo más flexible posible en los asuntos relacionados con la identidad, independencia y autoestima de los hijos. Los adolescentes necesitan mucho apoyo y aliento. Los conflictos nunca se resuelven por discusiones o peleas.

6. El ejemplo y la estabilidad de los padres influye mucho en los hijos. Un matrimonio bueno y feliz tendrá más efecto en preparar a los jóvenes para la vida que las reglas y la supervisión. Una demostración coherente de virtudes cristianas como el amor, la paciencia, la comprensión, el aliento y la confianza, brindarán un ancla que el adolescente necesitará en momentos de tensión y de cambios. Las creencias de los padres siempre deben reflejarse en acciones, especialmente en el hogar.

7. Una comunicación constante con el adolescente será muy útil para evitar los conflictos. Esto incluye no solo conversación significativa, sino tiempo compartido en otras actividades con cada adolescente individualmente. Esta atención personal ayudará a crear una imagen propia positiva y fortalecerá la solidaridad de la familia. No tema demostrar el afecto físicamente. Un abrazo paternal o un beso maternal ayudará a que el hijo se sienta aceptado y amado.

# Pasajes bíblicos

*"Guarda y escucha todas estas palabras que yo te mando, para que haciendo lo bueno y lo recto ante los ojos de Jehová tu Dios, te vaya bien a ti y a tus hijos después de ti para siempre"* (Deuteronomio 12:28).

*"Justo es quien lleva una vida sin tacha; ¡dichosos los hijos que sigan su ejemplo!"* (Proverbios 20:7, NVI).

*"Instruye al niño en su camino, y aun cuando fuere viejo no se apartará de él"* (Proverbios 22:6).

## **EL HOGAR** *(Conflictos entre padres y adolescentes)*

*"Hijos, obedeced en el Señor a vuestros padres, porque esto es justo. Honra a tu padre y a tu madre, que es el primer mandamiento con promesa; para que te vaya bien, y seas de larga vida sobre la tierra. Y vosotros, padres, no provoquéis a ira a vuestros hijos, sino criadlos en disciplina y amonestación del Señor"* (Efesios 6:1–4).

*"Padres, no exasperéis a vuestros hijos, para que no se desalienten"* (Colosenses 3:21).

# EL HOGAR

## *(Crianza y disciplina de los hijos)*

Un tema que aparece repetidamente en la Biblia es la instrucción de los hijos a través de la enseñanza y el ejemplo. El libro de Deuteronomio dice, explícitamente, que a los hijos se les debe enseñar los caminos de Dios:

*"Y estas palabras que yo te mando hoy, estarán sobre tu corazón; y las repetirás a tus hijos, y hablarás de ellas estando en tu casa, y andando por el camino, y al acostarte, y cuando te levantes"* (Deuteronomio 6:6–7).

El libro de Proverbios es un compendio de la sabiduría del pueblo de Dios. La familia y la crianza de los hijos en la fe es uno de sus grandes énfasis: *"Instruye al niño en su camino, y aun cuando fuere viejo no se apartará de él"* (Proverbios 22:6).

Timoteo fue instruido en las Escrituras desde su infancia, según el mandamiento de Dios y las costumbres judías: *"Desde la niñez has sabido las Sagradas Escrituras, las cuales te pueden hacer sabio para la salvación por la fe que es en Cristo Jesús"* (2 Timoteo 3:15).

Pablo habla de la necesidad de continuidad en la forma en que instruimos y disciplinamos a nuestros hijos: *"Porque me acuerdo de la fe sincera que tienes. Primero la tuvieron tu abuela Loida y tu madre Eunice, y estoy seguro de que también tú la tienes"* (2 Timoteo 1:5, DHH).

La Biblia enseña que los padres son responsables de instruir y disciplinar a sus hijos para que puedan crecer con el conocimiento de la Biblia y honrando al Señor.

---

*Billy Graham advierte: "El principal motivo de infelicidad en el hogar es que hemos ignorado a Dios y los principios que nos ha dado. No hemos querido aceptar su plan para la familia. Los miembros del hogar no han querido aceptar sus responsabilidades específicas tal como la Biblia las asigna. Es bien sabido que la obediencia no es algo que surge de manera natural. Debe ser enseñada y aprendida. Los niños necesitan que se les enseñe la obediencia de la misma manera que necesitan que se les enseñe a leer y escribir".*

---

## Estrategia para el aconsejamiento

1. Inste a los padres a brindar el tipo de hogar que contribuya a un sólido desarrollo espiritual y mental:

A. Un hogar estable, pacífico y en el cual reine el amor.

B. Un hogar centrado en la familia, donde hay un sentido de solidaridad, respeto mutuo y aliento; un hogar donde los integrantes de la familia hacen cosas juntos, especialmente cuando los hijos son más pequeños.

C. Un hogar centrado en Dios, donde cada miembro tenga el derecho de responder al amor de Dios en Cristo y de ser enseñado a vivir desde una perspectiva espiritual (Proverbios 22:6). (Este sería un momento apropiado para preguntar al padre o a la madre si ha recibido a Jesucristo como Señor y Salvador. Según resulte apropiado, presente **Cómo obtener paz con Dios** (p. 12).

D. Un hogar orientado a la iglesia. Es mucho más fácil criar hijos cuando sus vidas y las de sus familiares y amigos están centradas en la iglesia.

E. Los padres deberían hacerles conocer a sus hijos el mundo de la mente a través del ejemplo y la práctica. Si a los padres les gusta leer, es probable que les guste leer a los hijos también. Debe haber buenos libros y revistas para el nivel de los hijos en el hogar. Los niños deben recibir lecciones de música y practicar pasatiempos y deportes mientras están en la escuela primaria. Esto será una protección contra conflictos posteriores en la adolescencia.

2. Anime a los padres a reconocer que su hijo tiene ciertos derechos, pero que esos derechos deben integrarse con los que afectan a todos los miembros de la familia. Los hijos tienen derecho a:

A. Ser amados y aceptados.

B. Recibir el tipo de afianzamiento que conduce al respeto propio y a un sentido de seguridad y significado.

C. Ver que sus padres se demuestren un genuino afecto y respeto mutuo. Se necesitan ejemplos de comportamiento cristiano maduro para que los hijos puedan ver cómo sus padres manejan los problemas y las tensiones.

D. Ser disciplinados y castigados en forma justa y coherente:

(1) No pretenda de un hijo más de lo que puede dar.

(2) Sea imparcial y justo al administrar castigos. Las demandas excesivas y el duro castigo físico generan rápidamente

resentimiento y rebeldía. Los padres deben ser flexibles y no deben exigir "la letra de la ley".

(3) Nunca castigue cuando está airado o "en el fragor del momento".

(4) Siempre dé una explicación al hijo para que pueda conocer el motivo del castigo.

3. Anime a los padres a mantener abiertas, a toda costa, las líneas de comunicación. Deben:

   A. Dedicar tiempo a ser oidores atentos y tomar la iniciativa en alentar el diálogo. Debe haber discusiones francas con relación al sexo, las drogas, el alcohol, las citas amorosas, etc.

   B. Contar experiencias de sus propias infancias y adolescencias, incluyendo errores y fracasos.

   C. Permitir que los hijos cuestionen sus normas y creencias. Esto les da la oportunidad de explicar y defender estas creencias. De esta forma los hijos formularán sus propias normas o creencias y valores. Se los puede desafiar y ayudar a fijar metas para el momento y para sus vidas. Al instruir a los hijos, haga uso de la ayuda de otros cristianos de la familia, incluyendo abuelos, tíos, tías y primos.

# Pasajes bíblicos

*"Hijo mío, no desprecies la disciplina del Señor, ni te ofendas por sus reprensiones. Porque el Señor disciplina a los que ama, como corrige un padre a su hijo querido"* (Proverbios 3:11–12, NVI).

*"Justo es quien lleva una vida sin tacha; ¡dichosos los hijos que sigan su ejemplo!"* (Proverbios 20:7, NVI).

*"Hijos, obedeced en el Señor a vuestros padres, porque esto es justo. Honra a tu padre y a tu madre, que es el primer mandamiento con promesa; para que te vaya bien, y seas de larga vida sobre la tierra. Y vosotros, padres, no provoquéis a ira a vuestros hijos, sino criadlos en disciplina y amonestación del Señor"* (Efesios 6:1–4).

*"Padres, no exasperéis a vuestros hijos, para que no se desalienten"* (Colosenses 3:21).

## *Otros pasajes bíblicos sugeridos:*

Deuteronomio 12:28

Proverbios 30:11, especialmente DHH

Proverbios 31:10, 26–28, especialmente DHH

# LA HOMOSEXUALIDAD

Los homosexuales son personas que se sienten atraídos sexualmente hacia personas de su mismo sexo. La Biblia define a la homosexualidad como pecado. Dios ama al homosexual igual que ama a cualquier otra persona, pero el comportamiento homosexual se aparta del orden natural de su creación, lo mismo que la promiscuidad heterosexual. A pesar de que la mayoría de los homosexuales creen que no fueron ellos quienes eligieron su orientación sexual, muchos han respondido incorrectamente a esta orientación. Esta respuesta debe ser vista a la luz de lo que dice la Biblia.

La Biblia habla claramente acerca de lo que constituye una relación sexual correcta:

> *"Por eso el hombre deja a su padre y a su madre, y se une a su mujer, y los dos se funden en un solo ser"* (Génesis 2:24, NVI).
>
> *"'En cuanto a ustedes, sean fecundos y multiplíquense; sí, multiplíquense y llenen la tierra'"* (Génesis 9:7, NVI).
>
> *"Y tanto el esposo como la esposa deben cumplir con los deberes propios del matrimonio. Ni la esposa es dueña de su propio cuerpo, puesto que pertenece a su esposo, ni el esposo es dueño de su propio cuerpo, puesto que pertenece a su esposa"* (1 Corintios 7:3–4, DHH).

Estos pasajes bíblicos muestran el propósito doble de la relación sexual: sella el vínculo matrimonial entre un hombre y una mujer, y perpetúa la raza humana. La familia, formada por el padre, la madre y los hijos, está en el corazón del orden establecido por Dios. Es la base de la sociedad, y las familias son la mayor fortaleza de cualquier sociedad. (Sin embargo, uno no debería suponer que todas las personas se casarán y se reproducirán. El celibato y la soltería tienen, también, un lugar en el orden de Dios.)

Hay pasajes bíblicos que indican que Dios desaprueba el comportamiento homosexual (vea la sección "Pasajes bíblicos", en este artículo). La Biblia incluye el comportamiento homosexual en listas de pecados, junto con cosas tales como el adulterio, la fornicación, la prostitución y la lujuria. No debe ser individualizado como un "pecado especial" especialmente ofensivo a Dios por encima de cualquier otro pecado. Dios trata con todos los pecados por medio de la cruz. Por otra parte, el comportamiento homosexual tampoco debe ser individualizado para una indulgencia especial. Dios solo podrá tratar con nuestro pecado en la medida en que estemos dispuestos a confesarlo.

*Billy Graham comenta: "No importa cuánto podamos racionalizar la práctica [de la homosexualidad] como una alternativa viable para las relaciones heterosexuales, Romanos 1 dice claramente que es el producto de una mente reprobada. Cuando digo esto, no estoy exonerando toda actividad heterosexual. En palabras del Dr. Harold Lindsell, 'El heterosexual inmoral no es ni mejor ni peor que el homosexual practicante. Ambos caen bajo el juicio divino' [...] Cuando acudimos a Cristo, somos llamados a arrepentirnos de nuestros pecados y dejar de practicar los patrones de vida impíos que podamos haber disfrutado anteriormente".*

La Iglesia no puede aprobar el estilo de vida de los homosexuales ni puede alentar su participación como pecadores no arrepentidos en la vida de la iglesia. Sin embargo, tampoco debería intentar hacer de cuenta que el problema no existe. Debe encararlo de manera franca y realista, con amor, compasión y comprensión. No es la voluntad de Dios que nadie esté sujeto a la homosexualidad. Su gracia es suficiente para generar cambios en quienes quieran someter esta área de su vida a Él. La Iglesia necesita tomar la iniciativa de alentar al homosexual con este mensaje.

Muchos homosexuales dicen haber sido transformados mediante el poder del evangelio, si bien algunos de ellos tal vez nunca sean completamente libres de las tendencias o las tentaciones homosexuales. Pablo, cuando escribe a personas que habían participado en comportamiento homosexual y muchos otros tipos de pecado, dice: *"Y eso eran algunos de ustedes. Pero ya han sido lavados, ya han sido santificados, ya han sido justificados en el nombre del Señor Jesucristo y por el Espíritu de nuestro Dios"* (1 Corintios 6:11, NVI).

Las palabras de Pablo nos deberían dar confianza al tratar con homosexuales. El único verdadero remedio, como ocurre con cualquier comportamiento pecaminoso, es una relación personal, íntima y continua con Jesucristo. Esta relación es un proceso constante de crecimiento y cambio. A veces puede ser un proceso doloroso, salpicado de recaídas y desaliento. Estos altibajos no deberían generar una sensación de desesperanza o llevarnos a pensar que no vale la pena el esfuerzo. La comunión del creyente con Cristo se mantiene sobre la base de 1 Juan 1:9, donde la confesión del pecado da como resultado una renovación inmediata de nuestra relación continua con Él.

## Estrategia para el aconsejamiento

Como preparación para testificar en esta área delicada, usted debería examinar sus actitudes con relación a este problema. Si no puede ofrecer el amor y la gracia de Dios al homosexual, genuinamente y compasivamente, debería relacionar a la persona interesada con otro creyente.

Hay tres situaciones que probablemente se presenten:

- El familiar, que acaba de enterarse de que un ser querido es un homosexual practicante, se acerca y pregunta: "¿Cómo puedo convivir con esto? ¿Qué debo hacer?"
- Una persona que admite ser un homosexual practicante y pide ayuda. Frecuentemente, un homosexual querrá hablar sin revelar el problema, o tratar de disimularlo. A veces encara el tema indirectamente; por ejemplo: "Tengo un amigo que…".
- Un creyente que lucha con sensaciones y tentaciones homosexuales, pero que no participa en el comportamiento homosexual.

## *Si la familia enfrenta este problema:*

Si la persona interesada intenta tratar con la homosexualidad de un ser querido, aconséjele que:

1. No entre en pánico, sino que pida a Dios la gracia para aceptar la situación, por más difícil que sea.
2. Mantenga abiertas las "líneas del amor". Debemos amar como Dios nos ama a todos: a pesar de aquello con lo que luchamos.
3. Evite condenar o humillar. Esto solo genera antagonismo y falta de comunicación. Por otra parte, no apruebe la práctica homosexual ni la racionalice.
4. Asuma una posición firme pero afectuosa, identificada con lo que enseña la Biblia, mientras testifica con amor y firmeza a la persona involucrada.
5. Encomiende al ser querido a Dios con fe (Proverbios 3:5–6). Dios a veces nos permite vivir una situación de crisis para agudizar nuestra dependencia de Él.
6. Trate de no vivir con emociones reprimidas. La persona tal vez necesite contar con un amigo creyente y aprender a contar sus preocupaciones y desilusiones. Un compañero de oración creyente es un gran recurso.
7. Esté preparado para perseverar con esperanza si la situación no cambia inmediatamente.

## *Si la persona interesada es un homosexual practicante:*

1. La actitud de la persona que ayuda debe estar caracterizada por el amor y la comprensión. A menudo usted hablará con una persona que se siente sola, llena de culpa y rechazada. Demuestre una actitud compasiva y cariñosa, sin mostrarse condescendiente. No se intimide por frases como: "Usted no sabe lo que es esto". No comience su conversación confrontando a la persona con el carácter pecaminoso del comportamiento homosexual. Surgirán oportunidades para hablar de eso más naturalmente al explicar **Cómo obtener paz con Dios** (p. 12) y diversos pasajes bíblicos.

2. Procure ganarse la confianza de la persona alentándola: "Me alegra poder hablar con usted y haré todo lo que esté a mi alcance para ayudar".

3. En algún punto conveniente de la conversación, pregunte a la persona interesada si alguna vez recibió a Jesucristo como Señor y Salvador. Prosiga con **Cómo obtener paz con Dios** (p. 12). Reconforte a la persona diciéndole que, como en el caso de cualquier persona sin Cristo, la experiencia transformadora del nuevo nacimiento es el primer paso hacia la salud espiritual: "*He aquí que yo les traeré sanidad y medicina; y los curaré, y les revelaré abundancia de paz y de verdad*" (Jeremías 33:6).

4. Si la persona contesta afirmativamente, ore pidiendo liberación y una renovación de la mente a través del evangelio. Anímela a estar dispuesta a cambiar algunas cosas de su vida, sin importar la inconveniencia y la incomodidad.

5. Enfatice la importancia de leer y estudiar la Palabra de Dios. Es la fuente de nuestro conocimiento de Dios y su trato para con nosotros. Nadie puede aprender a pensar los pensamientos de Dios aparte de la Biblia.

6. Anime a la persona interesada a establecer nuevas relaciones luego de deshacerse de las anteriores. La mejor forma de hacer esto es integrarse a una iglesia que enseña la Biblia, y donde pueda relacionarse con creyentes comprometidos.

7. Para recibir una ayuda constante, aliente a la persona interesada a buscar consejería profesional con un psicólogo cristiano o un pastor calificado.

## *Si la persona interesada dice ser creyente:*

Los creyentes también luchan con atracciones homosexuales, y algunos ceden ante la tentación.

1. Se requiere una actitud de compasión y amor. Propóngase ser un oyente paciente hasta que tenga una comprensión del problema que le plantea la persona.
2. Si corresponde, explique **Cómo obtener paz con Dios** (p. 12) a fin de determinar si la persona alguna vez ha recibido verdaderamente a Cristo como su Salvador y Señor personal.
3. Si encuentra resistencia o si la persona intenta justificar su estilo de vida, presente la enseñanza de la Biblia, con paciencia pero con firmeza. Pregúntele cómo puede conciliar el comportamiento homosexual con la enseñanza de la Biblia. La persona debe admitir que este comportamiento está mal y que es un pecado. Confesarlo como tal ante Dios y alejarse de su práctica es la única verdadera esperanza de rehabilitación.
4. Anímela a leer y estudiar la Biblia. La asimilación de la Palabra de Dios dará como resultado una "renovación de la mente". Al cambiar los patrones de pensamiento, el comportamiento y el estilo de vida cambiarán también.
5. Ayúdela a distinguir entre *orientación sexual* (sentimientos y atracciones no escogidas) *y comportamiento pecaminoso* (deseos y acciones voluntarios). Muchos homosexuales se sienten condenados por Dios simplemente por sus sensaciones y sus tentaciones.
6. Recomiéndele que se identifique con una iglesia dinámica que enseñe la Biblia, para tener comunión cristiana, estudiar la Biblia, aprender a orar, adorar y testificar.
7. Anímela a buscar ayuda adicional de un consejero profesional cristiano o un pastor.

# Pasajes bíblicos

## *El comportamiento homosexual es pecado:*

*"Por eso Dios los entregó a los malos deseos de sus corazones, que conducen a la impureza sexual, de modo que degradaron sus cuerpos los unos con los otros. Cambiaron la verdad de Dios por la mentira, adorando [...] a los seres creados antes que al Creador, quien es bendito por siempre. Amén. Por tanto, Dios los entregó a*

*pasiones vergonzosas. En efecto, las mujeres cambiaron las relaciones naturales por las que van contra la naturaleza. Así mismo los hombres dejaron las relaciones naturales con la mujer y se encendieron en pasiones lujuriosas los unos con los otros. Hombres con hombres cometieron actos indecentes, y en sí mismos recibieron el castigo que merecía su perversión"* (Romanos 1:24–27, NVI).

*"[Las leyes] son para los rebeldes, los desobedientes, los pecadores [...]. Son para los que tienen relaciones sexuales prohibidas y para los homosexuales; para los secuestradores, los mentirosos y los que juran decir la verdad pero luego mienten. En fin, las leyes son para corregir a los que no están de acuerdo con la correcta enseñanza del maravilloso mensaje que nuestro Dios bendito me ha encargado enseñar"* (1 Timoteo 1:10–11, TLA).

## *El comportamiento homosexual será juzgado por Dios:*

Génesis 18–19 (La historia de Sodoma y Gomorra; léala como antecedente.)

*"¿No saben que los malvados no heredarán el reino de Dios? ¡No se dejen engañar! Ni los fornicarios, ni los idólatras, ni los adúlteros, ni los sodomitas, ni los pervertidos sexuales, ni los ladrones, ni los avaros, ni los borrachos, ni los calumniadores, ni los estafadores heredarán el reino de Dios"* (1 Corintios 6:9–10, NVI).

## *El poder del evangelio para liberar:*

*"El Espíritu del Señor está sobre mí, por cuanto me ha ungido para dar buenas nuevas a los pobres; me ha enviado a sanar a los quebrantados de corazón; a pregonar libertad a los cautivos, y vista a los ciegos; a poner en libertad a los oprimidos; a predicar el año agradable del Señor"* (Lucas 4:18–19).

*"Mas a cuantos lo recibieron, a los que creen en su nombre, les dio el derecho de ser hijos de Dios"* (Juan 1:12, NVI).

*"Porque no me avergüenzo del evangelio, porque es poder de Dios para salvación a todo aquel que cree"* (Romanos 1:16).

*"Y eso eran algunos de ustedes. Pero ya han sido lavados, ya han sido santificados, ya han sido justificados en el nombre del Señor Jesucristo y por el Espíritu de nuestro Dios"* (1 Corintios 6:11, NVI).

*"Ahora que estamos unidos a Cristo, somos una nueva creación. Dios ya no tiene en cuenta nuestra antigua manera de vivir, sino que nos ha hecho comenzar una vida nueva"* (2 Corintios 5:17, TLA).

## La tentación se puede vencer:

*"Ustedes no han sufrido ninguna tentación que no sea común al género humano. Pero Dios es fiel, y no permitirá que ustedes sean tentados más allá de lo que puedan aguantar. Más bien, cuando llegue la tentación, él les dará también una salida a fin de que puedan resistir"* (1 Corintios 10:13, NVI).

*"Y como él mismo sufrió y el diablo le puso trampas para hacerlo pecar, ahora, cuando el diablo nos pone trampas, puede ayudarnos a todos"* (Hebreos 2:18, TLA).

*"Por lo tanto, ya que en Jesús, el Hijo de Dios, tenemos un gran sumo sacerdote que ha atravesado los cielos, aferrémonos a la fe que profesamos. Porque no tenemos un sumo sacerdote incapaz de compadecerse de nuestras debilidades, sino uno que ha sido tentado en todo de la misma manera que nosotros, aunque sin pecado. Así que acerquémonos confiadamente al trono de la gracia para recibir misericordia y hallar la gracia que nos ayude en el momento que más la necesitemos"* (Hebreos 4:14–16, NVI).

## Una mente renovada:

*"Tú guardarás en completa paz a aquel cuyo pensamiento en ti persevera; porque en ti ha confiado"* (Isaías 26:3).

*"Por lo tanto, hermanos, tomando en cuenta la misericordia de Dios, les ruego que cada uno de ustedes, en adoración espiritual, ofrezca su cuerpo como sacrificio vivo, santo y agradable a Dios. No se amolden al mundo actual, sino sean transformados mediante la renovación de su mente. Así podrán comprobar cuál es la voluntad de Dios, buena, agradable y perfecta"* (Romanos 12:1–2, NVI).

*"Usamos el poder de Dios para destruir las fuerzas del mal [...] y el orgullo de quienes quieren impedir que todos conozcan a Dios. Con ese poder hacemos que los pecadores cambien su manera de pensar y obedezcan a Cristo"* (2 Corintios 10:4–5, TLA).

*"Con respecto a la vida que antes llevaban, se les enseñó que debían quitarse el ropaje de la vieja naturaleza, la cual está corrompida por los deseos engañosos; ser renovados en la actitud de su mente; y ponerse el ropaje de la nueva naturaleza, creada a imagen de Dios, en verdadera justicia y santidad"* (Efesios 4:22–24, NVI).

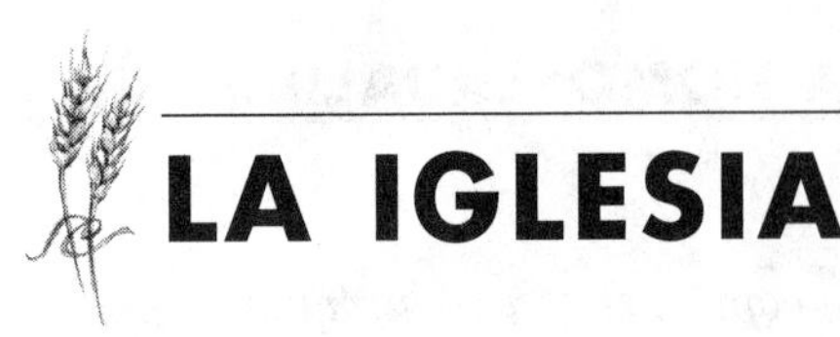

# LA IGLESIA

Por definición, la Iglesia es el "cuerpo de Cristo", la comunidad de los redimidos de la cual Él es la Cabeza: "*Y él es la cabeza del cuerpo que es la iglesia, él que es el principio, el primogénito de entre los muertos, para que en todo tenga la preeminencia*" (Colosenses 1:18).

La Iglesia se nutre de la vida dinámica del mismo Cristo:

"*Maridos, amad a vuestras mujeres, así como Cristo amó a la iglesia, y se entregó a sí mismo por ella, para santificarla, habiéndola purificado en el lavamiento del agua por la palabra*" (Efesios 5:25–26).

Cristo vendrá a buscar a la Iglesia, que lo esperará como una novia ataviada para su esposo (vea Apocalipsis 21:2), "*a fin de presentársela a sí mismo, una iglesia gloriosa, que no tuviese mancha ni arruga ni cosa semejante, sino que fuese santa y sin mancha*" (Efesios 5:27).

El nacimiento de la Iglesia se confirmó por medio de la llegada del Espíritu Santo (vea Hechos 2:1–11), el cual, además, proporciona el poder para que ella se perpetúe por medio del testimonio al mundo (Hechos 1:8).

## *La Iglesia es tanto visible como invisible*

- La Iglesia *invisible* es el cuerpo general de creyentes que, a lo largo de los siglos, confiaron sinceramente en Jesucristo como su Señor y Salvador: "*Conoce el Señor a los que son suyos*" (2 Timoteo 2:19). Una persona se convierte en miembro de la Iglesia invisible cuando recibe a Jesucristo como Señor y Salvador (vea Juan 1:12).
- La iglesia *visible* es la Iglesia mundial de la actualidad, que está compuesta por grupos de cristianos en diferentes lugares. En ella hay tanto trigo como cizaña (Mateo 13:25–30), es decir, los que son verdaderamente redimidos, y muchos que no lo son.

Cuando una persona experimenta el nuevo nacimiento, se convierte en miembro de la Iglesia invisible. Entonces debe buscar inmediatamente identificarse con una iglesia local que honre al Señor y a su Palabra, para participar activamente en la adoración, la comunión, el evangelismo, el estudio bíblico y la oración. Esto es una responsabilidad que la Biblia enseña: "*No dejemos de congregarnos, como acostumbran hacerlo algunos, sino animémonos unos a otros, y con mayor razón ahora que vemos que aquel día se acerca*" (Hebreos 10:25, NVI).

*Billy Graham escribe: "La Iglesia es, fundamentalmente, el cuerpo de Cristo. [...] La Biblia dice [...] que el amor de Cristo por la Iglesia hizo que Él fuera a la cruz. Si Cristo amó tanto a la Iglesia [....] yo debo amarla, también. Debo orar por ella, defenderla, trabajar en ella, dar mis diezmos y ofrendas a ella, ayudar a que se extienda, promover la santidad en ella, y hacer que sea el cuerpo funcional y activo en el testimonio que nuestro Señor quiso que fuera. Vaya a la iglesia con esa actitud este domingo, y nadie podrá evitar que usted regrese el domingo siguiente. [...] La familia de Dios contiene personas de etnias, culturas, clases y denominaciones diferentes. He aprendido que puede haber pequeñas discrepancias en teología, métodos y motivos; pero dentro de la Iglesia verdadera hay una misteriosa unidad que supera todos estos factores divisorios".*

# Estrategia para el aconsejamiento

1. Felicite a la persona por interesarse en la iglesia. Cuando nos identificamos con una iglesia local, obedecemos a Dios. Al asistir a la iglesia tenemos la oportunidad de adorar a Dios, tener comunión, evangelizar, estudiar la Biblia, orar y participar de la Cena del Señor.
2. El ser miembros de una iglesia local no nos salva. Nos identificamos con una iglesia *porque* somos salvos y deseamos ser obedientes. Jesús dijo: *"Yo soy la puerta; el que por mí entrare, será salvo"* (Juan 10:9). Pregunte a la persona si recibió a Jesucristo como su Señor y Salvador. Vaya a **Cómo obtener paz con Dios** (p. 12).
3. Después de entregarse a Cristo, la persona debería tratar inmediatamente de incorporarse a una iglesia local. Sugiérale que ore y pida a Dios que la guíe para encontrar la iglesia adecuada, donde se exalte a Cristo, se predique y se enseñe la Biblia, y se evangelice a los perdidos.
4. Una vez que la persona se convierte en miembro de una iglesia, es importante que asista a ella fielmente.
5. También debe buscar un lugar de servicio en la iglesia. Siempre habrá oportunidades si nos ofrecemos para servir a Dios.
6. Anime a la persona a colaborar con el sostén económico de la iglesia. Hay otras causas y otros ministerios cristianos que son dignos de nuestro apoyo económico, pero para funcionar y crecer, la iglesia local debería recibir una parte sustancial de las ofrendas y los diezmos de sus miembros.

# Pasajes bíblicos

El libro de los Hechos presenta el nacimiento de la Iglesia, su crecimiento en las primeras épocas y las personas que participaron de ella.

Las Epístolas fueron dirigidas a la Iglesia y proporcionan pautas para la fe y la práctica.

# EL INCESTO

Se define al incesto como la relación sexual entre personas de la misma familia. La persona que informa este problema muy probablemente será un joven que relata un contacto sexual—no siempre un acto sexual propiamente dicho, o coito—con uno de sus padres o algún otro miembro de la familia.

El incesto es muy destructivo para un niño y suele ser imposible deshacer el daño. A causa de la vergüenza, el temor o una sensación de que han hecho algo terriblemente malo, o que están siendo castigadas, las víctimas del incesto raramente cuentan el hecho. El encontrarse atrapado en una situación de este tipo lleva a la confusión y a un "desamparo aprendido".

Los niños abusados sexualmente tienen una baja autoestima, se deprimen y a menudo tienen pensamientos de autodestrucción. Muchos huyen de su hogar y suelen involucrarse en la droga, el alcohol y otros comportamientos sexuales anormales como la prostitución y la homosexualidad. Como no pueden concentrarse en aprender, tal vez les vaya mal en la escuela. La probabilidad de una adultez exitosa es baja, porque muchos no se recuperan de los efectos de la relación.

Hay poca esperanza de liberar a la víctima del incesto de su situación de desamparo, a menos que se impida al ofensor que siga actuando. Si existe la posibilidad que las autoridades del gobierno local intervengan, los casos de incesto deberán ser informados a ellos. En caso contrario, deberá informarse a miembros respetados de la familia extensa. Si el ofensor es miembro de una iglesia, la iglesia deberá intervenir.

A menudo la víctima será intimidada por miembros de la familia debido a la vergüenza si llega a conocerse el "secreto de familia". Pero para la protección de los abusados y la sanidad del ofensor, esto debe ser sacado a la luz y tratado.

## Estrategia para el aconsejamiento

1. Las víctimas del incesto requieren una simpatía y una ternura especiales. Trate de proyectar todo el amor que pueda.

2. Asegure a la persona interesada que ha hecho lo correcto al contar el problema, y que usted quiere ayudar.

3. Asegure a la persona que, si bien pueden haber sentimientos de impureza, ella no es una persona vil o mala. La persona interesada ha sido forzada o engañada para hacer algo degradante, y puede

sentirse confusa, pero lo que ha ocurrido está muy mal, y ella no es responsable por ello. Si bien ha sido abusada, ya no necesita sentirse intimidada o llena de sentimientos de desamparo, autocompasión o desconfianza de sí misma. Queremos ayudar a resolver el terrible problema.

4. Asegure a la persona que acude a usted que Dios la ama. Para Dios, la persona es especial y tan digna de ser amada como cualquier otra. Dios la amó tanto que envió a su Hijo, Jesucristo, para morir por sus pecados. Explique **Cómo obtener paz con Dios** (p. 12).
5. Pregunte a la persona si tiene una Biblia. Si no tiene, trate de proveerle una.
6. Recomiéndele enfáticamente contactarse de inmediato con un pastor, a fin de contarle lo que ha ocurrido. También recomiéndele informar el incidente a una persona de autoridad, como un consejero o la policía. Esto será difícil y puede causar vergüenza.
7. Ore con la persona interesada, y encomiende el problema al Señor. Luego de orar, asegure a la persona que cuenta con su preocupación y sus oraciones.

# Pasajes bíblicos

"*Tú guardarás en completa paz a aquel cuyo pensamiento en ti persevera; porque en ti ha confiado. Confiad en Jehová perpetuamente, porque en Jehová el Señor está la fortaleza de los siglos*" (Isaías 26:3–4)

"*Confía de todo corazón en el Señor y no en tu propia inteligencia. Ten presente al Señor en todo lo que hagas, y él te llevará por el camino recto*" (Proverbios 3:5–6, DHH).

"'*Ustedes viven siempre angustiados; siempre preocupados. Vengan a mí, y yo los haré descansar. Obedezcan mis mandamientos y aprendan de mí, pues yo soy paciente y humilde de verdad. Conmigo podrán descansar*'" (Mateo 11:28–29, TLA).

"*Pero Jesús dijo: Dejad a los niños venir a mí, y no se lo impidáis; porque de los tales es el reino de los cielos*" (Mateo 19:14).

"*No se inquieten por nada; más bien, en toda ocasión, con oración y ruego, presenten sus peticiones a Dios y denle gracias. Y la paz de Dios, que sobrepasa todo entendimiento, cuidará sus corazones y sus pensamientos en Cristo Jesús*" (Filipenses 4:6–7, NVI).

"*Depositen en él toda ansiedad, porque él cuida de ustedes*" (1 Pedro 5:7, NVI).

# EL INFIERNO

El infierno es una eterna separación de Dios, una vida de aislamiento, soledad y sufrimiento, y de ella no hay salida.

En la Biblia hay dos palabras griegas que se traducen como "infierno":

- La palabra *tartaroö* se encuentra una sola vez en la Biblia: "*Porque si Dios no perdonó a los ángeles que pecaron, sino que arrojándolos al infierno* [tartaroö] *los entregó a prisiones de oscuridad, para ser reservados al juicio [...]*" (2 Pedro 2:4). Los ángeles que se mencionan aquí son los que "*rechazaron y dejaron [en rebeldía] el lugar de honor que Dios les había dado. Dios los tiene atados para siempre con cadenas, y están encerrados en lugares oscuros hasta que llegue el gran día del juicio final*" (Judas 6, TLA). *Tartaroö*, entonces, es un lugar de confinamiento para los ángeles rebeldes hasta el momento en que sean juzgados.
- La palabra *'adës* (transliteración "Hades") se encuentra diez veces en el Nuevo Testamento (Mateo 11:23; 16:18; Lucas 10:15; 16:23; Hechos 2:27, 31; Apocalipsis 1:18; 6:8; 20:13–14). El Hades no es el destino final de aquellos que mueren sin haber recibido a Cristo, sino un lugar de tormento en el que permanecerán hasta que sean resucitados para comparecer en el juicio ante el Gran Trono Blanco (Apocalipsis 20:13–15). El Hades es un lugar de separación de Dios, del cual es imposible salir: "*Hay un gran abismo* ['adës] *entre nosotros y ustedes, de modo que los que quieren pasar de aquí para allá no pueden, ni tampoco pueden los de allá para acá*" (Lucas 16:26, NVI).
- La palabra *geenna* (transliteración: "gehena") se traduce como "infierno" doce veces (Mateo 5:22, 29–30; 10:28; 23:15, 33; 18:9; Marcos 9:43, 45, 47; Lucas 12:5; Santiago 3:6). Once de estas doce referencias son de los labios de Jesús mismo. Por lo general, *geenna* es una referencia al valle de Hinom, un lugar ubicado fuera del muro sur de Jerusalén, donde en un tiempo se sacrificaban niños al dios Moloc (vea 2 Crónicas 33:1–6). En días posteriores, era un lugar conveniente para que los residentes de la ciudad arrojaran su basura; aun cuerpos muertos de animales y criminales se arrojaban allí. Este "basurero municipal" era un lugar de descomposición y fuego constante (vea Marcos 9:44) y fue utilizado por Jesús para enseñar sobre la morada final de quienes lo rechazan como Salvador.

*Geenna* es, también, el lago de fuego: "*Y el que no se halló inscrito en el libro de la vida fue lanzado al lago de fuego* [geenna]" (Apocalipsis 20:15).

No habrá apelación posible después de que sea dictada la sentencia en el juicio del Gran Trono Blanco. Todos los que hayan rechazado a Cristo estarán allí. *"Y el mar entregó los muertos que había en él; y la muerte y el Hades entregaron los muertos que había en ellos; [...] Y la muerte y el Hades fueron lanzados al lago de fuego. Esta es la muerte segunda"* (Apocalipsis 20:13–14).

---

*Billy Graham escribe: "No importa cuán insoportable o cuán literal pueda ser o no el fuego del infierno, la sed de un alma perdida por el Agua Viva será aún más dolorosa. [...] El infierno, esencialmente y básicamente, es ser expulsados de la presencia de Dios por haber rechazado deliberadamente a Jesucristo como Señor y Salvador".*

---

## Estrategia para el aconsejamiento

1. Si la persona tiene miedo del infierno y de la posibilidad de ir allí, anímela diciéndole que todos podemos tener la certeza de nuestra salvación. Explíquele **Cómo obtener paz con Dios** (p. 12). En Cristo no tiene por qué tener miedo del infierno: *"Ahora, pues, ninguna condenación hay para los que están en Cristo Jesús, los que no andan conforme a la carne, sino conforme al Espíritu"* (Romanos 8:1).

2. Si la persona niega la existencia del infierno, comuníquele las verdades de la Palabra de Dios al respecto.

3. Si la persona parece acusar a Dios de ser injusto al condenar a las personas al infierno, explique que según Mateo 25:41, *"el fuego eterno"* fue preparado para el diablo y sus ángeles, no para los seres humanos. Dios dio al hombre libre albedrío y la posibilidad de escoger. Dios desea que lo elijamos a Él y la salvación en Cristo. Si una persona rechaza a Cristo, la consecuencia es la muerte espiritual. Explique que Dios perdona y salva a la persona que recibe a Jesucristo. Explíquele **Cómo obtener paz con Dios** (p. 12).

4. Si la persona cuestiona la situación de quienes nunca tuvieron ocasión de escuchar el evangelio, explíquele que Dios no condena a nadie al infierno (vea Juan 3:16–18) y que, en el caso de quienes nunca han oído hablar de Cristo, podemos confiar en que Dios hará lo correcto. Podemos tener la seguridad de que Él será justo y misericordioso.

## Pasajes bíblicos

Todos menos uno de los siguientes pasajes corresponden al término original *'adës* , y en diversas versiones de la Biblia se traducen como "abismo, muerte, Hades, infierno".

Mateo 11:23

Mateo 16:18

Lucas 10:15

Lucas 12:5 (originalmente: *geenna*)

Hechos 2:27, 31

# LA INMORALIDAD SEXUAL

Dios prohíbe expresamente el comportamiento sexual irresponsable, a fin de evitarnos sus consecuencias desastrosas: *"El cuerpo no es para la inmoralidad sexual sino para el Señor [...] Huyan de la inmoralidad sexual. Todos los demás pecados que una persona comete quedan fuera de su cuerpo; pero el que comete inmoralidades sexuales peca contra su propio cuerpo"* (1 Corintios 6:13, 18, NVI).

---

*Billy Graham dice: "Las relaciones sexuales prematrimoniales siempre son un error... La Biblia condena el sexo fuera de los vínculos del matrimonio. ¡El hecho de que la inmoralidad prolifere no la convierte en algo correcto!"*

---

Dios condena la inmoralidad, pero ofrece liberación. En 1 Corintios 6:9–11, Pablo dice que ninguna persona sexualmente inmoral heredará el reino de Dios. Pero, agrega: *"Y eso eran algunos de ustedes. Pero ya han sido lavados [han nacido de nuevo], ya han sido santificados [purificados], ya han sido justificados en el nombre del Señor Jesucristo y por el Espíritu de nuestro Dios"* (1 Corintios 6:11, NVI).

Como ocurre con cualquier otro pecado, Dios ha tratado con la inmoralidad por medio de la cruz.

## Estrategia para el aconsejamiento

1. Diga a la persona interesada que usted valora el hecho de que quiera hablar de la situación. Demuestre que usted es una persona afectuosa e interesada. No tenga una actitud de juicio.
2. Escuche con sensibilidad y haga preguntas solo para comprender el problema. No saque ninguna conclusión ni ofrezca soluciones espirituales hasta que tenga una perspectiva completa.
3. Pregunte a la persona sobre sus actitudes hacia el sexo. La forma en que se siente sobre el tema explicará su comportamiento sexual. ¿Cuáles fueron las causas que contribuyeron a que se involucrara? ¿Se siente culpable por su participación y lo considera como un pecado?
4. Pregúntele si puede leerle pasajes de la Palabra de Dios relacionados con el sexo prematrimonial o extramatrimonial. Haga énfasis en que la Biblia es una fuente confiable con relación a temas morales. Lea alguno de los siguientes pasajes, o todos: 1 Corintios 6:13, 15–20;

Hechos 15:20; Efesios 5:3; Colosenses 3:5; Éxodo 20:14.

5. A la luz de la Biblia, las acciones inmorales de la persona son desagradables para Dios. Para agradar a Dios debe arrepentirse de toda inmoralidad y renunciar a ella (lea 1 Corintios 6:9–11). Dios condena el comportamiento inmoral, pero nos ama a nosotros y nos perdonará si confesamos nuestro pecado y recibimos por fe a Jesucristo como Señor y Salvador. Presente **Cómo obtener paz con Dios** (p. 12).

   Enfatice la importancia de cortar toda relación que pueda haber contribuido al comportamiento inmoral. *"No se dejen engañar: 'Las malas compañías corrompen las buenas costumbres'"* (1 Corintios 15:33, NVI). El mejor lugar para formar nuevas relaciones es en una iglesia que enseña la Biblia. Recomiéndele que busque una y que se involucre en ella. Ser un creyente comprometido debería ser la meta de la persona. La falta de una relación vital con Cristo es un factor importante que contribuye a un estilo de vida inmoral.

6. Sugiérale que busque el aliento y el aconsejamiento de un pastor. La persona tal vez necesite ser aconsejada sistemáticamente durante cierto tiempo para que experimente la libertad de la tentación y para que comience a caminar con el Señor.

7. Ore con la persona interesada para que reenfoque completamente su mente y su vida, para la gloria de Dios.

Si la persona interesada es creyente, explíquele la sección sobre la restauración, que se encuentra en la página 19. Anímela a que lea y estudie la Palabra de Dios con el propósito de volver a amoldar su mente y su vida. Como creyente, la persona debería involucrarse en una iglesia que enseña la Biblia, donde las energías puedan volcarse al servicio a Cristo.

# Pasajes bíblicos

*"¡Lávense, límpiense! ¡Aparten de mi vista sus obras malvadas! ¡Dejen de hacer el mal!" [...] "Vengan, pongamos las cosas en claro", dice el Señor. "¿Son sus pecados como escarlata? ¡Quedarán blancos como la nieve! ¿Son rojos como la púrpura? ¡Quedarán como la lana!"* (Isaías 1:16, 18, NVI).

*"Deje el impío su camino, y el hombre inicuo sus pensamientos, y vuélvase a Jehová, el cual tendrá de él misericordia, y al Dios nuestro, el cual será amplio en perdonar"* (Isaías 55:7).

*"También dicen: 'La comida es para el estómago, y el estómago es para la comida'. ¡Claro que sí! Pero Dios va a destruir las dos cosas. En cambio, el cuerpo no es*

*para que lo usemos en relaciones sexuales prohibidas. Al contrario, debemos usarlo para servir al Señor, pues nuestro cuerpo es de él'"* (1 Corintios 6:13, TLA).

*"Si confesamos nuestros pecados, él es fiel y justo para perdonar nuestros pecados, y limpiarnos de toda maldad [...] y si alguno hubiere pecado, abogado tenemos para con el Padre, a Jesucristo el justo"* (1 Juan 1:9; 2:1).

# LA IRA

La ira o el enojo son reacciones ante una situación o un hecho desagradable. Mientras se limite a una emoción inicial, involuntaria, puede ser considerada una reacción normal. Es cuando respondemos de forma inadecuada a la ira—cuando perdemos el control o acumulamos la ira hasta volvernos resentidos u hostiles—que se convierte en algo peligroso. Aquí es donde la Biblia nos llama a la reflexión.

Al hablar de la ira debemos comprender que, cuando la Biblia la menciona, quizá se esté refiriendo a varias emociones diferentes. Por ejemplo:

- Moisés se airó cuando vio la infidelidad e idolatría de su pueblo (Éxodo 32:19).
- Cuando sanó al hombre de la mano seca, Jesús, "*mirándolos alrededor con enojo*" (Marcos 3:5), demostró cuánto lo molestaban los duros corazones de los fariseos.
- Aunque no está expresamente señalado, la actitud y las acciones de nuestro Señor al echar a los mercaderes del templo sugieren que sentía un gran enojo (Marcos 11:15, 17).
- Algunas veces la ira puede ser nuestra respuesta ante el pecado: "*Airaos, pero no pequéis*" (Efesios 4:26).

## *Es bíblico controlar el enojo*

"*El necio da rienda suelta a toda su ira, mas el sabio al fin la sosiega*" (Proverbios 29:11). Toda persona tiene derecho a expresar sus propias opiniones y a ser tratada con dignidad y respeto. Al mismo tiempo, no debemos olvidar que, si Jesús hubiera exigido que "se respetaran sus derechos", ¡no habría ido a la cruz! Los cristianos debemos tener cuidado con la manera en que reaccionamos y comprender que, aunque la postura de una persona sea válida, las actitudes que la acompañan quizá no lo sean.

---

*Billy Graham escribe: "La Biblia no prohíbe molestarse, pero determina dos tipos de control del enojo. El primero es que el enojo esté libre de amargura, desprecio y odio. El segundo es que diariamente revisemos cómo hemos manejado los sentimientos negativos. Hay un antiguo proverbio latino que dice: 'El que se va a la cama enojado lleva a dormir consigo al diablo'. Naturalmente, en la vida hay muchas cosas que nos irritan. Ellas se convierten en excelentes oportunidades para que Satanás nos haga caer en una pasión maligna".*

---

## *El enojo es excesivo o está fuera de control si nos lleva a:*

- Estallidos de rabia o insultos.
- Amargura, resentimiento y hostilidad—la "necesidad" de vengarnos—.
- Turbulencia interna: la pérdida de la tranquilidad y el bienestar interior. ¿Tengo esa molesta sensación de que mi actitud le desagrada a Dios o de que le estoy "dando lugar al diablo"? (vea Efesios 4:27).
- Hacer daño a otras personas. ¿El enojo afecta negativamente mi testimonio, porque los demás ven mis reacciones negativas? ¿Son otras personas víctimas de esas reacciones, física o emocionalmente?

## *¿Cómo podemos aprender a controlar el enojo?*

1. No interprete todo como una ofensa personal, como si lo dejaran de lado o desearan hacerle daño. Al mismo tiempo, trate de identificar aquellas cosas que hacen que se enoje en exceso.
2. Ore seriamente por sus actitudes y sus reacciones. Ore, también, por el irritante comportamiento de las otras personas, que motiva su enojo. Recuerde que Dios usa a las personas y las circunstancias para refinar nuestro carácter. ¡Quizá tengamos algunos "bordes ásperos" que deben ser pulidos!
3. Confiese con regularidad su enojo excesivo como pecado: "*No se ponga el sol sobre vuestro enojo*" (Efesios 4:26). Aprenda a "hacer un balance" antes del final de cada día.
4. Comprenda que el cristiano debe aprender a lidiar con dos naturalezas, cada una de las cuales lucha por la supremacía. Debemos aprender a practicar el principio de "quitarse y ponerse" que enseña Efesios 4:22–24, NVI:
   A. "***Quitarse** el ropaje de la vieja naturaleza, la cual está corrompida por los deseos engañosos*" (versículo 22, énfasis agregado).
   B. "***Ponerse** el ropaje de la nueva naturaleza, creada a imagen de Dios, en verdadera justicia y santidad*" (versículo 24, énfasis agregado).
   C. El efecto de practicar el principio de "quitarse y ponerse" es que podremos cumplir lo que dice el versículo 23: "*Ser renovados en la actitud de [nuestra] mente*" (vea también 2 Corintios 5:17).
5. Esfuércese por enfocar su enojo fuera de sí mismo, sobre los problemas que lo causan.
6. Ríndase cada día al Espíritu Santo: "*Vivan por el Espíritu, y no seguirán los deseos de la naturaleza pecaminosa*" (Gálatas 5:16, NVI).

7. Permita que la Palabra de Dios penetre en su vida: léala, estúdiela, memorícela. *"La palabra de Cristo more en abundancia en vosotros, enseñándoos y exhortándoos unos a otros en toda sabiduría"* (Colosenses 3:16).

# Estrategia para el aconsejamiento

1. Una relación personal con Jesucristo es fundamental para solucionar cualquier problema espiritual. Pregunte a la persona si tiene esa relación con Cristo. Enséñele **Cómo obtener paz con Dios** (p. 12).
2. Formule preguntas a la persona, para conocer la gravedad del problema que constituye su enojo no resuelto o su excesiva ira. Analicen juntos lo que hemos mencionado al comienzo de este capítulo, enfatice las actitudes que debe tener un cristiano, la confesión diaria y el principio de "quitarse y ponerse". Sugiérale que escriba cada una de estas cosas y los pasajes bíblicos, para recordarlos mejor.
3. Ore con la persona para que pueda tener *"una conciencia sin ofensa ante Dios y ante los hombres"* (Hechos 24:16) y la fe para confiar en que Dios le dará siempre la victoria.

# Pasajes bíblicos

*"La blanda respuesta quita la ira; mas la palabra áspera hace subir el furor"* (Proverbios 15:1).

*"El necio da rienda suelta a su ira, pero el sabio sabe dominarla"* (Proverbios 29:11, NVI).

*"En cuanto a la pasada manera de vivir, despojaos del viejo hombre, que está viciado conforme a los deseos engañosos, y renovaos en el espíritu de vuestra mente, y vestíos del nuevo hombre, creado según Dios en la justicia y santidad de la verdad"* (Efesios 4:22–24).

*"Pero ahora dejad también vosotros todas estas cosas: ira, enojo, malicia, blasfemia, palabras deshonestas de vuestra boca"* (Colosenses 3:8).

*"Por esto, mis amados hermanos, todo hombre sea pronto para oír, tardo para hablar, tardo para airarse; porque la ira del hombre no obra la justicia de Dios"* (Santiago 1:19–20).

# *Vea también* La amargura y el resentimiento

# JESUCRISTO

El obrero cristiano se encontrará de vez en cuando con personas que, si bien reconocen que Jesús fue el mayor líder religioso que haya vivido jamás y la persona más influyente de la historia de nuestro planeta, se rehúsan a recibirlo como Señor y Salvador.

La persona y la obra de Jesucristo es el tema predominante de la Biblia: Él es Dios. Se volvió un ser humano, murió crucificado, fue sepultado y resucitó de los muertos. Él es el único y suficiente Salvador del mundo.

El siguiente bosquejo debería brindarle una estructura para una considerar el tema al ayudar a la persona interesada a entender mejor lo que la Biblia revela acerca de Cristo.

## *Jesucristo es Dios*

La deidad es la única explicación posible para todo lo que fue Cristo y todo lo que hizo:

1. Fue preexistente con Dios el Padre: "*Este era en el principio con Dios. Todas las cosas por él fueron hechas, y sin él nada de lo que ha sido hecho, fue hecho*" (Juan 1:2–3; vea también Juan 17:5; Colosenses 1:17).
2. Es el Hijo de Dios:
   - Sus enemigos señalaron: "*... incluso llamaba a Dios su propio Padre, con lo que él mismo se hacía igual a Dios*" (Juan 5:18, NVI).
   - Pedro confesó: "*Y nosotros hemos creído y conocemos que tú eres el Cristo, el Hijo del Dios viviente*" (Juan 6:69).
   - Jesús afirmó: "*Yo y el Padre uno somos*" (Juan 10:30).
3. Fue sin pecado, como solo puede serlo Dios:
   - Jesús desafió a sus enemigos: "*¿Quién de ustedes me puede probar que soy culpable de pecado?*" (Juan 8:46, NVI).
   - Pedro testificó: "*Cristo padeció por nosotros, dejándonos ejemplo, para que sigáis sus pisadas; el cual no hizo pecado, ni se halló engaño en su boca*" (1 Pedro 2:21–22).
   - Pablo afirmó: "*Al que no conoció pecado, por nosotros lo hizo pecado, para que nosotros fuésemos hechos justicia de Dios en él*" (2 Corintios 5:21).

4. Jesús perdona pecados, como solo puede hacerlo Dios:

   - Los escribas dijeron: *"¿Quién puede perdonar pecados, sino sólo Dios?"* (Marcos 2:7).
   - Jesús dijo: *"... para que sepáis que el Hijo del Hombre tiene potestad en la tierra para perdonar pecados..."* (Mateo 9:6; vea también Juan 8:11).
   - Pedro escribió: *"... quien llevó él mismo nuestros pecados en su cuerpo sobre el madero, para que nosotros, estando muertos a los pecados, vivamos a la justicia; y por cuya herida fuisteis sanados"* (1 Pedro 2:24).

5. Realizó obras milagrosas:

   - Sanó a los enfermos (Mateo 8:9–13; Lucas 4:31–41; 5:12–15; Juan 4:43 a 5:16; y otras referencias).
   - Dio de comer a los hambrientos (Marcos 8; Juan 6).
   - Resucitó a los muertos (Lucas 7:11–18; Juan 11:1–46).

## *Jesucristo, que es Dios, se hizo hombre*

*"Y aquel Verbo fue hecho carne, y habitó entre nosotros [...] lleno de gracia y de verdad"* (Juan 1:14; vea también Filipenses 2:7–8).

1. Su nacimiento milagroso fue profetizado 800 años antes de su venida: *"He aquí que la virgen concebirá, y dará a luz un hijo, y llamará su nombre Emanuel"* (Isaías 7:14).
2. La profecía se cumplió al pie de la letra: *"María, no temas, porque has hallado gracia delante de Dios. Y ahora, concebirás en tu vientre, y darás a luz un hijo, y llamarás su nombre Jesús"* (Lucas 1:30–31).
3. Mientras estuvo sobre la Tierra, como hombre, Jesús demostró características humanas: Se cansó (Juan 4:6), tuvo sed (Juan 19:28), comió (Lucas 24:40–43), expresó sentimientos (Marcos 6:34; Juan 11:35), conoció la tentación (Hebreos 4:15) y murió (Juan 19:30).

## *Jesucristo llevó a cabo la tarea para la cual su Padre lo había enviado a la Tierra*

1. Murió en la cruz. Este es el tema fundamental del evangelio:

   A. El hecho de su muerte: una cuarta parte del material de los cuatro Evangelios relata la muerte y resurrección de Cristo:

      (1) La cruz fue el propósito para el cual Él vino al mundo (Juan 12:27).

(2) Su muerte fue profetizada cientos de años antes de su llegada (Isaías 53:3–8).

B. El significado de su muerte:

(1) Fue un rescate del pecado (Mateo 20:28; Romanos 3:24; 1 Pedro 1:18).

(2) Fue para pagar el castigo del pecado (Romanos 3:24; 1 Juan 2:2; 4:10). La humanidad es el objeto de la ira de Dios por su rebelión y pecado, pero Dios tomó la iniciativa de satisfacer su ira al enviar a su propio Hijo al Calvario.

(3) Es una reconciliación. Gracias a la muerte de Cristo, la enemistad entre nosotros y Dios ha finalizado (Romanos 5:10) y hemos sido restaurados a la comunión con Dios (2 Corintios 5:18–19).

(4) Es una sustitución; Él murió en nuestro lugar (2 Corintios 5:21; 1 Pedro 3:18).

(5) En resumen, el problema del pecado ha sido tratado completamente a través de la muerte de Cristo (Hebreos 9:26; 10:12; 1 Pedro 2:24).

2. Resucitó de entre los muertos. Este suceso es único en la historia humana, y es fundamental para la fe cristiana:

A. La realidad de la resurrección (Juan 20:1–10; 1 Corintios 15:4).

B. La credibilidad de la resurrección:

(1) Jesús la predijo (Mateo 20:18–19; Lucas 24:1–7).

(2) La tumba estaba vacía (Juan 20:11–13).

(3) Muchos testigos lo vieron vivo: las mujeres (Lucas 23:55–56), María Magdalena (Juan 20:1–2; 11–18); Pedro y los demás discípulos (Juan 20:3–9, 19–20, 24–31; 21:1–14).

## *Los resultados de su obra*

1. Ascendió a su Padre (Lucas 24:49–53; Hechos 1:6–11).

2. Es nuestro mediador eterno (1 Timoteo 2:5; Hebreos 8:6; 1 Juan 2:1).

3. Es nuestro Salvador: "*Y llamarás su nombre Jesús, porque él salvará a su pueblo de sus pecados*" (Mateo 1:21). "*A éste, Dios ha exaltado con su diestra por Príncipe y Salvador, para dar a Israel arrepentimiento y perdón de pecados*" (Hechos 5:31):

A. Él es el único Salvador: "*Y en ningún otro hay salvación; porque no hay otro nombre bajo el cielo, dado a los hombres, en que podamos ser salvos*" (Hechos 4:12).

B. Es un Salvador completo: "*Por eso también puede salvar por completo a los que por medio de él se acercan a Dios, ya que vive siempre para interceder por ellos*" (Hebreos 7:25, NVI).

C. Él es un Salvador personal: "*Si confesares con tu boca que Jesús es el Señor, y creyeres en tu corazón que Dios le levantó de los muertos, serás salvo. Porque con el corazón se cree para justicia, pero con la boca se confiesa para salvación*" (Romanos 10:9–10).

### *La consumación de su obra*

1. Jesús volverá de nuevo a esta Tierra (Juan 14:3; Hechos 1:11; Hebreos 10:37).
2. Los creyentes en Cristo serán resucitados físicamente para comenzar una nueva vida, que será eterna (1 Corintios 15:51–58; 1 Tesalonicenses 4:17–18).
3. Jesús reinará como Rey de reyes y Señor de señores sobre su nueva creación (2 Pedro 3:10–13; Apocalipsis 22:3–5).

## Estrategia para el aconsejamiento

La mejor respuesta que podemos dar a Jesucristo y sus afirmaciones es:

1. Recibirlo como Señor y Salvador. Pregunte a la persona interesada si ha hecho esto. Explique **Cómo obtener paz con Dios** (p. 12).
2. Entronizarlo como Señor de nuestra vida: "*Este pueblo de labios me honra; mas su corazón está lejos de mí*" (Mateo 15:8). "*Por lo tanto, hermanos, tomando en cuenta la misericordia de Dios, les ruego que cada uno de ustedes, en adoración espiritual, ofrezca su cuerpo como sacrificio vivo, santo y agradable a Dios. No se amolden al mundo actual, sino sean transformados mediante la renovación de su mente. Así podrán comprobar cuál es la voluntad de Dios, buena, agradable y perfecta*" (Romanos 12:1–2, NVI).
3. Dar testimonio de Él, según su mandato: "*Lo que hemos visto y oído, eso os anunciamos, para que también vosotros tengáis comunión con nosotros; y nuestra comunión verdaderamente es con el Padre, y con su Hijo Jesucristo*" (1 Juan 1:3). "*Recibiréis poder, cuando haya venido sobre vosotros el Espíritu Santo, y me seréis testigos en Jerusalén, en toda Judea, en Samaria, y hasta lo último de la tierra*" (Hechos 1:8).

# Pasajes bíblicos

## *Su deidad:*

Juan 1:1–3; 8:56–59; 10:30–33; 17:5; Filipenses 2:6–11; Colosenses 1:15–19; 2:8–9; Apocalipsis 5:12–14.

## *Su humanidad:*

Mateo 1:18; Marcos 6:34; Lucas 1:30–33; 24:40–43; Juan 1:14; 10:30; 11:35; 19:28; Filipenses 2:5–8; Hebreos 4:15.

## *Su muerte:*

Isaías 53; Mateo 27:32–56; Marcos 15:20–47; Lucas 23:26–49; Juan 19:1–42; 1 Corintios 15:24; 2 Corintios 5:21; 1 Pedro 1:18–19; 2:22–24; 1 Juan 3:5–8.

## *Su resurrección:*

Mateo 28; Marcos 16; Lucas 24; Juan 20–21; Hechos 2:24–36; Romanos 10:9–10; 1 Corintios 15; Gálatas 2:20; 1 Tesalonicenses 1:10; 1 Pedro 1:19–21.

## *Su segunda venida:*

Mateo 24:30; 42–44; Juan 14:1–6; 21:23; Hechos 1:11; 1 Corintios 15:51–57; 1 Tesalonicenses 4:13–18; 2 Tesalonicenses 2:1–11; 1 Juan 3:2–3; Apocalipsis 1:7.

# LOS JUEGOS DE AZAR Y LAS APUESTAS

Las personas juegan por dinero de muchas maneras. Algunos juegos de azar parecen muy inocentes y, algunas veces, un porcentaje de las ganancias es utilizado para una buena causa. Pero la Palabra de Dios indica que cualquier forma de apuesta o juegos de azar es contraria a la voluntad de Dios:

- Primero, los juegos de azar o las apuestas ponen la fe en la suerte o la oportunidad, en lugar de en el cuidado y la provisión de Dios.
- Segundo, cuando una persona apuesta, trata de ganar a costa de la pérdida de otra persona. Eso es, casi, un robo.
- Tercero, las apuestas promueven un espíritu codicioso. Ponen énfasis en recibir más que en dar, en el interés egoísta más que en el sacrificio propio. Erosionan la fibra moral de la sociedad.

La Biblia indica que hay tres formas legítimas de acumular bienes materiales:

- El trabajo: "*Si alguno no quiere trabajar, tampoco coma*" (2 Tesalonicenses 3:10).
- Las inversiones sabias (vea la parábola de los talentos en Lucas 19:11–27).
- Herencias o donaciones: "*No deben atesorar los hijos para los padres, sino los padres para los hijos*" (2 Corintios 12:14).

---

*Billy Graham escribe: "La atracción de los juegos de azar es, en cierto modo, entendible. Es ciertamente atractivo recibir algo por nada. [...] Y allí es donde está el pecado. Las apuestas por dinero, de cualquier clase, son equivalentes a un robo permitido. Se arroja la moneda, se lanzan los dados, corren los caballos, y alguien recoge lo que le pertenece a otro. La Biblia dice:* "Con el sudor de tu rostro comerás el pan" *(Génesis 3:19). No dice: "Con arrojar una moneda al aire comerás el pan". Entiendo que en la mayoría de los juegos de azar más sencillos no existe el ánimo de hacer mal a nadie, pero el principio es el mismo que en las grandes apuestas. La diferencia solo radica en la cantidad de dinero en juego".*

---

La experiencia del jugador es similar a la del alcohólico. La persona experimenta el engaño de que es dueña de su propia vida cuando, en realidad, su vida está fuera de control. Con frecuencia la persona dice que no tiene ningún problema, aunque su familia se esté desintegrando, y termina con deudas enormes que, quizá, la empujen a robar para cubrir las pérdidas de juego.

El jugador quizá prometa dejar de apostar, pero no siempre puede cumplir su promesa, a menos que sobrevenga el desastre, lo cual lo obliga a enfrentarse cara a cara con la realidad.

Un encuentro con Jesucristo es la única solución para muchos jugadores; muchos de los que se convierten son inmediatamente libres de su adicción. En otros casos, la sanidad completa implica un proceso más prolongado. Muchos de los problemas emocionales que sufre el alcohólico también son propios del jugador, y las causas subyacentes deben ser tratadas a la luz de la Palabra de Dios.

Busque grupos de apoyo para jugadores.

## Estrategia para el aconsejamiento

1. El consejero debe adoptar una postura compasiva, pero muy firme. La adicción al juego es muy real. La persona debe ser confrontada con el hecho de que su vida está fuera de control y que debe asumir su responsabilidad personal por esta situación. Si la persona realmente necesita ayuda, debe estar dispuesta a actuar para poder dejar de jugar.

2. ¿Ha recibido la persona a Cristo como su Señor y Salvador alguna vez? Explíquele **Cómo obtener paz con Dios** (p. 12). Cristo puede romper las cadenas del pecado y hacer nuevas todas las cosas (vea 2 Corintios 5:17).

3. Haga énfasis en que el jugador debe cortar definitivamente con su adicción y tomar la resolución de no volver a ninguna actividad relacionada con el juego. Debe vivir un día a la vez y aprender a confiar en Dios en cuanto a la tentación: "*Ustedes no han pasado por ninguna tentación que otros no hayan tenido. Y pueden confiar en Dios, pues él no va a permitir que sufran más tentaciones de las que pueden soportar. Además, cuando vengan las tentaciones, Dios mismo les mostrará cómo vencerlas, y así podrán resistir*" (1 Corintios 10:13, TLA).

4. La persona debe estar dispuesta a abandonar todos los lugares que podrían tentarla a jugar, y debe establecer nuevas relaciones. El asistir a un grupo de apoyo para jugadores podría serle de gran ayuda. Debe buscar una iglesia local donde se enseñe la Biblia, para adorar a Dios, estudiar la Biblia e iniciar nuevas amistades que la ayuden a reconstruir su vida.

5. Ore con la persona para que sea liberada de la tentación de jugar. Haga énfasis en la importancia de acudir al Señor en oración cada día. ¡La práctica de la oración alentará a la persona a depender cada vez más de Dios, más que de la "suerte"!
6. Recalque la importancia de leer y estudiar la Biblia personalmente. A medida que asimilamos los pensamientos de Dios, se produce una transformación gradual de la vida y la mente.
7. Si necesita más ayuda, sugiérale que hable con un pastor capacitado o un psicólogo cristiano. Deben tratarse con profundidad las causas subyacentes que llevaron a la adicción.

Si la pregunta es acerca de juegos de azar o apuestas que sirven para buenas causas, conteste de la siguiente forma:

1. Pregunte si la persona alguna vez ha recibido a Jesucristo como su Señor y Salvador. Explíquele **Cómo obtener paz con Dios** (p. 12).
2. Haga énfasis en que la obra de Dios debe ser sostenida con las ofrendas sacrificiales del pueblo de Dios, no por medio del juego.

# Pasajes bíblicos

*"No hurtarás. [...] No codiciarás [...] cosa alguna de tu prójimo"* (Éxodo 20:15, 17).

*"Así que, hermanos, os ruego por las misericordias de Dios, que presentéis vuestros cuerpos en sacrificio vivo, santo, agradable a Dios, que es vuestro culto racional"* (Romanos 12:1).

*"Todas las cosas me son lícitas, mas no todas convienen; todas las cosas me son lícitas, mas yo no me dejaré dominar de ninguna"* (1 Corintios 6:12).

*"Si, pues, coméis o bebéis, o hacéis otra cosa, hacedlo todo para la gloria de Dios"* (1 Corintios 10:31).

*"Poned la mira en las cosas de arriba, no en las de la tierra. [...]. Haced morir, pues, lo terrenal en vosotros: fornicación, impureza, pasiones desordenadas, malos deseos y avaricia, que es idolatría; cosas por las cuales la ira de Dios viene sobre los hijos de desobediencia"* (Colosenses 3:2, 5–6).

# EL JUICIO

La doctrina bíblica de un futuro día de juicio es uno de los temas más incomprendidos entre los cristianos. La idea errónea de un juicio general, en el cual todas las personas de todos los tiempos se presentarán ante Dios, aparentemente ha prevalecido.

Todas las personas que hayan vivido—tanto santos como pecadores—serán juzgadas, pero no al mismo tiempo. Los juicios difieren en cuanto a los temas, el momento, el lugar y los resultados. Esta exposición tratará solo con los aspectos de los juicios futuros que más probablemente tenga que abordar la persona que está atendiendo.

Hay dos juicios para el creyente en Cristo:

1. El creyente ya ha sido juzgado por sus pecados, por la muerte de Cristo en el Calvario:

   "*Al que no conoció pecado, por nosotros lo hizo pecado, para que nosotros fuésemos hechos justicia de Dios en él*" (2 Corintios 5:21).

   "*Quien llevó él mismo nuestros pecados en su cuerpo sobre el madero, para que nosotros, estando muertos a los pecados, vivamos a la justicia; y por cuya herida fuisteis sanados*" (1 Pedro 2:24).

   Cuando murió en la cruz, Jesús soportó todo el impacto del justo juicio de Dios contra el pecado. El creyente recibe a Cristo como el "portador de su pecado", lo cual significa que confía plenamente en la redención alcanzada en el Calvario y es librado del pecado y la culpa. Los creyentes nunca más serán juzgados por sus pecados.

2. El creyente algún día comparecerá ante el tribunal de Cristo para ser juzgado por la forma en que vivió como cristiano:

   "*Porque es necesario que todos nosotros comparezcamos ante el tribunal de Cristo, para que cada uno reciba según lo que haya hecho mientras estaba en el cuerpo, sea bueno o sea malo*" (2 Corintios 5:10).

   Este juicio reportará recompensas a algunos y pérdidas para otros. Algunos no tendrán ninguna obra provechosa para poner a los pies del Señor, mientras que otros serán llamados "buenos siervos y fieles" y se les pedirá que entren en el gozo de su Señor. Este juicio vendrá inmediatamente después del "rapto" de los creyentes, tanto vivos como muertos, según aparece en 1 Tesalonicenses 4:15–17 (vea la sección "Pasajes bíblicos", en las páginas siguientes).

   Habrá un juicio para los incrédulos, conocido como el juicio del Gran

Trono Blanco (Apocalipsis 20:11–15; vea la sección "Pasajes bíblicos", en las páginas siguientes).

Todas las personas que se encuentren en el infierno estarán allí porque han rechazado a Dios y su salvación a través de Cristo. La Biblia indica claramente que todas estas personas deberán comparecer ante el juicio del Gran Trono Blanco, y que serán juzgadas sobre la base de la luz que tuvieron y que rechazaron mientras estaban en la Tierra.

Este juicio sigue al juicio final de Dios contra el diablo (Apocalipsis 20:10) y los ángeles rebeldes (Judas 6), y se produce después del reino milenario. Los perdidos de todos los tiempos se presentarán frente a Dios para este, el más terrible de todos los juicios (Mateo 12:36).

# Estrategia para el aconsejamiento

## *Para quienes tienen miedo del juicio venidero y sus consecuencias:*

1. Asegure a la persona que Dios quiere alcanzar a las personas con su amor: *"No queriendo que ninguno perezca, sino que todos procedan al arrepentimiento"* (2 Pedro 3:9). *"Porque no envió Dios a su Hijo al mundo para condenar al mundo, sino para que el mundo sea salvo por él"* (Juan 3:17).
2. Invite a la persona a recibir a Jesucristo como Salvador y Señor, compartiendo **Cómo obtener paz con Dios** (p. 12).
3. Anime a la persona a asumir una firme posición a favor de Jesucristo, a estar dispuesta a identificarse con Él, y estar dispuesta a comenzar a leer y estudiar la Biblia en forma diaria.
4. Aconséjela a que busque comunión, adoración y oportunidades para servir en una iglesia local que enseñe la Biblia.
5. Ore para que la persona interesada pueda conocer la realidad de Cristo en su vida.

## *Para quienes no saben que hay enseñanza bíblica sobre el juicio:*

1. Explique el material de los primeros párrafos. Nota: La mayoría de las sectas tienen visiones sobre este tema, ajenas a la Biblia.
2. Según la dirección que tome la conversación, invite a la persona a

recibir a Cristo.

3. Siga las sugerencias dadas arriba, en los puntos 3, 4 y 5.

# Pasajes bíblicos

*"Ahora, pues, ninguna condenación hay para los que están en Cristo Jesús, los que no andan conforme a la carne, sino conforme al Espíritu"* (Romanos 8:1).

*"Porque nadie puede poner un fundamento diferente del que ya está puesto, que es Jesucristo. Si alguien construye sobre este fundamento, ya sea con oro, plata y piedras preciosas, o con madera, heno y paja, su obra se mostrará tal cual es, pues el día del juicio la dejará al descubierto. El fuego la dará a conocer, y pondrá a prueba la calidad del trabajo de cada uno. Si lo que alguien ha construido permanece, recibirá su recompensa, pero si su obra es consumida por las llamas, él sufrirá pérdida. Será salvo, pero como quien pasa por el fuego"* (1 Corintios 3:11–15, NVI).

*"Y vi un gran trono blanco y al que estaba sentado en él, de delante del cual huyeron la tierra y el cielo, y ningún lugar se encontró para ellos. Y vi a los muertos, grandes y pequeños, de pie ante Dios; y los libros fueron abiertos, y otro libro fue abierto, el cual es el libro de la vida; y fueron juzgados los muertos por las cosas que estaban escritas en los libros, según sus obras. Y el mar entregó los muertos que había en él; y la muerte y el Hades entregaron los muertos que había en ellos; y fueron juzgados cada uno según sus obras"* (Apocalipsis 20:11–13).

# LOS MALOS HÁBITOS

La expresión "malos hábitos" abarca una amplia gama de comportamientos negativos y puede ser definida como "todo aquello que inhiba el crecimiento del cristiano u ofenda a otras personas". Con esta expresión podemos referirnos a los llamados "pecados del espíritu", como la envidia, los celos, la malicia, los chismes, la mentira, la crítica de otras personas, el egoísmo, la impaciencia, la contienda o la costumbre de postergar las acciones y/o decisiones. También podemos referirnos a comportamientos compulsivos, como comer en exceso, beber en exceso, gastar en exceso, trabajar en exceso o la pornografía.

El tema de los malos hábitos cobra especial importancia a la luz del mandato bíblico de que los cristianos "*andemos en vida nueva*" (Romanos 6:4). Al entregarnos al Señor y pedirle que escudriñe nuestro corazón y revele todo lo que en él le desagrada (Salmos 139:23–24), comenzamos a ver muchas cosas con las que necesitamos tratar. Lo más importante que debemos recordar con respecto a los malos hábitos, es que ellos desagradan a Dios. Pero, con la ayuda del Señor, los malos hábitos pueden ser rotos y reemplazados por alternativas más sanas.

El evangelio se especializa en vidas cambiadas (2 Corintios 5:17). Sabemos que Dios puede obrar en nuestra vida para ordenar nuestra conducta, según aquello que a Él le agrada: "*Porque somos hechura suya, creados en Cristo Jesús para buenas obras, las cuales Dios preparó de antemano para que anduviésemos en ellas*" (Efesios 2:10).

## Estrategia para el aconsejamiento

1. Felicite a la persona por estar suficientemente interesada en los valores espirituales como para buscar solucionar sus malos hábitos. Cualquier persona puede cambiar, sea cual fuere su edad o demás limitaciones: "*Todo lo puedo en Cristo que me fortalece*" (Filipenses 4:13). La perspectiva de romper las cadenas de los malos hábitos debería ser motivación suficiente como para lograr la victoria final.

2. Pregunte a la persona si alguna vez recibió a Jesucristo como su Señor y Salvador personal. Podría suponerse que una persona que consulta sobre cómo vencer un mal hábito es cristiana, pero no lo dé por sentado. ¿Tiene la persona la seguridad de haber experimentado esa relación permanente con Cristo que le dará el poder que Dios promete para producir el cambio? Comparta **Cómo obtener paz con Dios** (p. 12).

3. Sugiera que la persona enfrente el o los malos hábitos de manera específica. Es necesario que identifique claramente aquellas cosas que necesita cambiar. Es un desafío que debe enfrentarse en forma realista, porque es muy difícil romper un hábito. No basta con desearlo; debemos trabajar para lograrlo. El apóstol Pablo lo pone en perspectiva cuando dice: "*¡Miserable de mí! ¿quién me librará de este cuerpo de muerte?*" (Romanos 7:24). La cura no es instantánea ni es fácil.

4. Anime a la persona a confesar sus malos hábitos al Señor como pecado, y buscar el perdón. Al mismo tiempo, ayúdela a comprometerse con Dios a trabajar para abandonarlos. Un compromiso concreto en un lugar y un momento determinados prepararán el escenario para el cambio. Defínase; sea un vencedor. (Vea la declaración de Josué en Josué 24:15).

5. Explique a la persona que los malos hábitos pueden romperse practicando el principio del reemplazo o la sustitución, lo que Pablo señala como el principio de "quitarse y ponerse": "*Con respecto a la vida que antes llevaban, se les enseñó que debían quitarse el ropaje de la vieja naturaleza, la cual está corrompida por los deseos engañosos; ser renovados en la actitud de su mente; y ponerse el ropaje de la nueva naturaleza, creada a imagen de Dios, en verdadera justicia y santidad. Por lo tanto, dejando la mentira, hable cada uno a su prójimo con la verdad*" (Efesios 4:22–25, NVI) y "*El que hurtaba, no hurte más, sino trabaje*" (Efesios 4:28).

   Para practicar este principio de intercambio, de "quitar y poner", el memorizar pasajes bíblicos puede ser de gran ayuda. Para el cristiano que sufre la inclinación a usar "malas palabras", un pasaje bíblico que puede ayudarlo es: "*Ninguna palabra corrompida salga de vuestra boca, sino la que sea buena para la necesaria edificación, a fin de dar gracia a los oyentes*" (Efesios 4:29). En otros momentos puede utilizar una palabra de alabanza, como las que encontramos en el Salmo 34 o en el 103.

   ¡Asegure a la persona que todo hábito malo puede ser reemplazado por una actitud sana!

6. Sugiera que la lectura bíblica diaria, el estudio y la memorización de pasajes bíblicos, y la oración, son todos hábitos de gran valor. A medida que los pensamientos de Dios invaden nuestra mente, las cosas tienen que comenzar a cambiar.

7. Sugiera a la persona que establezca un vínculo de comunión con otro cristiano para poder hablar de sus problemas, oraciones y victorias, y

establecer una relación de rendición de cuentas. Este sistema de apoyarse en un amigo ha sido de gran ayuda para muchas personas.

8. Sugiérale que busque oportunidades de servir a Cristo. Cuando comenzamos a servir a través de nuestra vida, nuestras experiencias, el fruto de nuestro estudio bíblico y nuestras victorias, somos "fortalecidos en el hombre interior".
9. Si la persona no es todavía miembro de una iglesia en la que se enseñe activamente la Palabra de Dios, debería tratar de serlo. Esto le dará oportunidades para la comunión, la oración, el estudio y el servicio.
10. Sugiérale que elija un mal hábito para vencer y que se fije algunas metas inmediatas.
11. Ore con la persona para que tenga victoria sobre el mal hábito, para la gloria de Dios.

# Pasajes bíblicos

"*En mi corazón he guardado tus dichos, para no pecar contra ti*" (Salmos 119:11).

"*Y decía a todos: Si alguno quiere venir en pos de mí, niéguese a sí mismo, tome su cruz cada día, y sígame*" (Lucas 9:23).

"*De la misma manera, también ustedes considérense muertos al pecado, pero vivos para Dios en Cristo Jesús. Por lo tanto, no permitan ustedes que el pecado reine en su cuerpo mortal, ni obedezcan a sus malos deseos. No ofrezcan los miembros de su cuerpo al pecado como instrumentos de injusticia; al contrario, ofrézcanse más bien a Dios como quienes han vuelto de la muerte a la vida, presentando los miembros de su cuerpo como instrumentos de justicia. Así el pecado no tendrá dominio sobre ustedes, porque ya no están bajo la ley sino bajo la gracia*" (Romanos 6:11–14, NVI).

"*Antes, en todas estas cosas somos más que vencedores por medio de aquel que nos amó*" (Romanos 8:37).

"*Dios es el que en vosotros produce así el querer como el hacer, por su buena voluntad. [...], para que seáis irreprensibles y sencillos, hijos de Dios sin mancha en medio de una generación maligna y perversa, en medio de la cual resplandecéis como luminares en el mundo*" (Filipenses 2:13, 15).

"*Someteos, pues, a Dios; resistid al diablo, y huirá de vosotros. Acercaos a Dios, y él se acercará a vosotros*" (Santiago 4:7–8).

*Otros pasajes bíblicos sugeridos:*

Jeremías 17:9–10

Gálatas 2:20

2 Timoteo 2:15

# EL MATRIMONIO

*(Crianza y disciplina de los hijos)*

No hay lugar donde el costo del discipulado sea más evidente que en un matrimonio en el cual un integrante de la pareja es creyente y el otro, no. La vida se vuelve complicada ante la divergencia de intereses, actividades y metas. La conversión a Cristo del compañero o compañera del creyente debe recibir la más alta prioridad, pero debe ejercerse sumo cuidado en cuanto a los métodos a seguir en busca de esta meta. Muchos matrimonios finalizan en divorcio por la insensibilidad y evangelización excesivamente entusiasta del integrante creyente.

## Estrategia para el aconsejamiento

1. Elogie a la persona interesada por su preocupación de querer anunciar el evangelio a su cónyuge no creyente. Sin embargo, debe ser consciente de que la fe cristiana puede unir a las personas, pero también puede dividirlas.
2. Anime a la persona a no "hacer de Dios". Él o ella no podrán forzar al compañero o compañera a recibir a Cristo. Los que intentan hacer las cosas por su cuenta pueden estar encaminados hacia el desastre.
3. Recomiéndele que no sea demasiado impulsiva, sino que mantenga una actitud humilde y no de juicio. La actitud es sumamente importante.
4. Anime el desarrollo de la madurez espiritual personal a través de la lectura y el estudio de la Palabra de Dios, y mediante la práctica fiel de una vida de oración. La oración es muy valiosa. Que encomiende al cónyuge al Señor y reclame, con fe, su conversión. Que confíe en Dios. Él tiene una forma maravillosa de resolver las cosas. (¡Tal vez sea preferible no decir al cónyuge inconverso que es objeto de oración!)
5. ¡El ejemplo es poderoso! Que el cónyuge vea a Jesús en las actitudes y acciones del creyente. Que desborde el amor. El verdadero amor no puede ser falsificado. Pablo dice: *"El que ama tiene paciencia en todo, y siempre es amable [...]. Solo el amor vive para siempre"* (1 Corintios 13:4, 8, TLA). Que trate de demostrar que *"el amor de Dios ha sido derramado en nuestros corazones por el Espíritu Santo que nos fue dado"* (Romanos 5:5).
6. Nunca se debe tratar de ganar al esposo o esposa a través de

discusiones o sermoneos. Esto generalmente produce antagonismo y profundiza la resistencia. La coexistencia pacífica es un método sugerido por Pablo (1 Corintios 7:12–15).

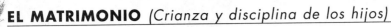

---

*Billy Graham dice: "El apóstol Pedro tenía algo que decir al respecto:* 'Asimismo vosotras, mujeres, estad sujetas a vuestros maridos; para que también los que no creen a la palabra, sean ganados sin palabra por la conducta de sus esposas' *(1 Pedro 3:1). Ciertamente, esta no es una tarea fácil, pero la responsabilidad es de ustedes, y no de su esposo o esposa, de vivir una vida que desafíe a su compañero o compañera a tomar su propia decisión. Esto no se logra regañando o sermoneando, sino mostrando un espíritu de mansedumbre y sumisión que su esposo o esposa no había descubierto antes en usted. Sea el esposo o la esposa la persona creyente, como cristiano debe siempre aceptar y esperar alguna ridiculización y aun maltrato por su fe. Solamente tenga en cuenta: Nadie está en una mejor relación para ganar al otro que la persona que es su compañero o compañera de por vida".*

---

7. No insista en que el esposo o esposa asista a la iglesia o a cultos cristianos especiales, a menos que parezca haber una predisposición para hacerlo. Una alternativa para relacionarlo con la iglesia sería invitar a sus amigos cristianos en su hogar en ocasiones sociales. El esposo o la esposa seguramente verán la diferencia en sus vidas. El momento oportuno para hablar de Cristo, surgirá.
8. Ore con la persona interesada pidiendo percepción, sabiduría y paciencia para aguardar el momento correcto para testificar abiertamente, mientras pone en práctica todas las sugerencias anteriores. El esposo o la esposa cristiano debe amar a su cónyuge. El creyente debe hacer todo lo posible para que su cónyuge sea feliz.

# Pasajes bíblicos

*"No se inquieten por nada; más bien, en toda ocasión, con oración y ruego, presenten sus peticiones a Dios y denle gracias. Y la paz de Dios, que sobrepasa todo entendimiento, cuidará sus corazones y sus pensamientos en Cristo Jesús"* (Filipenses 4:6–7, NVI).

*"Si alguno de vosotros tiene falta de sabiduría, pídala a Dios, el cual da a todos abundantemente y sin reproche, y le será dada"* (Santiago 1:5).

*"Pero la sabiduría que es de lo alto es primeramente pura, después pacífica, amable, benigna, llena de misericordia y de buenos frutos, sin incertidumbre ni hipocresía"* (Santiago 3:17).

*"Así mismo, esposas, sométanse a sus esposos, de modo que si algunos de ellos no*

*creen en la palabra, puedan ser ganados más por el comportamiento de ustedes que por sus palabras, al observar su conducta íntegra y respetuosa. Que la belleza de ustedes no sea la externa, que consiste en adornos tales como peinados ostentosos, joyas de oro y vestidos lujosos. Que su belleza sea más bien la incorruptible, la que procede de lo íntimo del corazón y consiste en un espíritu suave y apacible. Ésta sí que tiene mucho valor delante de Dios"* (1 Pedro 3:1–4, NVI).

# EL MATRIMONIO

## *(Presiones de un cónyuge no creyente para hacer lo incorrecto)*

Cuando un creyente está casado con un no creyente, hay ocasiones en que tal vez se sienta presionado por su cónyuge a hacer cosas que son contrarias a la Biblia, o que simplemente no permiten al creyente tener su conciencia intranquila; tal vez algo relacionado con participar en actividades o prácticas sexuales mundanas. Esto puede llevar a la infelicidad y al conflicto en el matrimonio.

La Biblia ordena que haya amor y respeto mutuo entre esposos (Efesios 5:22, 28). Ninguno tiene derecho a ordenar al otro que haga algo que sea contrario a la Biblia o que ofenda la conciencia de su cónyuge. Cuando un integrante del matrimonio no es creyente y, por lo tanto, tal vez no esté dispuesto a regirse por principios bíblicos, se requiere una sabiduría y sensibilidad especiales para resolver el conflicto.

## Estrategia para el aconsejamiento

1. Elogie a la persona interesada por ser sensible a la guía del Espíritu Santo en su vida y por querer hacer lo correcto.
2. Anímela a identificarse firmemente con Cristo (Romanos 12:1–2).
3. Inste a la persona a mantener abiertas las líneas de comunicación con su cónyuge, a fin de considerar libre y plenamente los problemas y las razones por las que no es posible acceder a este tipo de pedidos. El miembro de la pareja que es creyente no debe tener una actitud crítica o de juicio. Si uno no tiene cuidado en esta cuestión, podría llegarse rápidamente a un punto sin retorno, lo que generaría conflicto y hostilidad.
4. El amor cubre una multitud de pecados. Anime al cónyuge creyente a amar sinceramente, demostrándolo mediante palabras y acción. En lo posible, que exprese aprecio, admiración y elogio para el cónyuge no creyente en aquellas áreas donde corresponda.
5. Anime a la persona interesada a orar, primero pidiendo sabiduría y guía para la situación (Santiago 1:5), y luego por la obediencia a la Palabra de Dios y el compromiso con una fe personal en Cristo por parte del cónyuge no creyente.

Cuidado: Uno no debería ser demasiado agresivo al intentar ganar a un esposo o a una esposa para Cristo. Vea el artículo **El matrimonio (Cómo ganar al cónyuge para Cristo)**

6. Ore con la persona interesada para alentarla y fortalecer su determinación.

---

*Billy Graham comenta: "La realización completa en el matrimonio no puede alcanzarse jamás fuera de la vida en Cristo. Está escrito en la Biblia que Cristo vino al mundo para destruir las obras del diablo. El poder de Cristo sobre el diablo está disponible al creyente, y al destructor del hogar ideal solo se lo puede hacer huir a través del poder de Cristo".*

---

# Pasajes bíblicos

*"Es necesario obedecer a Dios antes que a los hombres"* (Hechos 5:29).

*"¿Cuánto más la sangre de Cristo, el cual mediante el Espíritu eterno se ofreció a sí mismo sin mancha a Dios, limpiará vuestras conciencias de obras muertas para que sirváis al Dios vivo?"* (Hebreos 9:14).

*"Asimismo, esposas, sométanse a sus esposos, de modo que si algunos de ellos no creen en la palabra, puedan ser ganados más por el comportamiento de ustedes que por sus palabras, al observar su conducta íntegra y respetuosa [...] Así se adornaban en tiempos antiguos las santas mujeres que esperaban en Dios, cada una sumisa a su esposo [...] De igual manera, ustedes esposos, sean comprensivos en su vida conyugal, tratando cada uno a su esposa con respeto, ya que como mujer es más delicada, y ambos son herederos del grato don de la vida. Así nada estorbará las oraciones de ustedes. En fin, vivan en armonía los unos con los otros; compartan penas y alegrías, practiquen el amor fraternal, sean compasivos y humildes [...] Más bien, honren en su corazón a Cristo como Señor. Estén siempre preparados para responder a todo el que les pida razón de la esperanza que hay en ustedes. Pero háganlo con gentileza y respeto, manteniendo la conciencia limpia, para que los que hablan mal de la buena conducta de ustedes en Cristo, se avergüencen de sus calumnias"* (1 Pedro 3:1–2, 5, 7–8, 15–16, NVI).

# PREPARACIÓN PARA EL MATRIMONIO

El matrimonio es el contrato a largo plazo más serio que una pareja hará en toda su vida, pero muchas personas lo celebran con falta de madurez y conocimiento. Es imperioso que los jóvenes estén preparados adecuadamente para el matrimonio.

- El amor es un bien frágil, que necesita ser cultivado y alimentado constantemente. Por supuesto, las personas que quieren casarse deben buscar la guía de Dios, pero el éxito del matrimonio dependerá, en gran medida, de la pareja y de sus esfuerzos por responder a la dirección de Dios.

- Un buen matrimonio está basado en el respeto, tanto de uno mismo como del compañero o compañera. Un mala autoimagen, heredada de un trasfondo hogareño estresante o producto de la inmadurez, puede provocar un mar tormentoso. Una relación sólida con Jesucristo y una importante comprensión de sí mismo a la luz de esa relación, son muy importantes.

  Una mala comprensión mutua también puede generar malentendidos y conflicto. No se requiere mucho discernimiento para darse cuenta de que los hombres y las mujeres son diferentes físicamente, pero ¿cuántas personas prevén que su futuro compañero o compañera también es muy diferente emocionalmente y mentalmente? Cada integrante del matrimonio debe darse cuenta de esto y estar preparado para hacer las concesiones y los ajustes necesarios. *"Los creó varón y mujer"* (Génesis 5:2, DHH).

  Aun en matrimonios arreglados por las familias, Dios puede hacer que los integrantes del matrimonio se amen mutuamente. El amor es más que sentimientos. El amor es la realización de acciones de amor. A menudo, los sentimientos de amor siguen a estas acciones.

- Un matrimonio donde hay similitudes en los integrantes tiene una mayor probabilidad de tener éxito. Esto significa:

  o Un compromiso común con Jesucristo

  o Niveles económicos comparables

  o Ventajas educativas similares

  o Una situación estable en el hogar

- ¡El matrimonio nunca pretendió ser un reformatorio! La persona que se casa con otra con la esperanza de "corregir" un comportamiento problemático, se busca un futuro desastroso. Lo que no pudo cambiarse antes del casamiento probablemente no cambie nunca. Esto debería tomarse en serio especialmente en aquellas situaciones donde están involucrados el alcohol, otras drogas o la inmoralidad.
- Las parejas que se casan *"en el Señor"* (1 Corintios 7:39) tienen el potencial para una relación mucho mejor que la de los que están fuera de Cristo.

---

*Billy Graham aconseja: "El hogar solo cumple su verdadero propósito cuando está controlado por Dios. Dejen a Jesucristo fuera de su hogar y este último perderá su significado. Pero intégrenlo a sus corazones y a la vida de la familia y Él transformará su hogar".*

---

# Estrategia para el aconsejamiento

1. Elogie a la persona interesada por pedir consejo para su matrimonio. Hable de los siguientes pasajes bíblicos: *"No es bueno que el hombre esté solo; le haré ayuda idónea para él"* (Génesis 2:18). *"Quien halla esposa halla la felicidad: muestras de su favor le ha dado el SEÑOR"* (Proverbios 18:22, NVI).
2. Aconséjele que, a fin de tener la presencia y la guía de Dios en la vida y el matrimonio, uno debe entregar su vida a Jesucristo. Presente **Cómo obtener paz con Dios** (p. 12).
3. Anime a la persona interesada a asumir un firme compromiso con Jesucristo, sea que haya sido creyente antes o que acabe de recibir a Cristo. La persona también debe comenzar a leer y estudiar la Palabra de Dios, orar por los distintos aspectos de su vida e involucrarse en una iglesia que enseña la Biblia. Todas estas cosas enriquecerán profundamente la vida y permitirán que el futuro esposo o esposa contribuya positivamente con el matrimonio.
4. Recomiende a la persona que cuando se case, sea *"en el Señor"* (1 Corintios 7:39). *"No se unan ustedes en un mismo yugo con los que no creen. Porque ¿qué tienen en común la justicia y la injusticia? ¿O cómo puede la luz ser compañera de la oscuridad? No puede haber armonía [...] entre un creyente y un incrédulo"* (2 Corintios 6:14–15, DHH).

5. Antes del matrimonio, la persona interesada puede mejorar la probabilidad de tener éxito si:

   A. Busca la bendición y el control de Dios sobre su propia vida y la de su futuro cónyuge.

   B. Asimila todo el conocimiento posible sobre un hogar y un matrimonio centrado en Cristo:

      - Buscando en la Biblia pasajes sobre el matrimonio y el hogar.
      - Leyendo libros de consejeros cristianos y pastores. Este tipo de material está disponible en librerías cristianas y en bibliotecas de iglesias.
      - Aprovechando seminarios, cursos y películas preparados con este propósito.
      - Buscando el consejo de un pastor calificado, un consejero matrimonial o un psicólogo cristiano. Este aconsejamiento debería incluir un enfoque integral del matrimonio, incluyendo cuestiones personales, espirituales, financieras y sexuales.

6. Luego del casamiento, deberá poner en práctica lo siguiente:

   - Participar en una iglesia que enseña la Biblia, donde el matrimonio podrá florecer espiritualmente y donde la familia futura será alimentada con la Biblia.
   - Proponerse comunicarse libremente y francamente con su pareja en todos los niveles de la vida: mental, emocional y físicamente. Esta práctica será de mucha ayuda para resolver los problemas que surgen en el matrimonio.

7. Ore con la persona interesada pidiendo la bendición, la presencia y la guía de Dios en su vida y en el próximo casamiento.

# Pasajes bíblicos

*"Con sabiduría se construye la casa; con inteligencia se echan los cimientos. Con buen juicio se llenan sus cuartos de bellos y extraordinarios tesoros"* (Proverbios 24:3–4, NVI).

*"¿Pueden dos caminar juntos sin antes ponerse de acuerdo?"* (Amós 3:3, NVI).

*"Someteos unos a otros en el temor de Dios. Las casadas estén sujetas a sus propios maridos, como al Señor [...] Así también los maridos deben amar a sus mujeres como a sus mismos cuerpos. El que ama a su mujer, a sí mismo se ama"* (Gálatas 5:21–22, 28).

*"De igual manera, ustedes esposos, sean comprensivos en su vida conyugal, tratando cada uno a su esposa con respeto, ya que como mujer es más delicada, y ambos son herederos del grato don de la vida. Así nada estorbará las oraciones de ustedes"* (1 Pedro 3:7, NVI).

## *Otros pasajes bíblicos sugeridos:*

2 Corintios 6:14–15, NVI

# PROBLEMAS EN EL MATRIMONIO

Cuando dos vidas ser unen en una relación íntima de largo plazo, forzosamente habrá problemas. Muchas parejas ingresan al matrimonio con muy poca preparación. A veces les falta la madurez emocional, la estabilidad o la flexibilidad que debe tener una unión exitosa.

¿Cuáles son los componentes de un buen matrimonio?

- *El respeto mutuo.* Respeto significa que cada integrante de la pareja acepta al otro como es, sin intentar manipularlo, sino animándolo desinteresadamente de forma tal que él o ella pueda llegar a ser la persona que Dios quiso. "*Cada uno de vosotros ame también a su mujer como a sí mismo; y la mujer respete a su marido*" (Efesios 5:33). Aun en casos de matrimonios arreglados por las familias, las parejas pueden llegar a amarse y respetarse mutuamente.
- *Un compromiso auténtico.* El voto matrimonial incluye el renunciar a toda otra persona. La Biblia dice: "*Por eso, el hombre dejará a su padre y a su madre para unirse a su esposa, y los dos serán como una sola persona*" (Mateo 19:5, DHH). Ser "*una sola persona*" no significa renunciar a la personalidad o a los derechos personales. Por el contrario, es una sana realización de ellos.
- *Una buena comunicación.* Para que exista una auténtica comunicación, debe haber una comprensión de las diferencias emocionales, mentales y físicas entre hombres y mujeres. Debe haber compañerismo. "Prefiero estar con mi esposa o esposo que con cualquier otra persona". Debe haber conversación; no solo la discusión por diferencias que surjan, sino un intercambio significativo en el nivel intelectual y emocional.
- *Tiempo y esfuerzo.* Se le debe dar la oportunidad al amor, para madurar. El clima para esto está fijado en la Palabra de Dios. Cuando las cosas se ponen difíciles, los integrantes de una pareja no "se desenamoran" y listo; se mantienen juntos y resuelven sus problemas. No se consideran mártires de un "mal negocio", sino "*coherederos de la gracia*" (1 Pedro 3:7). "*Cada uno de vosotros ame también a su mujer como a sí mismo; y la mujer respete a su marido*" (Efesios 5:33).

Los problemas y las diferencias se resuelven por medio del perdón: "*Sean bondadosos y compasivos unos con otros, y perdónense mutuamente, así como Dios los perdonó a ustedes en Cristo"* (Efesios 4:32, NVI).

Cliff Barrows, un antiguo miembro del equipo de la Asociación Evangelística Billy Graham, suele dar un mensaje a las parejas creyentes que denomina: "Siete palabras que preservarán a un matrimonio". Estas son:

| Me equivoqué. | Perdóname. |
|---|---|
| Lo lamento. | Te amo. |

Esta misma fórmula funcionará para preservar la propia vida espiritual también. Las parejas necesitan aprender a despejar los problemas apenas aparecen y "hacer borrón y cuenta nueva" cada día. Vea Efesios 4:26.

- *La unidad espiritual.* Comprender la dimensión espiritual del matrimonio tiene profundas implicaciones. Pablo comparó al matrimonio—la unión de un esposo y una esposa—con la relación eterna entre Cristo y la Iglesia (Efesios 5:22–33).

---

*Billy Graham escribe: "¡El matrimonio perfecto es una unión de tres personas: un hombre, una mujer y Dios! Es esto lo que hace que un matrimonio sea santo. La fe en Cristo es el más importante de los principios para la edificación de un matrimonio feliz y un hogar feliz".*

---

# Estrategia para el aconsejamiento

1. Sea positivo y alentador. Escuche atentamente, con comprensión. No juzgue. No tome partido. A veces, *la persona interesada* está en falta.
2. Trate de descubrir las razones para los desacuerdos y los problemas. Haga preguntas, si es necesario. La persona interesada, ¿siente que tiene alguna responsabilidad en alguno de los acontecimientos negativos? Pregunte a la persona interesada cómo calificaría su matrimonio a la luz de la información que aparece en la página anterior. ¿En qué no ha estado a la altura de los requisitos? ¿Qué podría hacerse para mejorar la relación? Con humildad, la persona podría pedir perdón por su falta de sensibilidad, heridas y ofensas. Puede llevar tiempo, pero vale la pena.
3. Pregunte si Dios ha sido parte de su vida y de su matrimonio. Presente **Cómo obtener paz con Dios** (p. 12).
4. ¿Qué pasos debe tomar la persona a partir de aquí? Presente los pasos para el seguimiento:

A. Profundizar en la Biblia, leyendo, estudiando y aplicándola a su vida y matrimonio.

B. Aprender a leer diariamente. Orar el uno por el otro. Orar por áreas problemáticas existentes o potenciales: *"Depositen en él toda ansiedad, porque él cuida de ustedes"* (1 Pedro 5:7, NVI). Las mejores actitudes llevan a una más profunda sensibilidad a las necesidades del esposo o la esposa, lo cual produce mejores relaciones. Este es uno de los valores del estudio bíblico y la oración: nos ayudarán a anticipar los problemas y nos hacen más sensibles espiritualmente.

C. Integrarse con su cónyuge y la familia a una iglesia que enseña la Biblia. La participación activa en una iglesia dinámica puede revolucionar un matrimonio y una familia. Pueden encontrarse recursos espirituales y apoyo en la comunión con creyentes comprometidos, en conjunto con un pastor comprometido.

D. De necesitarse un aconsejamiento adicional—lo que suele ocurrir con matrimonios con problemas—puede encontrarse ayuda contactando a un pastor calificado, un psicólogo cristiano o un consejero matrimonial.

Si la persona que consulta es creyente, anímela a tener un aconsejamiento serio con un servicio de consejería matrimonial o un pastor calificado. Los creyentes mayores en la familia extendida—un tío o un abuelo, por ejemplo—podrían ser eficaces en el aconsejamiento de parejas jóvenes con problemas. A menudo deben hacerse muchas concesiones y ajustes de parte de cada integrante de la pareja, lo que requiere largas sesiones profesionales. Lo importante es que enfrenten la situación honesta y francamente a la luz de la Palabra de Dios. Un buen lugar para comenzar podría ser la aplicación de la fórmula de Cliff Barrows.

# Pasajes bíblicos

*"El hombre debe cumplir su deber conyugal con su esposa, e igualmente la mujer con su esposo. La mujer ya no tiene derecho sobre su propio cuerpo, sino su esposo. Tampoco el hombre tiene derecho sobre su propio cuerpo, sino su esposa"* (1 Corintios 7:3–4, NVI).

*"No hagan nada por egoísmo o vanidad; más bien, con humildad consideren a los demás como superiores a ustedes mismos. Cada uno debe velar no sólo por sus propios intereses sino también por los intereses de los demás. La actitud de ustedes debe ser como la de Cristo Jesús"* (Filipenses 2:3–5, NVI).

*"De igual manera, ustedes esposos, sean comprensivos en su vida conyugal, tratando cada uno a su esposa con respeto, ya que como mujer es más delicada, y*

*ambos son herederos del grato don de la vida. Así nada estorbará las oraciones de ustedes"* (1 Pedro 3:7, NVI).

## *Otros pasajes bíblicos sugeridos:*

Efesios 5:22–33

# LA MAYORDOMÍA

## *(Diezmos, ofrendas)*

El plan de Dios es que los creyentes apoyen la extensión del evangelio a través de diezmos y ofrendas: *"Cada primer día de la semana cada uno de vosotros ponga aparte algo, según haya prosperado"* (1 Corintios 16:2).

La idea de diezmar se retrotrae a la historia bíblica más primitiva. Abraham pagó diezmos a Melquisedec (Hebreos 7:6). La ley de Moisés especificaba que los levitas debían recibir los diezmos de la gente (Hebreos 7:5). Si bien el diezmo es una décima parte de los ingresos de una persona, esto no debería poner límite a cuánto dar para los que tienen los medios y el deseo de dar más.

El Nuevo Testamento enseña que los creyentes deben dar individual, regular, metódica y proporcionalmente para sostener a la iglesia local, a los necesitados, al evangelismo y a las misiones (1 Corintios 16:2).

El dar a partir de un corazón lleno del amor de Dios debe ser una característica del creyente nacido de nuevo: *"Pero esto digo: El que siembra escasamente, también segará escasamente; y el que siembra generosamente, generosamente también segará. Cada uno dé como propuso en su corazón: no con tristeza, ni por necesidad, porque Dios ama al dador alegre. Y poderoso es Dios para hacer que abunde en vosotros toda gracia, a fin de que, teniendo siempre en todas las cosas todo lo suficiente, abundéis para toda buena obra"* (2 Corintios 9:6–8).

Dios promete que al responder a las necesidades de la obra de Dios, nuestras propias necesidades serán suplidas: *"Mi Dios, pues, suplirá todo lo que os falta conforme a sus riquezas en gloria en Cristo Jesús"* (Filipenses 4:19).

---

*Billy Graham comenta: "Hemos encontrado en nuestro hogar, y también lo han descubierto miles de otras personas que, cuando diezmamos, la bendición de Dios sobre las nueve décimas partes ayuda a que rindan más que las diez décimas partes sin su bendición. Cómo uno maneja su dinero es una cuestión opcional. Dios no quiere forzarlo a distribuirlo de una forma u otra. Sin embargo, hay ciertos principios bíblicos en una filosofía de la mayordomía cristiana. Por una parte, Dios es el dueño de todo. Nosotros somos custodios, por así decirlo, de su propiedad. Todo lo que demos es, por definición, suyo de todas formas. Segundo, lo que uno da debe ser impulsado por el amor—y por un compromiso personal con Cristo. Tercero, mientras que la mayordomía cristiana no está basada en recompensas, ciertamente reconoce que no hay mejor inversión en términos del retorno. En Marcos 4, Jesús habló de rindes de treinta, sesenta y cien veces [...] Si el diezmo era apropiado bajo la ley, lo es mucho más en esta era de libertad y gracia [...] Intente dar el diezmo y más—con gozo y aun con soltura—y verá, ¡usted verá!"*

---

# Estrategia para el aconsejamiento

1. Determine si la persona interesada es creyente. Si no lo es, explique que el primer regalo que Dios espera de nosotros somos nosotros mismos. Presente **Cómo obtener paz con Dios** (p. 12). Anímela a identificarse firmemente con Cristo, a sumergirse en la Palabra de Dios, a cultivar el hábito de la oración, y a formar parte de una iglesia que enseña la Biblia para los propósitos de la comunión, el estudio bíblico y las oportunidades para el servicio.

2. Dígale lo siguiente a cualquiera que pida consejos sobre el dar:

   A. Conviértase en un cristiano activo y participante en una iglesia local que enseña la Biblia. El hecho de formar parte de una comunidad de creyentes brindará desafíos, junto con la motivación y perspectiva para el dar.

   B. Ore pidiendo sabiduría al dar y luego investigue para saber a quién está dando. Muchas organizaciones no evangélicas o aun similares a las sectas reciben donaciones regulares de cristianos que carecen de discernimiento espiritual. ¡Sepa antes de dar!

   C. ¿A quién debería dar el cristiano?

      (1) Una parte sustancial de sus diezmos y ofrendas deberían ir a su iglesia local.

      (2) Otra porción debería ser puesta aparte y usada para los pobres o los que tienen necesidades especiales. Esto también podría ser manejado por su iglesia local.

      (3) Hay muchos ministerios en evangelismo, misiones y beneficencia que merecen el apoyo de los cristianos. Provea para algunos de ellos.

# Pasajes bíblicos

*"Honra al SEÑOR con tus riquezas y con los primeros frutos de tus cosechas. Así tus graneros se llenarán a reventar y tus bodegas rebosarán de vino nuevo"* (Proverbios 3:9–10, NVI).

*"Traigan íntegro el diezmo para los fondos del templo, y así habrá alimento en mi casa. Pruébenme en esto dice el Señor Todopoderoso, y vean si no abro las compuertas del cielo y derramo sobre ustedes bendición hasta que sobreabunde"* (Malaquías 3:10, NVI).

*"Por eso, cuando des a los necesitados, no lo anuncies al son de trompeta, como lo hacen los hipócritas en las sinagogas y en las calles para que la gente les rinda homenaje. Les aseguro que ellos ya han recibido toda su recompensa. Más bien, cuando des a los necesitados, que no se entere tu mano izquierda de lo que hace la derecha, para que tu limosna sea en secreto. Así tu Padre, que ve lo que se hace en secreto, te recompensará"* (Mateo 6:2–4, NVI).

*"Den, y se les dará: se les echará en el regazo una medida llena, apretada, sacudida y desbordante. Porque con la medida que midan a otros, se les medirá a ustedes"* (Lucas 6:38, NVI).

*"Así que mi Dios les proveerá de todo lo que necesiten, conforme a las gloriosas riquezas que tiene en Cristo Jesús"* (Filipenses 4:19, NVI).

*"A los ricos de este mundo, mándales que no sean arrogantes ni pongan su esperanza en las riquezas, que son tan inseguras, sino en Dios, que nos provee de todo en abundancia para que lo disfrutemos. Mándales que hagan el bien, que sean ricos en buenas obras, y generosos, dispuestos a compartir lo que tienen. De este modo atesorarán para sí un seguro caudal para el futuro y obtendrán la vida verdadera"* (1 Timoteo 6:17–19, NVI).

## *Otros pasajes bíblicos sugeridos:*

Romanos 12:1

# LA MUERTE

La Biblia contiene cientos de referencias a la muerte. Es un enemigo formidable: *"El último enemigo que será destruido es la muerte"* (1 Corintios 15:26, NVI); pero también es un enemigo vencido: *"'La muerte ha sido devorada por la victoria'"* (1 Corintios 15:54, NVI).

Jesucristo ha cambiado el significado de la muerte, como lo muestra la Biblia. Al morir, el espíritu del cristiano que cree, entra inmediatamente en la presencia del Señor. La muerte física es solo una transición de la vida en la Tierra a la vida en el cielo, con Cristo. La muerte no altera la continuidad de la relación; solo la enriquece.

*"Estar con Cristo es muchísimo mejor"*, dice Pablo (vea Filipenses 1:23); y confirma que la transición a ese nuevo estado es inmediata: *"...pero confiamos, y más quisiéramos estar ausentes del cuerpo, y presentes al Señor"* (2 Corintios 5:8).

La Biblia enseña que, algún día, los "muertos en Cristo" resucitarán y, en ese momento, recibirán nuevos cuerpos. Estos nuevos cuerpos serán espirituales, permanentes y gloriosos: *"Y así como hemos llevado la imagen de aquel hombre terrenal, llevaremos también la imagen del celestial"* (1 Corintios 15:49, NVI). *"Sabemos, sin embargo, que cuando Cristo venga seremos semejantes a él, porque lo veremos tal como él es"* (1 Juan 3:2, NVI; vea también 1 Corintios 15:51–58).

---

*Billy Graham escribe sobre "la resurrección que destruirá totalmente el carácter terminal de la muerte, proveyendo una alternativa para el polvo agobiante y fatídico de la muerte, y abriéndonos el camino a una nueva vida".*

---

Cuando se produzca la segunda venida del Señor Jesús, los muertos que creyeron en Él serán resucitados y se le unirán inmediatamente: *"Los muertos en Cristo resucitarán primero. Luego nosotros los que vivimos, los que hayamos quedado, seremos arrebatados juntamente con ellos en las nubes para recibir al Señor en el aire, y así estaremos siempre con el Señor"* (1 Tesalonicenses 4:16–17).

¡Tenemos esperanza más allá de la tumba! *"Si la esperanza que tenemos en Cristo fuera sólo para esta vida, seríamos los más desdichados de todos los mortales"* (1 Corintios 15:19, NVI).

El reencuentro de los creyentes que estén vivos con aquellos que hayan muerto antes de la venida de nuestro Señor es parte de la *"esperanza bienaventurada"* que los cristianos anhelan (vea Tito 2:13).

El cristiano debería poder confrontar la muerte en forma realista, pero victoriosa. Aunque es inevitable y muchas veces inesperada, la muerte nunca tendría que tomarnos totalmente por sorpresa. La muerte no debería ser jamás "la gran desconocida" que produce miedo y terror; por el contrario, debería ser el momento en que ya no veamos *"por espejo, oscuramente"*, sino *"cara a cara"* (1 Corintios 13:12).

# Estrategia para el aconsejamiento

1. Si la persona es cristiana, tenga en cuenta que el prepararse para la muerte o soportar la pérdida de un ser querido produce cambios y ajustes. Trate de ser considerado y comprensivo: *"Por tanto, alentaos los unos a los otros con estas palabras"* (1 Tesalonicenses 4:18). Mientras recuerda a la persona los pasajes bíblicos presentados en los primeros párrafos, sugiérale que los anote para repasarlos y quizá memorizarlos más tarde, como un apoyo que le brindará fortaleza y aliento. Procure guiar a la persona a un nuevo compromiso y a una nueva devoción a Cristo. Si observa alguna incertidumbre con respecto de su relación con Cristo, repase **Cómo obtener paz con Dios** (p. 12).

2. Si la persona no es cristiana, haga énfasis que, para estar preparada adecuadamente para la muerte, debe tomar la decisión más importante de su vida sobre su relación eterna durante el tiempo que viva aquí, en la Tierra. Invite a la persona a recibir a Jesucristo como Señor y Salvador. Explíquele **Cómo obtener paz con Dios** (p. 12).

3. Anime a la persona a leer y estudiar la Biblia, y cultivar el hábito de la oración.

4. Recomiéndele que participe de una iglesia donde se enseñe la Biblia para tener comunión, adorar a Dios y estudiar la Biblia. Esto también le ayudará a tener constantemente la seguridad de la esperanza eterna que es nuestra, como cristianos.

# Pasajes bíblicos

*"Aunque ande en valle de sombra de muerte, no temeré mal alguno, porque tú estarás conmigo; tu vara y tu cayado me infundirán aliento"* (Salmos 23:4).

*"Le dijo Jesús: Yo soy la resurrección y la vida; el que cree en mí, aunque esté muerto, vivirá"* (Juan 11:25).

*"No se turbe vuestro corazón; creéis en Dios, creed también en mí. En la casa de mi Padre muchas moradas hay; si así no fuera, yo os lo hubiera dicho; voy, pues, a*

*preparar lugar para vosotros. Y si me fuere y os preparare lugar, vendré otra vez, y os tomaré a mí mismo, para que donde yo estoy, vosotros también estéis"* (Juan 14:1–3).

*"Antes bien, como está escrito: Cosas que ojo no vio, ni oído oyó, ni han subido en corazón de hombre, son las que Dios ha preparado para los que le aman. Pero Dios nos las reveló a nosotros por el Espíritu; porque el Espíritu todo lo escudriña, aun lo profundo de Dios"* (1 Corintios 2:9–10).

*"Porque para mí el vivir es Cristo, y el morir es ganancia"* (Filipenses 1:21).

*"En cambio, nosotros somos ciudadanos del cielo, de donde anhelamos recibir al Salvador, el Señor Jesucristo. Él transformará nuestro cuerpo miserable para que sea como su cuerpo glorioso, mediante el poder con que somete a sí mismo todas las cosas"* (Filipenses 3:20–21, NVI).

## *Vea también* El duelo y la aflicción

# LA MUNDANALIDAD

El creyente "mundano" es aquel que está dedicado a, o enfrascado en, intereses del mundo en vez de las cosas relacionadas con Cristo y su reino. La versión Reina-Valera de la Biblia se refiere a la persona mundana como "carnal". En algunas traducciones más recientes usan palabras como "no espiritual", "pecaminosa", "orgullosa" o "del mundo".

El creyente mundano no se preocupa por *"las cosas que pertenecen a la vida y a la piedad"* (2 Pedro 1:3). Más bien, se caracteriza por la indiferencia espiritual, la inestabilidad y la falta de disciplina. Su comportamiento es similar al del viejo hombre, que está *"viciado"* (Efesios 4:22; o *"contaminado"* NVI), y es *"enemigo de Dios"* (Santiago 4:4). Es *"amigo del mundo"* (Santiago 4:4) y amador *"de los deleites más que de Dios"* (2 Timoteo 3:4).

El creyente mundano asume una postura displicente hacia lo que tiene que ver con el reino de Dios. Por lo tanto, cae víctima fácilmente de prácticamente cualquier tentación o enseñanza falsa que aparezca. La persona se identifica "de labios para afuera" con determinada forma de doctrina, pero ignora o pasa por alto sus aspectos fundamentales. *"A éstos evita"*, aconseja Pablo (2 Timoteo 3:5).

El creyente espiritual, en cambio, es el que:

- Busca *"primeramente el reino de Dios y su justicia"* (Mateo 6:33).
- Asume una postura contra el "espíritu de este siglo" a fin de identificarse claramente con la familia de Dios.
- Cuenta con cierta percepción y discernimiento espiritual que surge de la oración y de andar en el Espíritu (Filipenses 1:9–11).
- Busca y experimenta una renovación constante al pie de la cruz (1 Juan 1:9; 2:1).
- Desea ser lleno de *"frutos de justicia que son por medio de Jesucristo, para gloria y alabanza de Dios"* (Filipenses 1:11).
- Sabe que *"el ocuparse del Espíritu es vida y paz"* (Romanos 8:6).

---

*Billy Graham comenta: "La Biblia enseña que debemos vivir en este mundo, pero no debemos participar de los males del mundo. Debemos estar separados del mundo del mal. Cuando enfrento algo del mundo, me pregunto: '¿Viola algún principio de la Biblia? ¿Le quita agudeza a mi vida cristiana? ¿Puedo pedir a Dios su bendición en esto? ¿Será una piedra de tropiezo para otros? ¿Me gustaría estar ahí, leyendo eso, o viendo eso, si Cristo fuera a volver en ese momento?'. La mundanalidad no cae sobre la persona como una avalancha, arrastrándola. Es el goteo persistente del agua que desgasta la piedra. El mundo ejerce una presión constante sobre nosotros cada día. La mayoría de nosotros sucumbiríamos, si no fuera por el Espíritu Santo que vive en nosotros, nos sostiene y nos guarda".*

# Estrategia para el aconsejamiento

1. Si un creyente pregunta cómo ser victorioso sobre el mundo y cómo llegar a ser una persona con mentalidad espiritual, elógielo por su interés en su crecimiento espiritual.

2. A fin de preparar el terreno para nuevas actitudes y metas, anime a la persona a renunciar conscientemente a todo deseo pecaminoso y egoísta; que pida perdón por estos deseos; y que pida a Dios renovación espiritual: *"Escogeos hoy a quién sirváis [...] pero yo y mi casa serviremos a Jehová"* (Josué 24:15).

   Explique la sección sobre restauración, que se encuentra en la página 19, enfatice 1 Juan 1:9 y 2:1. Hable también de Romanos 12:1, y pida a la persona que haga una presentación consciente de su vida ante Dios.

3. Advierta a la persona que esté preparada para las adversidades, las aflicciones, las tentaciones y los fracasos que le ocurren a todo creyente cuando se propone *"conservarse limpio de la corrupción del mundo"* (Santiago 1:27, NVI). Dios no permitirá que las tentaciones nos abrumen (1 Corintios 10:13), y nunca nos dejará ni nos abandonará (Hebreos 13:5; Juan 14:16).

4. Recomiéndele que lea y estudie la Biblia fielmente, y que practique la oración diaria. No hay ningún sustituto para estas cosas si la persona quiere crecer en la gracia y el conocimiento de nuestro Señor Jesucristo. Al practicar estas disciplinas, comienza a desarrollarse un hambre y una sed que nos volverá a llevar, vez tras vez, a su presencia para la confesión, la renovación, el crecimiento y el conocimiento: *"Si alguno tiene sed, venga a mí y beba. El que cree en mí, como dice la Escritura, de su interior correrán ríos de agua viva"* (Juan 7:37–38). Este ciclo habitual de tener sed y acudir a beber se convertirá en una parte indispensable de la vida del creyente.

5. A menudo es necesario cambiar el estilo de vida y el círculo de amigos de la persona, a fin de seguir una vida en el Espíritu sin estorbos. Recomiéndele que busque creyentes dedicados con los cuales tener comunión y edificar nuevos intereses y formas de expresión, a través del servicio en una iglesia orientada por la Biblia:

*"Preocupémonos los unos por los otros, a fin de estimularnos al amor y a las buenas obras. No dejemos de congregarnos, como acostumbran hacerlo algunos, sino animémonos unos a otros, y con mayor razón ahora que vemos que aquel día se acerca"* (Hebreos 10:24–25, NVI).

6. Ore con la persona interesada para que asuma un compromiso auténtico. Ore pidiendo victorias espirituales inmediatas para confirmar ese compromiso.
7. Finalmente, desafíe a la persona a que se fije algunas metas espirituales inmediatas y que trabaje en ellas, monitoreando su progreso de victoria en victoria.

# Pasajes bíblicos

*"Alégrense en la esperanza [...] Vivan en armonía los unos con los otros [...] No se crean los únicos que saben [...] Procuren hacer lo bueno delante de todos [...] En cuanto dependa de ustedes, vivan en paz con todos [...] No te dejes vencer por el mal; al contrario, vence el mal con el bien"* (Romanos 12:12–21, NVI, frases escogidas).

*"Por lo tanto, esforcémonos por promover todo lo que conduzca a la paz y a la mutua edificación [...] Más vale no comer carne ni beber vino, ni hacer nada que haga caer a tu hermano"* (Romanos 14:19, 21, NVI).

*"Así que, mis queridos hermanos, como han obedecido siempre—no sólo en mi presencia sino mucho más ahora en mi ausencia—lleven a cabo su salvación con temor y temblor, pues Dios es quien produce en ustedes tanto el querer como el hacer para que se cumpla su buena voluntad. Háganlo todo sin quejas ni contiendas, para que sean intachables y puros, hijos de Dios sin culpa en medio de una generación torcida y depravada. En ella ustedes brillan como estrellas en el firmamento, manteniendo en alto la palabra de vida"* (Filipenses 2:12–16, NVI).

*"Sin embargo, todo aquello que para mí era ganancia, ahora lo considero pérdida por causa de Cristo. Es más, todo lo considero pérdida por razón del incomparable valor de conocer a Cristo Jesús, mi Señor. Por él lo he perdido todo, y lo tengo por estiércol, a fin de ganar a Cristo y encontrarme unido a él. No quiero mi propia justicia que procede de la ley, sino la que se obtiene mediante la fe en Cristo, la justicia que procede de Dios, basada en la fe. Lo he perdido todo a fin de conocer a Cristo, experimentar el poder que se manifestó en su resurrección, participar en sus sufrimientos y llegar a ser semejante a él en su muerte. Así espero alcanzar la resurrección de entre los muertos"* (Filipenses 3:7–11, NVI).

*"Dios les dio nueva vida, pues los resucitó juntamente con Cristo. Por eso, dediquen toda su vida a hacer lo que a Dios le agrada. Piensen en las cosas del cielo, donde Cristo gobierna a la derecha de Dios. No piensen en las cosas de este*

*mundo [...] Y todo lo que hagan o digan, háganlo como verdaderos seguidores del Señor Jesucristo, y denle gracias a Dios el Padre por lo que Cristo ha hecho por ustedes"* (Colosenses 3:1–2, 17, TLA).

*"No amen al mundo ni nada de lo que hay en él. Si alguien ama al mundo, no tiene el amor del Padre. Porque nada de lo que hay en el mundo—los malos deseos del cuerpo, la codicia de los ojos y la arrogancia de la vida—proviene del Padre sino del mundo. El mundo se acaba con sus malos deseos, pero el que hace la voluntad de Dios permanece para siempre"* (1 Juan 2:15–17, NVI).

# LA NUEVA ERA

El movimiento de la Nueva Era no es una única organización, sino una red de personas reunidas por sus intereses comunes en creencias ocultistas y paganas. Si bien los de la Nueva Era demuestran especial preferencia por las religiones orientales, todas las religiones son aceptadas como iguales, excepto la fe cristiana, que enseña que hay un único camino hacia Dios. Algunos, tal vez, admiren a Jesús, pero mayormente por sus enseñanzas o sus milagros y no por su obra de salvación. Los seguidores de la Nueva Era pueden estar involucrados en la persecución de experiencias como percepción extrasensorial, telepatía, clarividencia, proyección astral, psicoquinesia, canalización, astrología, sanidad parapsicológica, meditación trascendental y yoga.

Para muchos seguidores de la Nueva Era, Dios es una conciencia o fuerza impersonal, una esencia divina que es inseparable de la Tierra y el universo. Por cierto, la mayoría de los seguidores de la Nueva Era se ven a sí mismos como parte de Dios, y buscan estados de conciencia alterados, o la hipnosis, para experimentar más plenamente su propia naturaleza divina.

## *Diversas creencias de la Nueva Era*

- *La verdad*. Las formas de pensar anteriores son obsoletas. Se requieren nuevas formas de pensar para enfrentar y resolver los problemas del mundo de hoy. La verdad es estrictamente subjetiva, intuitiva y relativa. Solo la experiencia es la prueba de las realidades espirituales. No existe tal cosa como la revelación verbal o escrita. Para el seguidor de la Nueva Era, las afirmaciones de la Biblia de que tiene la verdad revelada de Dios, son una barrera para la conciencia espiritual.

Los seguidores de la Nueva Era se ven a sí mismos como personas de mente abierta, tolerantes y progresistas, en tanto los cristianos pueden parecer de mentes estrechas, intolerantes y represivos.

- *La salvación*. El problema humano es la incapacidad de experimentar la verdadera identidad en términos cósmicos. La verdadera identidad puede alcanzarse solo a través de la meditación o la hipnosis, cuando uno experimenta de pronto la divinidad en un estallido de conciencia cósmica.

Para el seguidor de la Nueva Era, el pecado y la muerte son meras ilusiones. En consecuencia, no ve la necesidad de una acción redentora de Dios en Cristo. En este punto, sin embargo, hay una contradicción en el sistema de creencias de la Nueva Era: algunos de la Nueva Era aceptan las doctrinas hindúes del karma y la reencarnación. El karma es la creencia en que todo lo que una persona haga en esta vida, sea bueno o malo, debe retornar a ella en proporciones exactas de bien y de mal. Dado que la mayoría de las personas no pueden "experimentar" todo su karma malo en una vida, se ven obligadas a volver en reencarnaciones repetidas hasta que todo lo malo sea superado por lo bueno. Esta es una admisión de la existencia del mal en la humanidad y de la necesidad de resolverlo.

A través de la reencarnación, el alma sigue renaciendo hasta experimentar la "unidad con Dios". Esto puede requerir varias reencarnaciones. Esto es, por supuesto, incompatible con la enseñanza bíblica en cuanto a que tenemos una sola vida para arreglar las cuentas con Dios (Hebreos 9:27).

- *Los problemas mundiales y las inquietudes sociales.* Muchos seguidores de la Nueva Era parecen tener un auténtico deseo de enfrentar los irritantes y desconcertantes problemas del mundo: desigualdad, pobreza, hambre, crimen, enfermedades, ecología, etc. Algunos encuentran en el movimiento una reacción contra el secularismo que ha dejado un gran vacío espiritual en nuestra cultura.

Los seguidores de la Nueva Era generalmente ven al panteísmo—la creencia de que Dios es uno con su creación—como la forma de "resolver" los problemas del mundo: necesitamos entrar en un estado de "conciencia de Dios" y dar entrada a la "Nueva Era" de la iluminación que traerá prosperidad, paz y armonía a todos.

**Nota**: Al hablar con un seguidor de la Nueva Era, debemos afirmar humildemente que un verdadero cristiano también está interesado en el mundo, y está interesado en ayudar a los necesitados.

## *Cosas a recordar al hablar con un adherente de la Nueva Era*

- Muchos seguidores de la Nueva Era son personas cultas y exitosas que creen que tiene que existir una alternativa al secularismo de nuestros tiempos.
- No ataque con textos bíblicos o condenando las prácticas que están en el corazón de sus creencias. Su meta es testificar positiva, paciente y humildemente de Jesucristo y su evangelio.
- No dé por sentado que el de la Nueva Era entenderá el significado de su vocabulario cristiano. Ilustre y explique los conceptos que use. Asegúrese de saber, también, algo acera de las creencias de *ellos*.

- No intente igualar sus experiencias espirituales con las de ellos, como historias de conversión, sanidades, etc.
- Busque hacer una presentación *objetiva* de la verdad de Dios desde la perspectiva bíblica. Apóyese en la Biblia como la autoridad.
- Sea paciente y manténgase en oración, dependa del Espíritu Santo.

## Estrategia para el aconsejamiento

1. Presente a Dios como una persona. Él no es una esencia, una fuerza ni una energía cósmica:

   A. Él existe: "*Cualquiera que se acerca a Dios tiene que creer que él existe y que recompensa a quienes lo buscan*" (Hebreos 11:6, NVI).

   B. Existe eternamente: "*¿No has sabido, no has oído que el Dios eterno es Jehová, el cual creó los confines de la tierra? No desfallece, ni se fatiga con cansancio, y su entendimiento no hay quien lo alcance*" (Isaías 40:28).

   C. Posee las cualidades de una persona: Ama (Juan 3:16; 1 Juan 4:8), habla (Génesis 28:15; 1 Samuel 3:9), tiene sabiduría y conocimiento (Romanos 11:33), actúa (Deuteronomio 11:7; Salmos 145:4, 6, 12).

2. Presente a Dios como Creador. El seguidor de la Nueva Era tiene un concepto espiritualizado de la evolución, en la que la "conciencia" y no la materia es lo que importa. Exprese claramente su creencia de que:

   A. Un Dios omnisciente, todopoderoso y siempre presente creó el universo (Hechos 17:24).

   B. Él planeó y ejecutó objetivamente su creación como una acción independiente de sí mismo. Dios y el universo *no* son lo mismo (Génesis 1:26–27, 31).

   C. Él sostiene independientemente su creación (Colosenses 1:17).

3. Presente la verdad como una realidad objetiva. Dios se revela a los seres humanos de tres maneras:

   A. Por medio de su creación (Génesis 1:1; Romanos 1:20).

   B. Por medio de la Palabra escrita (Romanos 10:17; 2 Timoteo 3:16; Hebreos 4:12).

   C. Por medio de Jesucristo, su Hijo (Gálatas 4:4; Hebreos 1:1–2).

4. Presente la salvación como un acto de Dios, que intervino en el espacio y el tiempo para redimirnos. Muestre tanto la necesidad humana de salvación como el hecho de que es ofrecida a través de Jesucristo:

   A. El pecado es todo lo que se opone—o no se conforma—al carácter de Dios (Romanos 3:9–18; 2 Timoteo 3:2–5; 1 Juan 1:5–6, 10):

      (1) Nuestra conducta revela el pecado. No vivimos de acuerdo con las normas de Dios (Eclesiastés 7:20; Romanos 3:23).

      (2) Nuestra conciencia revela el pecado (Romanos 1:21–23).

      (3) La Palabra escrita de Dios nos aclara la verdadera naturaleza del pecado (Romanos 1:18–19; 3:20; 1 Timoteo 1:8–10).

   B. Debido al pecado, el juicio y la muerte son inevitables (Hechos 17:31; Romanos 5:18; Hebreos 9:27). El de la Nueva Era podrá decir que el pecado, la muerte y el juicio no existen.

      (1) Si el seguidor de la Nueva Era expresa el concepto que tiene de "lo bueno o lo malo" o "el bien y el mal", pregúntele acerca de la aceptación de la Nueva Era de la doctrina hindú del karma, que intenta equilibrar las obras buenas y malas de la vida de una persona.

      (2) Si no hay pecado, ¿cómo se explica todo el mal en el mundo?

   C. Sería imposible ser un participante de una "Nueva Era" o un "Nuevo Orden Mundial" sin experimentar una "nueva vida". Algo especial debe ocurrir en una persona antes de que esta pueda ofrecer una "Nueva Era" a otros. Solo en el evangelio de Jesucristo podemos encontrar transformación personal, reconciliación con el Dios-Creador del universo y la realización de todas esas nobles metas que no alcanzamos debido a nuestra naturaleza caída (Juan 3:3; 2 Corintios 5:17).

      (1) Jesucristo, el Hijo de Dios, se encarnó, con lo que hizo que Dios fuera *accesible* (Juan 1:14). La accesibilidad también hace que Dios sea *abordable*. Como es abordable, podemos entrar en una nueva relación con Él (Juan 14:6).

      (2) Jesucristo murió en la cruz, con lo cual satisfizo las demandas de justicia de Dios (2 Corintios 5:17; 1 Pedro 3:18) y nos reconcilió con Dios, a pesar de nuestra relación rota con Él (2 Corintios 5:18; Colosenses 1:21).

(3) Para crear esta nueva relación es necesario hacer un compromiso incondicional con Jesucristo (vea Juan 1:12; 5:24; 2 Corintios 5:17).

(4) Al momento de la salvación somos restaurados plenamente a la imagen de Dios, con lo cual satisfacemos uno de los anhelos más profundos de la humanidad:

(a) Fuimos hechos a la imagen de Dios (Génesis 1:26; 5:1).

(b) Perdimos algo de esa imagen a como resultado de la Caída (Génesis 3:1–7; Romanos 3:23; 5:12–14; 1 Corintios 15:22).

(c) Seremos restaurados a la imagen de Dios (Salmos 17:15; 1 Juan 3:1, 2).

(5) El mensaje cristiano es uno de amor hacia Dios y hacia los demás (Mateo 22:37–39; Juan 15:12, 17; 1 Juan 4:7–11). Cristo ha dado el ejemplo de un amor tan desinteresado a través de su muerte en la cruz.

5. Considere la resurrección corporal de Jesucristo como la piedra angular de la fe cristiana. Él resucitó físicamente, *para no morir nunca más*. Ascendió a la presencia de Dios el Padre y es ahora el objeto de nuestra fe:

A. Gracias a la resurrección de Cristo es posible una experiencia objetiva y mensurable de la nueva vida en Él. La fe cristiana está basada en sucesos históricos. Todo lo que pedimos a cualquier persona es que escuche y evalúe los hechos, como lo haría con cualquier evidencia seria. ¡Los registros seculares, así como los hechos bíblicos, respaldan el hecho de que Jesucristo está vivo (Romanos 4:25; 6:7–9, 11; 1 Corintios 15:20)!

B. La muerte y resurrección de Cristo no solo aseguran la redención espiritual eterna, sino también nuestra propia resurrección corporal futura (Juan 14:19; 1 Corintios 15:19; 2 Corintios 4:14). La Biblia no hace ninguna mención de la reencarnación.

6. Presente el reino futuro de Dios como la legítima "nueva era" venidera: Dios está preparando una auténtica nueva era, un mundo perfecto donde la injusticia, el egoísmo, el crimen, la enfermedad, la guerra y otras formas de inhumanidad ya no existirán. Será un reino de paz, amor, igualdad y prosperidad a ser disfrutado por todos los redimidos. Será un reino donde Jesucristo será Rey de reyes y Señor de señores (Daniel 7:27; Mateo 25:34; Juan 14:1–3; 1 Pedro 1:10–11;

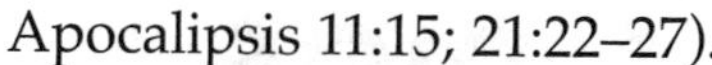
Apocalipsis 11:15; 21:22–27).

7. Presente **Cómo obtener paz con Dios** (p. 12).
8. Use los "Pasos para el seguimiento" según se indica en el artículo **Confirmación de la decisión de recibir a Cristo** (p. 15).

**_Vea también_ Las sectas, Los demonios, El ocultismo _y_ Una comparación de la fe cristiana con las principales religiones y sectas**

# LA OBEDIENCIA A DIOS

Todo cristiano es responsable de determinar la voluntad de Dios para su vida, y luego cumplirla. A menudo nos resulta más fácil hacer cualquier *otra cosa* que sabemos no es la voluntad de Dios. Es fácil desviarse de los fundamentos y reemplazarlos por una actividad frenética. Pero *"el obedecer es mejor que los sacrificios"* (1 Samuel 15:22). Jesús dijo: *"Mi comida es que haga la voluntad del que me envió, y que acabe su obra"* (Juan 4:34).

---

*Billy Graham dice: "Solo mediante una vida de obediencia a la voz del Espíritu, mediante una diaria negación del yo, mediante una plena dedicación a Cristo y mediante una constante comunión con Él podremos vivir una vida piadosa y una vida influyente en este mundo impío actual".*

---

El primer paso hacia una vida de obediencia es consagrarnos, de una vez para siempre, a obedecer a Dios. Josué dijo: *"Pero yo y mi casa serviremos a Jehová"* (Josué 24:15). Este compromiso de una vez para siempre luego nos lleva a presentarnos diariamente ante el Señor: *"Os ruego [...] que presentéis vuestros cuerpos en sacrificio vivo, santo, agradable a Dios, que es vuestro culto racional"* (Romanos 12:1).

Al madurar en Cristo y en el conocimiento de su Palabra, Dios espera de nosotros una obediencia cada vez más profunda. Aun los sufrimientos y las penurias que enfrentamos deberían ser vistos como oportunidades para aprender una mayor obediencia; Jesús *"por lo que padeció aprendió la obediencia"* (Hebreos 5:8). Al entender las exigencias mayores, debemos responder inmediata e irrevocablemente para que Dios pueda revelar niveles aun más profundos de su voluntad para nuestra vida. Él desea que llevemos *"cautivo todo pensamiento a la obediencia a Cristo"* (2 Corintios 10:5).

## Estrategia para el aconsejamiento

1. Una persona que hace preguntas sobre la voluntad de Dios es un cristiano que está madurando, uno que está interesado en un andar más profundo con Dios. Elógiela por su deseo y ofrézcale su seguridad de que Dios quiere llevarla tan lejos como esté dispuesta a obedecer.

2. Tómese tiempo para escuchar sus inquietudes y deseos. Puede ser útil consultar los primeros párrafos de este artículo para alentar y guiar más a la persona.

3. Anime a la persona interesada a arrepentirse de cualquier desobediencia o vacilación. Solo en la medida que confesemos todo pecado conocido podremos aspirar a un compromiso más profundo.

4. Anime la lectura de la Biblia. No hay atajos para la vida de obediencia. Nuestras mentes deben estar siempre dispuestas a buscar la voluntad del Señor. Si seguimos la disciplina progresiva que se revela a lo largo de la Biblia, esto hará que andemos en obediencia a Dios. Debemos tener *"hambre y sed de justicia"* (Mateo 5:6).

5. Ore con la persona interesada; pida que se cumpla su deseo de obedecer la voluntad de Dios.

6. Recomiéndele que cultive la comunión con creyentes de mentalidad espiritual en una iglesia que enseña la Biblia, donde pueda aprender más acerca de la voluntad y los caminos de Dios.

# Pasajes bíblicos

*"He aquí yo pongo hoy delante de vosotros la bendición y la maldición: la bendición, si oyereis los mandamientos de Jehová vuestro Dios, que yo os prescribo hoy, y la maldición, si no oyereis los mandamientos de Jehová vuestro Dios, y os apartareis del camino que yo os ordeno hoy, para ir en pos de dioses ajenos que no habéis conocido"* (Deuteronomio 11:26–28).

*"Más le agrada al Señor que se le obedezca, y no que se le ofrezcan sacrificios y holocaustos; vale más obedecerlo y prestarle atención que ofrecerle sacrificios y grasa de carneros"* (1 Samuel 15:22, DHH).

*"¿Por qué me llamáis, Señor, Señor, y no hacéis lo que yo digo?"* (Lucas 6:46).

*"Si me amáis, guardad mis mandamientos [...] El que tiene mis mandamientos, y los guarda, ése es el que me ama; y el que me ama, será amado por mi Padre, y yo le amaré, y me manifestaré a él"* (Juan 14:15, 21).

*"El que obedece lo que Dios ordena, ese sí sabe amar como Dios ama y puede estar seguro de que es amigo de Dios"* (1 Juan 2:5, TLA).

## *Otros pasajes bíblicos sugeridos:*

1 Pedro 2:13–16

# EL OCULTISMO

El significado básico de la palabra "ocultismo" es "lo oculto o encubierto". La definición específicamente religiosa de la palabra es algo ambigua, y cubre una amplia gama de fenómenos místicos. En general, las siguientes prácticas religiosas se identifican como ocultismo:

*Adivinación*: Atribuirse la capacidad de predecir el futuro mediante la lectura de hojas de té, la palma de la mano, cartas de tarot y cosas similares.

*Astrología*: La creencia de que el futuro puede ser predicho estudiando las posiciones relativas del Sol, la Luna, las estrellas y los planetas. Los horóscopos que se encuentran en los diarios locales y otros medios ofrecen consejos basados en cálculos astrológicos.

*Brujería*: Una bruja o brujo podría definirse como una persona que dice tener la capacidad de contactar y usar poderes del mundo invisible.

*Clarividencia*: La creencia de que ciertas personas poseen poderes "extrasensoriales", es decir, la capacidad de ver lo que no puede percibirse por los cinco sentidos comunes.

*Espiritismo*: La creencia de que las personas pueden hacer contacto con los muertos a través de un médium, a fin de recibir revelaciones del mundo de los espíritus.

## *La Biblia prohíbe participar en el ocultismo*

*"Nadie entre los tuyos deberá sacrificar a su hijo o hija en el fuego; ni practicar adivinación, brujería o hechicería; ni hacer conjuros, servir de médium espiritista o consultar a los muertos. Cualquiera que practique estas costumbres se hará abominable al Señor"* (Deuteronomio 18:10–12, NVI).

*"Y manifiestas son las obras de la carne, que son: adulterio, fornicación, inmundicia, lascivia, idolatría, hechicerías, enemistades, pleitos, celos, iras, contiendas, disensiones, herejías, envidias, homicidios, borracheras, orgías, y cosas semejantes a estas; acerca de las cuales os amonesto, como ya os lo he dicho antes, que los que practican tales cosas no heredarán el reino de Dios"* (Gálatas 5:19–21).

A Dios le desagradó que Saúl buscara la ayuda de una médium: *"Así murió Saúl por su rebelión con que prevaricó contra Jehová, contra la palabra de Jehová, la cual no guardó, y porque consultó a una adivina, y no consultó a Jehová; por esta causa lo mató, y traspasó el reino a David hijo de Isaí"* (1 Crónicas 10:13–14).

Apocalipsis 21:8 condena a los que practican la hechicería. Al pronunciar juicio contra Babilonia en Isaías 47:11–15, el Señor enumera una larga lista de prácticas ocultistas de esa nación.

A partir de la evidencia bíblica disponible, deducimos que todo lo que busca quitar mérito al Dios omnisciente, todopoderoso y todo amante y sus propósitos para la vida humana, debe ser rechazado.

# Estrategia para el aconsejamiento

## *Para la persona que no es creyente:*

1. Elogie a la persona interesada por su evidente deseo de conocer la verdad. La Palabra de Dios tiene una respuesta al ocultismo.
2. Enfatice fuertemente que a Dios le desagrada toda participación en el ocultismo.
3. Invítela a recibir a Jesucristo como Señor y Salvador. Explique **Cómo obtener paz con Dios** (p. 12).
4. Anime a la persona interesada a romper todo vínculo con personas involucradas en el ocultismo y a deshacerse de toda literatura y artículos relacionados con la magia y el ocultismo, incluyendo horóscopos y tablas *ouija*.
5. Anímela a leer y estudiar la Biblia.
6. Anímela a buscar la comunión de creyentes comprometidos en una iglesia que enseña la Biblia para la adoración, el estudio bíblico, la oración y el servicio cristiano. El desarrollo de nuevas relaciones será una gran ayuda para borrar el pasado.
7. Ore; pida una liberación total del interés anterior en prácticas ocultistas y un pleno compromiso con Cristo.

## *Para la persona que es creyente:*

1. Explique que a Dios le desagrada toda participación en el ocultismo.
2. Si la persona interesada está ansiosa por las incertidumbres de la vida, con deseos de saber el futuro, ofrézcale la seguridad de que Dios ha prometido: "*No te desampararé, ni te dejaré*" (Hebreos 13:5). Debemos buscar "*primeramente el reino de Dios y su justicia*", y todas estas cosas nos "*serán añadidas*" (Mateo 6:33). La Biblia nos dice que Dios "*no quitará el bien a los que andan en integridad*" (Salmos 84:11). ¡Podemos descansar en Él (Filipenses 4:6)!

3. Anime al creyente a buscar el perdón de Dios por el pecado de haber participado en el ocultismo. Explique la sección de este manual que trata sobre la restauración (p. 19). Explique también la sección de este manual que trata sobre la seguridad de la salvación (p. 17).

4. Sugiérale orar especialmente sobre su participación en el ocultismo, para nunca más enredarse en eso. Que también se comprometa seriamente con el estudio bíblico; esta es una manera de recuperar las horas perdidas de participación en el ocultismo: "*...aprovechando bien el tiempo, porque los días son malos*" (Efesios 5:16).

5. Anime a la persona interesada a buscar la comunión de creyentes comprometidos y a involucrarse en una iglesia que enseña la Biblia para la adoración, el estudio bíblico, la oración y el testimonio. Al buscar la persona esta nueva identidad, deberá cortar toda relación con amigos involucrados en el ocultismo, y todo libro sobre el ocultismo en su posesión debe ser destruido.

6. Ore con la persona interesada; pida total liberación y restauración con el Señor.

# Pasajes bíblicos

Pablo, al escribir a Timoteo, explica el "espíritu de los tiempos" en el cual vivimos y da consejos sobre la forma de contrarrestarlo:

"*Ahora bien, ten en cuenta que en los últimos días vendrán tiempos difíciles. La gente estará llena de egoísmo y avaricia; serán jactanciosos, arrogantes, blasfemos, desobedientes a los padres, ingratos, impíos, insensibles, implacables, calumniadores, libertinos, despiadados, enemigos de todo lo bueno, traicioneros, impetuosos, vanidosos y más amigos del placer que de Dios. Aparentarán ser piadosos, pero su conducta desmentirá el poder de la piedad. ¡Con esa gente ni te metas! [...] Son personas de mente depravada, reprobadas en la fe [...] Pero tú, permanece firme en lo que has aprendido y de lo cual estás convencido, pues sabes de quiénes lo aprendiste. Desde tu niñez conoces las Sagradas Escrituras, que pueden darte la sabiduría necesaria para la salvación mediante la fe en Cristo Jesús. Toda la Escritura es inspirada por Dios y útil para enseñar, para reprender, para corregir y para instruir en la justicia, a fin de que el siervo de Dios esté enteramente capacitado para toda buena obra*" (2 Timoteo 3:1–5, 8, 14–17, NVI).

# LA ORACIÓN

La oración ocupa un lugar altísima prioridad en la Biblia. Algunos de los pasajes más trascendentes de la Biblia tratan con oraciones que expresan alabanza, adoración, agradecimiento, confesión y súplica. Las vidas de los destacados hombres y mujeres de Dios, tanto en el Antiguo como en el Nuevo Testamento, y a lo largo de toda la historia de la Iglesia, se caracterizaron por mucha oración. Todos los avivamientos registrados en la historia tuvieron sus comienzos con la oración. Todo lo que tiene valor en el reino de Dios se inicia con la oración y depende de ella.

La Biblia revela nuestra ignorancia con respecto a la oración:

> *"Y de igual manera el Espíritu nos ayuda en nuestra debilidad; pues qué hemos de pedir como conviene, no lo sabemos, pero el Espíritu mismo intercede por nosotros con gemidos indecibles"* (Romanos 8:26).
>
> *"Y al orar no repitan ustedes palabras inútiles, como hacen los paganos, que se imaginan que cuanto más hablen más caso les hará Dios"* (Mateo 6:7, DHH).

La Biblia nos invita a—en realidad, nos ordena—orar:

> *"No se aflijan por nada, sino preséntenselo todo a Dios en oración; pídanle, y denle gracias también"* (Filipenses 4:6, DHH).
>
> *"Así que, cuando tengamos alguna necesidad, acerquémonos con confianza al trono de Dios. Él nos ayudará, porque es bueno y nos ama"* (Hebreos 4:16, TLA).
>
> *"Orad sin cesar"* (1 Tesalonicenses 5:17).

La Biblia ofrece muchas pautas para orar:

1. Por medio de promesas individuales (hay cientos de promesas registradas en la Biblia):

   *"Mas tú, cuando ores, entra en tu aposento, y cerrada la puerta, ora a tu Padre que está en secreto; y tu Padre que ve en lo secreto te recompensará en público"* (Mateo 6:6).

   *"Pedid, y recibiréis, para que vuestro gozo sea cumplido"* (Juan 16:24).

   *"Si permanecéis en mí, y mis palabras permanecen en vosotros, pedid todo lo que queréis, y os será hecho"* (Juan 15:7).

   *"Por eso, de sus riquezas maravillosas mi Dios les dará, por medio de Jesucristo, todo lo que les haga falta"* (Filipenses 4:19, TLA).

2. Por medio de las oraciones de Jesús:
    - El Padrenuestro (Mateo 6:6–14; Lucas 11:1–4)
    - Su oración por los suyos (Juan 17)
    - Su oración ante la tumba de Lázaro (Juan 11:41–45)
    - Su oración en ocasión de su transfiguración (Lucas 9:28–36)
    - Su oración en el huerto de Getsemaní (Mateo 26:36–46)
    - Sus oraciones desde la cruz (Mateo 27:46; Lucas 23:34, 46)
3. Por medio de las oraciones de los grandes líderes espirituales de la Biblia:
    - La oración del siervo de Abraham, y la respuesta de Dios (Génesis 24:12–66)
    - La oración de Jacob pidiendo ser librado de Esaú, y la respuesta de Dios (Génesis 32:9–33:16)
    - La oración de Moisés pidiendo la presencia y la gloria de Dios (Éxodo 33:12–23)
    - La oración de desesperación de Josué, y la respuesta de Dios (Josué 7:6–26)
    - La oración y el voto de Ana, y la respuesta de Dios (1 Samuel 1:1–28)
    - La oración de Elías, y la respuesta de Dios (1 Reyes 18:41–46; vea Santiago 5:17–18)
    - La oración de Ezequías, y la respuesta de Dios (2 Reyes 19:14–37)
    - La acción de gracias y la oración de David por su pueblo y por su hijo (1 Crónicas 29:10–19)
    - La oración de Salomón en la dedicación del templo, y la respuesta de Dios (2 Crónicas 6:12–42)
    - La oración de arrepentimiento y confesión de David (Salmo 51)
    - Otras oraciones, acciones de gracias, y alabanzas en el libro de Salmos
    - La oración de Pablo pidiendo conocimiento y sabiduría (Efesios 1:15–23)
    - La oración de Pablo por los creyentes (Efesios 3:14–21)
    - La exhortación de Pablo a Timoteo (1 Timoteo 2:1–8)

*Billy Graham hace énfasis en la oración: "La Biblia dice:* 'Oren en todo momento' *(1 Tesalonicenses 5:17, DHH). Esto significa que siempre debemos estar listos para orar. La oración es como la comunión de un hijo con su padre. Debido a que el creyente es alguien que ha nacido a la familia de Dios, es tan natural orar como para un hijo terrenal pedir a su padre las cosas que necesita. Vivimos en tiempos peligrosos; y, si alguna vez hubo un tiempo en que debíamos orar, es ahora. Porque puede lograrse más por la oración que por ninguna otra cosa, la oración es nuestra mayor arma".*

# Estrategia para el aconsejamiento

Muchas personas piden oración porque tienen inquietudes específicas, pero no saben cómo orar o qué lenguaje usar al acercarse a Dios. Debemos estar dispuestos a ofrecer aliento y orar con ellas por sus pedidos. Asegúreles que está encantado de compartir sus inquietudes, porque Dios las conoce. Él se interesa y ha prometido contestar las oraciones.

1. Una oración que deleita el corazón de Dios es la oración del pecador: *"Dios, sé propicio a mí, pecador"* (Lucas 18:13). No suponga que porque la persona interesada ha pedido oración es creyente. Asegure a la persona que usted está interesado y con gusto llevará su pedido a Dios. Sin embargo, antes de hacerlo, diga que le gustaría preguntarle si alguna vez ha recibido a Jesucristo como Salvador y Señor. Si es apropiado, presente **Cómo obtener paz con Dios** (p. 12) y luego los "Pasos para el seguimiento".

2. Inmediatamente antes de orar por la necesidad expresada, aliente a la persona leyéndole estas dos promesas sobre la oración de la Biblia:

   *"Y todo lo que pidiereis en oración, creyendo, lo recibiréis"* (Mateo 21:22)

   *"Si dos de vosotros se pusieren de acuerdo en la tierra acerca de cualquiera cosa que pidieren, les será hecho por mi Padre que está en los cielos"* (Mateo 18:19) (Sugiera que la persona tome nota de las referencias, para leerlas después.)

3. Ore la ferviente oración de fe, y luego agradezca a Dios por la respuesta.

4. A veces un creyente se quejará porque Dios no parece contestar sus oraciones. Anime a esta persona a seguir orando la oración de fe, con la persistencia de la mujer de Lucas 18:1–5. Además, aconséjele que se asegure que los motivos para la oración sean puros, de acuerdo con Santiago 4:3.

*Billy Graham da algunas sugerencias para los creyentes que tienen oraciones sin contestar:*

"1. *La oración es para los hijos de Dios.*
2. *La oración eficaz se ofrece en fe. La Biblia dice:* 'Por tanto, os digo que todo lo que pidiereis orando, creed que lo recibiréis, y os vendrá' *(Marcos 11:24).*
3. *La oración dinámica emana de un corazón obediente. La Biblia dice que todo lo que pidamos, lo recibiremos de Dios.*
4. *Debemos orar en el nombre de Cristo. Jesús dijo:* 'Y todo lo que pidiereis al Padre en mi nombre, lo haré, para que el Padre sea glorificado en el Hijo' *(Juan 14:13). No somos dignos de acercarnos al trono santo de Dios salvo a través de nuestro abogado, Jesucristo.*
5. *Debemos desear la voluntad de Dios. Aun nuestro Señor, en contra de su propio deseo en ese momento, dijo:* 'Padre mío, si no es posible evitar que yo sufra esta prueba, hágase tu voluntad' *(Mateo 26:42, DHH).*
6. *Nuestra oración debe ser para la gloria de Dios. La oración modelo que Jesús nos dio finaliza así:* 'Tuyo es el reino, y el poder, y la gloria' *(Mateo 6:13). Si queremos que nuestras oraciones sean contestadas, debemos dar a Dios la gloria".*

# Pasajes bíblicos

## *Aliento para orar:*

*"Pero tú, cuando ores, entra en tu cuarto, cierra la puerta y ora a tu Padre en secreto. Y tu Padre, que ve lo que haces en secreto, te dará tu premio. Y al orar no repitan ustedes palabras inútiles, como hacen los paganos, que se imaginan que cuanto más hablen más caso les hará Dios. No sean como ellos, porque su Padre ya sabe lo que ustedes necesitan, antes que se lo pidan"* (Mateo 6:6–8, DHH).

*"Orando en todo tiempo con toda oración y súplica en el Espíritu, y velando en ello con toda perseverancia y súplica por todos los santos"* (Efesios 6:18).

*"Así que acerquémonos confiadamente al trono de la gracia para recibir misericordia y hallar la gracia que nos ayude en el momento que más la necesitemos"* (Hebreos 4:16, NVI).

## *Promesas sobre la oración:*

*"Y todo lo que pidiereis al Padre en mi nombre, lo haré, para que el Padre sea glorificado en el Hijo. Si algo pidiereis en mi nombre, yo lo haré"* (Juan 14:13–14).

*"Si ustedes permanecen unidos a mí, y si permanecen fieles a mis enseñanzas, pidan lo que quieran y se les dará"* (Juan 15:7, DHH).

*"En él, mediante la fe, disfrutamos de libertad y confianza para acercarnos a Dios"* (Efesios 3:12, NVI).

## *Cómo orar:*

*"Ustedes deben orar así: 'Padre nuestro que estás en el cielo, santificado sea tu nombre, venga tu reino, hágase tu voluntad en la tierra como en el cielo. Danos hoy nuestro pan cotidiano. Perdónanos nuestras deudas, como también nosotros hemos perdonado a nuestros deudores. Y no nos dejes caer en tentación, sino líbranos del maligno'"* (Mateo 6:9–13, NVI).

*"Quiero, pues, que en todas partes los hombres levanten las manos al cielo con pureza de corazón, sin enojos ni contiendas"* (1 Timoteo 2:8, NVI).

# LA FALTA DE PACIENCIA

Según la Biblia, nuestras vidas deben caracterizarse por la paciencia, porque es importante para desarrollar el carácter maduro y estable que Dios quiere producir en su pueblo: *"El que ama tiene paciencia en todo, y siempre es amable [...] No se enoja por cualquier cosa"* (1 Corintios 13:4–5, TLA).

La paciencia es la capacidad de absorber la presión y el estrés sin quejarse, de no ser perturbado por los obstáculos, demoras o fracasos. Dios permite que las dificultades, inconveniencias, pruebas y aun el sufrimiento sean parte de nuestra experiencia para un propósito específico: ayudar a desarrollar la actitud correcta para el crecimiento de la paciencia. Cuando el creyente ve que estas pruebas producen resultados beneficiosos que edifican el carácter, está preparado el escenario para el desarrollo de un espíritu paciente. Dios el Espíritu Santo entonces podrá producir el fruto de la paciencia en su vida: *"Mas el fruto del Espíritu es amor, gozo, paz, paciencia..."* (Gálatas 5:22).

---

*Billy Graham comenta sobre la falta de paciencia que caracteriza a nuestra generación: "Este es un tiempo muy nervioso, neurótico e impaciente. Nos apuramos cuando no hay motivo para apurarnos, solo por el hecho de apurarnos. Estos tiempos acelerados han producido más problemas y menos moralidad que las generaciones anteriores, y nos han dado nervios alterados. La impaciencia ha producido una cosecha de hogares destruidos, úlceras, y ha preparado el escenario para más guerras mundiales".*

---

Puede ser de ayuda un poco de introspección y análisis con relación a la impaciencia. ¿Qué es lo que me hace impaciente?

- ¿Soy inmaduro? ¿Soy mezquino? ¿Me manejo con pequeñeces?

  *"Los que sí saben distinguir lo que es bueno y malo, y están acostumbrados a hacerlo, son como la gente adulta que ya puede comer alimentos sólidos"* (Hebreos 5:14, TLA).

- ¿Soy egoísta, legalista o exigente? ¿Puedo pasar por alto los errores y las imperfecciones de los demás, recordando que Dios aún está trabajando también en mí?

  *"Tengan paciencia con todos. No permitan que ninguno tome venganza del que le hace mal. Al contrario, deben esforzarse por hacer el bien entre ustedes mismos y con todos los demás"* (1 Tesalonicenses 5:14–15, TLA).

- ¿Me irrito fácilmente porque alguien "se sale con la suya"?

*"No te impacientes a causa de los malignos"* (Salmos 37:1).

- ¿Soy envidioso o celoso?

  *"Pero ustedes, hermanos, tengan paciencia y no se desesperen [...] No se quejen unos de otros, para que Dios no los castigue"* (Santiago 5:8–9, TLA).

- ¿Soy materialista? ¿Estoy dominado por el espíritu de este mundo?

  *"Si, pues, habéis resucitado con Cristo, buscad las cosas de arriba, donde está Cristo sentado a la diestra de Dios"* (Colosenses 3:1).

- ¿He tratado realmente con la "mentalidad mundana"?

  *"He aprendido a contentarme, cualquiera que sea mi situación"* (Filipenses 4:11).

- ¿Me doy cuenta de que Dios permite que pase por circunstancias adversas, irritaciones y estrés para zarandearme a fin de que, por su gracia, pueda aprender a trascender más allá de mi yo y crecer en amor y estatura espiritual?

  *"Hermanos míos, tened por sumo gozo cuando os halléis en diversas pruebas, sabiendo que la prueba de vuestra fe produce paciencia. Mas tenga la paciencia su obra completa, para que seáis perfectos y cabales, sin que os falte cosa alguna"* (Santiago 1:2–4).

# Estrategia para el aconsejamiento

1. Pregunte a la persona interesada, con mucho tacto, si alguna vez ha recibido a Jesucristo como Señor y Salvador. Explique **Cómo obtener paz con Dios** (p. 12).

2. Anime a la persona impaciente a:

   A. Reconocer que tiene un problema. La impaciencia es un pecado y debe ser tratada como tal.

   B. Identificar las áreas de impaciencia y las circunstancias que detonan esta respuesta negativa.

   C. Orar por estas circunstancias diariamente:

      (1) Confesar que la impaciencia es un pecado y pedir perdón a Dios (1 Juan 1:9).

      (2) Pedir a Dios sensibilidad en esta área de fracaso, y ayuda para ponerla bajo control.

D. Decidirse a trabajar en el problema.

(1) Dado que las personas impacientes parecen estar dominadas por una estructura mental que hace que respondan negativamente a las irritaciones, presiones y provocaciones, la persona interesada debe estar dispuesta a dejar que Dios trabaje en ella para producir paciencia. Debe decidirse a llevar *"cautivo todo pensamiento para que se someta a Cristo"* (2 Corintios 10:5, NVI).

(2) Dado que la impaciencia es una característica de la *"vieja naturaleza"* (Colosenses 3:9–10, especialmente NVI), debe practicarse el principio de "quitarse y ponerse". La impaciencia es una respuesta que debe ser "desaprendida". Pablo dice: *"Pero me doy cuenta de que en los miembros de mi cuerpo hay otra ley [...] Esta ley lucha contra la ley de mi mente, y me tiene cautivo. ¡Soy un pobre miserable! ¿Quién me librará de este cuerpo mortal? ¡Gracias a Dios por medio de Jesucristo nuestro Señor!"* (Romanos 7:23–25, NVI). Por lo tanto:

- Debo renunciar a mi impaciencia ("quitarme").
- Debo entregar un poco más cada día mientras invoco su poder con fe ("quitarme" + "ponerme") (vea Gálatas 2:20; 2 Timoteo 1:7).
- Luego reclamo la victoria, el amor y la paciencia de Dios como fruto del Espíritu ("ponerme") (1 Corintios 13:4–5; Gálatas 5:22).

E. Pedir la ayuda de otro creyente para monitorear sus respuestas pacientes, comparadas con sus respuestas impacientes, registrando tanto las victorias como los fracasos.

F. Desarrollar la disciplina de la lectura y el estudio bíblicos diarios, la memorización de pasajes bíblicos y la oración.

G. Buscar otros creyentes que piensen igual, en una iglesia que enseña la Biblia, para tener comunión y estudio bíblico.

# Pasajes bíblicos

*"Guarda silencio ante Jehová, y espera en él. No te alteres con motivo del que prospera en su camino, por el hombre que hace maldades"* (Salmos 37:7).

*"También nos gloriamos en las tribulaciones, sabiendo que la tribulación produce paciencia; y la paciencia, prueba; y la prueba, esperanza; y la esperanza no*

*avergüenza"* (Romanos 5:3–5).

*"El amor es sufrido, es benigno; el amor no tiene envidia, el amor no es jactancioso, no se envanece; no hace nada indebido, no busca lo suyo, no se irrita, no guarda rencor"* (1 Corintios 13:4–5).

*"Con Cristo estoy juntamente crucificado, y ya no vivo yo, mas vive Cristo en mí; y lo que ahora vivo en la carne, lo vivo en la fe del Hijo de Dios, el cual me amó y se entregó a sí mismo por mí"* (Gálatas 2:20).

*"Mas el fruto del Espíritu es amor, gozo, paz, paciencia, benignidad, bondad, fe, mansedumbre, templanza; contra tales cosas no hay ley"* (Gálatas 5:22–23).

*"Por tanto, hermanos, tengan paciencia hasta la venida del Señor. Miren cómo espera el agricultor a que la tierra dé su precioso fruto y con qué paciencia aguarda las temporadas de lluvia. Así también ustedes, manténganse firmes y aguarden con paciencia la venida del Señor, que ya se acerca. No se quejen unos de otros, hermanos, para que no sean juzgados. ¡El juez ya está a la puerta!"* (Santiago 5:7–9, NVI).

## *Otros pasajes bíblicos sugeridos:*

Colosenses 3:9–10, especialmente DHH

2 Pedro 1:5–9, especialmente NVI

# LA PAZ

En nuestros tiempos agitados, hay un anhelo mundial de paz. El libro Paz con Dios, de Billy Graham, ha vendido millones de ejemplares en muchos idiomas, lo cual indica este anhelo. Solo en la medida que Jesucristo posea nuestro corazón, podremos conocer la verdadera paz. En este artículo trataremos con dos aspectos de la paz.

## *La paz con Dios:*

La paz con Dios nos llega a través del perdón de nuestros pecados por los méritos y el sufrimiento de Jesucristo.

Tener paz con Dios significa reconciliarnos con Él. Ya no somos extraños ni enemigos: "*Y a vosotros también, que erais en otro tiempo extraños y enemigos en vuestra mente, haciendo malas obras, ahora os ha reconciliado en su cuerpo de carne, por medio de la muerte, para presentaros santos y sin mancha e irreprensibles delante de él*" (Colosenses 1:21–22).

"*Y por medio de él reconciliar consigo todas las cosas, así las que están en la tierra como las que están en los cielos, haciendo la paz mediante la sangre de su cruz*" (Colosenses 1:20).

"*Que Dios estaba en Cristo reconciliando consigo al mundo, no tomándoles en cuenta a los hombres sus pecados, y nos encargó a nosotros la palabra de la reconciliación*" (2 Corintios 5:19).

La paz con Dios trae una sensación de bienestar y confianza: "*Que el Dios de la esperanza los llene de toda alegría y paz a ustedes que creen en él, para que rebosen de esperanza por el poder del Espíritu Santo*" (Romanos 15:13, NVI).

La paz con Dios significa un cese de nuestra hostilidad contra Él. Cuando una persona confiesa su orgullo pecaminoso, reconoce la derrota y se somete a Dios, ha finalizado la guerra con Él: "*Justificados, pues, por la fe, tenemos paz para con Dios por medio de nuestro Señor Jesucristo*" (Romanos 5:1).

## *La paz de Dios:*

La paz de Dios es el legado de los creyentes cristianos y viene cuando andamos en obediencia a su voluntad para nuestra vida. Muchos creyentes tienen paz con Dios pero nunca han avanzado al punto de experimentar la paz de Dios en su vida. Están desgarrados por ansiedades y temores que destruyen su estabilidad espiritual y su gozo. La paz es un don de Dios y el legado legítimo de todos los creyentes, pero hay demasiados que no la disfrutan. La paz de Dios fluye de una comunión plena y sin obstáculos con

Aquel que es nuestra paz.

He aquí una sencilla receta bíblica para disfrutar de la paz de Dios:

Según Salmos 37:1–5 debemos:

1. No impacientarnos (versículo 1)
2. Confiar en el Señor (versículo 3)
3. Deleitarnos en el Señor (versículo 4)

Filipenses 4:6–7 nos dice:

1. Que no estemos afanosos por nada (versículo 6)
2. Que oremos por todo (versículo 6)
3. Que estemos agradecidos por todo (versículo 6)
4. Y que así tendremos paz (versículo 7)

## Estrategia para el aconsejamiento

### *Para la persona que no es creyente:*

1. Explique **Cómo obtener paz con Dios** (p. 12).
2. Anime a la persona a identificarse firmemente con Cristo y adentrarse en la Biblia, leyéndola y estudiándola diariamente.
3. Anímela a involucrarse en una iglesia que enseñe la Biblia para tener comunión, adoración, estudio bíblico y oración.
4. Ore con la persona interesada; pida que pueda experimentar generosamente la paz de Dios.

### *Para la persona que es creyente:*

Investigue delicadamente si hay un pecado sin confesar o problemas emocionales. Luego:

1. Anímela a confesar todo pecado conocido, toda ofensa, irritación, enojo o amargura que pueda estar impidiendo que experimente plenamente la paz de Dios.
2. Comparta los conceptos vertidos acerca de la paz de Dios al principio de este artículo.

3. Sugiérale que desarrolle una vida devocional diaria como forma de "deleitarse en el Señor" y experimentar su paz. La persona necesita:

   A. Leer y estudiar la Biblia diariamente.

   B. Orar por todo, confiando en que Dios obrará de acuerdo con Romanos 8:28.

   C. Entregar su vida diariamente en las manos de Dios, en el espíritu de Proverbios 3:5–6.

4. Recomiéndele que se relacione activamente con una iglesia que enseñe la Biblia para tener comunión, adoración, oración, estudio bíblico y oportunidades de servicio.

5. Ore con la persona interesada; pida la paz, la victoria y el gozo de Dios.

# Pasajes bíblicos

"*Apártate del mal, y haz el bien; busca la paz, y síguela*" (Salmos 34:14)

"*Al de carácter firme lo guardarás en perfecta paz, porque en ti confía*" (Isaías 26:3, NVI)

"*La paz os dejo, mi paz os doy; yo no os la doy como el mundo la da. No se turbe vuestro corazón, ni tenga miedo*" (Juan 14:27)

"*Estas cosas os he hablado para que en mí tengáis paz. En el mundo tendréis aflicción; pero confiad, yo he vencido al mundo*" (Juan 16:33)

"*Y preocuparse por seguir las inclinaciones de la naturaleza débil lleva a la muerte; pero preocuparse por las cosas del Espíritu lleva a la vida y a la paz*" (Romanos 8:6, DHH)

# EL PECADO IMPERDONABLE

De vez en cuando alguna persona expresará su preocupación de que pueda haber cometido el "pecado imperdonable". De hecho, esta persona podría ser culpable de un pecado realmente grave, como asesinato, adulterio, incesto, aborto o aun algo no tan serio. A lo largo de un tiempo, tal vez desarrolle una culpa obsesiva, probablemente no muy diferente de la de David, cuando clamó: "*Mi pecado está siempre delante de mí*" (Salmos 51:3). Algunas personas, entonces, asocian esta culpa con la idea de que es imposible que Dios las pueda perdonar por lo que han hecho.

El reconocimiento de la persona interesada de que hay un pecado presente, y que es serio, es una ventaja para quien la ayuda. Con un reconocimiento tan humilde, ¡la batalla por el alma de la persona está prácticamente ganada! Sin embargo, hay algunos conceptos errados que necesitan ser aclarados.

## Estrategia para el aconsejamiento

1. Aliente inmediatamente a la persona, dígale que usted quiere ayudar de la forma que pueda. Señale que, a pesar de lo que pueda pensar, la Biblia sostiene que Dios, en su gracia, puede perdonar cualquier pecado, si se lo pedimos.

2. Defina el pecado imperdonable a la luz de la Biblia:

   Cuando Jesús echó fuera un demonio de un hombre ciego y mudo, las personas se asombraron (Mateo 12:22–23). Sin embargo, los fariseos hablaron en contra de Jesús, y dijeron que había echado fuera el demonio por el poder de Beelzebú, el príncipe de los demonios (versículo 24). Jesús les contestó de la siguiente forma: "*Todo pecado y blasfemia será perdonado a los hombres; mas la blasfemia contra el Espíritu no les será perdonada [...] ni en este siglo ni en el venidero*" (versículos 31 y 32). En este pasaje, el pecado imperdonable es atribuir la obra del Espíritu de Dios al diablo.

   Pregunte a la persona si es culpable de este pecado. Si no lo es, ofrézcale la seguridad de que no ha cometido ningún "pecado imperdonable".

3. Sin embargo, al enfatizar esto, cuídese de no minimizar la seriedad de cualquier pecado que la persona pueda confesar (Gálatas 5:19–21). Si hace una confesión de este tipo, enfatice que "*la sangre de Jesucristo su Hijo nos limpia de todo pecado*" (1 Juan 1:7). Para experimentar la

gracia de Dios en la salvación—que incluye el perdón del pecado—, una persona debe admitir que es una pecadora. Vea el paso 2 de **Cómo obtener paz con Dios** (p. 12).

El paso siguiente es confesar el pecado, como hizo el publicano: *"Dios, sé propicio a mí, pecador"* (Lucas 18:13). Reconocer y confesar el pecado es un requisito previo para todo lo que sigue. A Dios le interesa perdonar el pecado. Él envió a su Hijo *"para que nosotros fuésemos hechos justicia de Dios en él"* (2 Corintios 5:21).

Señale que el único pecado que es verdaderamente "imperdonable" es el de rechazar a Cristo como Salvador.

---

*Billy Graham trata el "pecado imperdonable" de la siguiente forma: "Tal vez pueda intentar una definición de lo que entiendo que es el pecado imperdonable. Me parece, del lado negativo, que nadie cometerá este pecado si se mantiene bajo el poder inquietante, convincente y cautivante del Espíritu Santo. Mientras el Espíritu Santo luche con una persona, esta no ha cometido el pecado imperdonable. Pero cuando una persona ha resistido de tal forma al Espíritu Santo que Él ya no lucha con ella, entonces existe un peligro eterno. En otras palabras, el pecado imperdonable involucra el rechazo total e irrevocable de Jesucristo. Resistir al Espíritu es un pecado cometido por personas que no son creyentes. Pero es un pecado que, cuando se practica el tiempo suficiente, lleva a la condenación eterna. Solo queda el juicio seguro para los que resisten el Espíritu".*

---

4. Presente **Cómo obtener paz con Dios** (p. 12) e inste a la persona a confiar en Cristo sin demora, enfatizando que, si bien su pecado es serio, es perdonable: *"Él es quien perdona todas tus iniquidades"* (Salmos 103:3).

5. Si la persona es creyente, enfatice que un hijo de Dios es incapaz de cometer el "pecado imperdonable". Solo los incrédulos rechazan el Espíritu Santo. Siga el procedimiento indicado anteriormente:

   A. Defina el pecado imperdonable (Mateo 12:22–31). Cuando Jesús echó fuera a los demonios, los fariseos lo llamaron la obra del diablo.

   B. Pregúntele si es culpable del pecado descrito por Jesús, el de blasfemar contra el Espíritu Santo.

   C. Al disipar las dudas de la persona, recuerde no tratar livianamente el pecado que ella piensa que puede ser imperdonable.

   D. Ofrezca la seguridad de que todo pecado, no importa cuán

terrible sea, puede ser perdonado en base al arrepentimiento y la confesión (explique la sección sobre restauración, que se encuentra en la página 19). Enfatice especialmente 1 Juan 1:9. Tal vez no sea fácil convencer a una persona espiritualmente insegura de que sus pecados son perdonables. Sea persistente en reiterar el amor de Dios, que se demostró en el precio que pagó en la cruz para que el pecado pudiera ser perdonado. Si lo confesamos, todo pecado será perdonado.

6. Ore con la persona pidiendo que pueda ver el pecado desde la perspectiva de Dios. Dios odia el pecado, pero ama al pecador. Él perdonará cualquier pecado a través de la persona y la obra de nuestro Señor Jesucristo.

# Pasajes bíblicos

## *El pecado imperdonable:*

*"El que no está de mi parte, está contra mí; y el que conmigo no recoge, esparce. Por eso les digo que a todos se les podrá perdonar todo pecado y toda blasfemia, pero la blasfemia contra el Espíritu no se le perdonará a nadie"* (Mateo 12:30–31, NVI).

## *La seriedad del pecado:*

*"Todo el mundo conoce la conducta de los que obedecen a sus malos deseos: No son fieles en el matrimonio, tienen relaciones sexuales prohibidas, muchos vicios y malos pensamientos. Adoran a dioses falsos, practican la brujería y odian a los demás. Se pelean unos con otros, son celosos y se enojan por todo. Son egoístas, discuten y causan divisiones. Son envidiosos, y hasta matan; se emborrachan, y en sus fiestas hacen locuras y muchas cosas malas. Les advierto, como ya lo había hecho antes, que los que hacen esto no formarán parte del reino de Dios"* (Gálatas 5:19–21, TLA).

## *La disposición de Dios para perdonar cualquier pecado:*

*"Puse mi esperanza en el Señor, y él se inclinó para escuchar mis gritos; me salvó de la fosa mortal, me libró de hundirme en el pantano. Afirmó mis pies sobre una roca; dio firmeza a mis pisadas. Hizo brotar de mis labios un nuevo canto, un canto de alabanza a nuestro Dios. Muchos, al ver esto, se sintieron conmovidos y pusieron su confianza en el Señor. ¡Feliz el hombre que confía en el Señor y no busca a los insolentes ni a los que adoran a dioses falsos! Señor y Dios mío, muchas son las maravillas que tú has hecho y las consideraciones que nos tienes. ¡Nada es comparable a ti! Quisiera anunciarlas, hablar de ellas, pero son más de las que puedo contar"* (Salmos 40:1–5, DHH).

## EL PECADO IMPERDONABLE

*"Él perdona todos tus pecados y sana todas tus dolencias [...] Tan lejos de nosotros echó nuestras transgresiones como lejos del oriente está el occidente"* (Salmos 103:3, 12, NVI).

*"El que encubre sus pecados no prosperará; mas el que los confiesa y se aparta alcanzará misericordia"* (Proverbios 28:13).

*"Si confesamos nuestros pecados, él es fiel y justo para perdonar nuestros pecados, y limpiarnos de toda maldad"* (1 Juan 1:9).

# CÓMO CONTROLAR LOS PENSAMIENTOS

La historia de la humanidad se ha centrado principalmente en una batalla por la mente. Lo que una persona piensa es sumamente importante: "*Más vale dominarse a sí mismo que conquistar ciudades*" (Proverbios 16:32, NVI). Proverbios 23:7 dice que los pensamientos de una persona revelan lo que hay en su corazón.

Palabras o frases relacionadas con la mente, como *mente, pensamientos, entendimiento o corazón* ocurren frecuentemente en la Biblia. Dios quiere controlar nuestra mente. Satanás también.

---

*Billy Graham dice: "Lo que uno cree es importante; el desarrollo de la mente es importante. Debemos crecer intelectualmente en Cristo [...] Jeremías dice:* 'Pondré mi ley en su mente' *(Jeremías 31:33, NVI). Dios dijo a Josué:* 'De día y de noche meditarás en [el libro de la ley de Dios], para que guardes y hagas conforme a todo lo que en él está escrito' *(Josué 1:8). Isaías dijo:* 'Tú guardarás en completa paz a aquel cuyo pensamiento en ti persevera; porque en ti ha confiado' *(Isaías 26:3). ¿Quiere usted entregar su mente a Cristo, al señorío de Cristo? ¿Quiere dedicar su mente a Él?"*

---

La Biblia describe a la mente incrédula como "*enemiga de Dios*" (Romanos 8:7, NVI), cegada a causa del pecado (2 Corintios 4:4) y contaminada moralmente (Marcos 7:20–22). Aun los creyentes deben cuidarse de desarrollar "*un corazón malo de incredulidad*" (Hebreos 3:12).

La Biblia también menciona la mente "carnal" o mundana, que puede caracterizar aun a los creyentes.

## Estrategia para el aconsejamiento

### *Para la persona que no es creyente:*

1. Explique **Cómo obtener paz con Dios** (p. 12).
2. Anime a la persona interesada a leer la Palabra de Dios. De esta forma, comenzará a poner su mente en sujeción a Dios.
3. Anime la oración diaria. El libro de Salmos está lleno del lenguaje de

la oración. Pida a la persona que tome nota de Mateo 6:9–13 y Lucas 11:12–13, donde se registra el Padrenuestro. Estos son buenos ejemplos de oraciones.

4. Recomiéndele que busque una iglesia que enseña la Biblia para la adoración, comunión, el estudio bíblico y oportunidades de servicio.
5. Ore con la persona; pida una mente renovada.

## *Pare el creyente mundano:*

1. Explique la sección sobre restauración, que se encuentra en la página 19.
2. Enfatice la necesidad de controlar la mente, usando estos ejemplos:
   A. El Señor Jesucristo: *"Tengan unos con otros la manera de pensar propia de quien está unido a Cristo Jesús"* (Filipenses 2:5, DHH).
   B. El profeta Isaías: *"Tú guardarás en completa paz a aquel cuyo pensamiento en ti persevera; porque en ti ha confiado"* (Isaías 26:3).
   C. El apóstol Pablo: *"Y no vivan ya como vive todo el mundo. Al contrario, cambien de manera de ser y de pensar. Así podrán saber qué es lo que Dios quiere, es decir, todo lo que es bueno, agradable y perfecto"* (Romanos 12:2, TLA).

   *"Destruimos argumentos y toda altivez que se levanta contra el conocimiento de Dios, y llevamos cautivo todo pensamiento para que se someta a Cristo"* (2 Corintios 10:5, NVI).

# Pasajes bíblicos

*"Feliz el hombre que no sigue el consejo de los malvados, ni va por el camino de los pecadores, ni hace causa común con los que se burlan de Dios, sino que pone su amor en la ley del Señor y en ella medita noche y día"* (Salmos 1:1–2, DHH).

*"Encomienda a Jehová tus obras, y tus pensamientos serán afirmados"* (Proverbios 16:3).

*"Porque mis pensamientos no son vuestros pensamientos, ni vuestros caminos mis caminos, dijo Jehová. Como son más altos los cielos que la tierra, así son mis caminos más altos que vuestros caminos, y mis pensamientos más que vuestros pensamientos"* (Isaías 55:8–9).

*"Por lo demás, hermanos, todo lo que es verdadero, todo lo honesto, todo lo justo, todo lo puro, todo lo amable, todo lo que es de buen nombre; si hay virtud alguna, si algo digno de alabanza, en esto pensad"* (Filipenses 4:8).

*"Ciertamente, la palabra de Dios es viva y poderosa, y más cortante que cualquier espada de dos filos. Penetra hasta lo más profundo del alma y del espíritu, hasta la médula de los huesos, y juzga los pensamientos y las intenciones del corazón"* (Hebreos 4:12, NVI).

# LA PÉRDIDA DEL EMPLEO

Debemos ser sensibles ante el trauma que enfrenta la persona que ha perdido su trabajo y no puede encontrar otro, a quien las cuentas a pagar continúan llegando y que quizá aún deba terminar de pagar su casa. En estas condiciones las personas pierden su autoestima y caen en el desánimo, la frustración y hasta la depresión.

## Estrategia para el aconsejamiento

1. Aliente a la persona al decirle que le complace hablar con ella, que le interesa su situación y que gustosamente dedicará tiempo para hablar sobre su problema.

2. Explíquele que no debe sentirse menos valiosa como persona. No hay razón para perder el respeto por uno mismo o sentirse inútil. Tenga o no trabajo, la persona aún tiene los mismos talentos y dones dados por Dios.

3. Inste a la persona a continuar confiando y no entrar en pánico, porque Dios conoce la situación, la ama y se interesa por ella. Debemos aprender a confiar en Él.

4. Anímela a orar pidiendo que Dios la ayude a sortear esta dificultad económica, provea para las necesidades de su familia y abra una nueva posibilidad de empleo.

5. Sugiérale que hable de su problema con amigos cristianos que también puedan orar, y con un pastor que la apoye y pueda ofrecerle ayuda para buscar empleo.

6. Anímela a no desquitarse con su cónyuge y sus hijos. Ellos apoyarán a la persona desempleada en esta emergencia. Todos están en esta situación juntos, y la crisis puede, de hecho, fortalecer la solidaridad entre la familia. En un caso como este, seguramente les será útil orar como familia.

7. Si de la conversación surge que la persona no conoce a Cristo como su Señor y Salvador, preséntele **Cómo obtener paz con Dios** (p. 12).

8. En muchos lugares la persona puede encontrar grupos de apoyo para desempleados.

# Pasajes bíblicos

*"Joven fui, y he envejecido, y no he visto justo desamparado, ni su descendencia que mendigue pan"* (Salmos 37:25).

*"Por nada estéis afanosos, sino sean conocidas vuestras peticiones delante de Dios en toda oración y ruego, con acción de gracias. Y la paz de Dios, que sobrepasa todo entendimiento, guardará vuestros corazones y vuestros pensamientos en Cristo Jesús"* (Filipenses 4:6–7).

*"Todo lo puedo en Cristo que me fortalece. [...] Mi Dios, pues, suplirá todo lo que os falta conforme a sus riquezas en gloria en Cristo Jesús"* (Filipenses 4:13, 19).

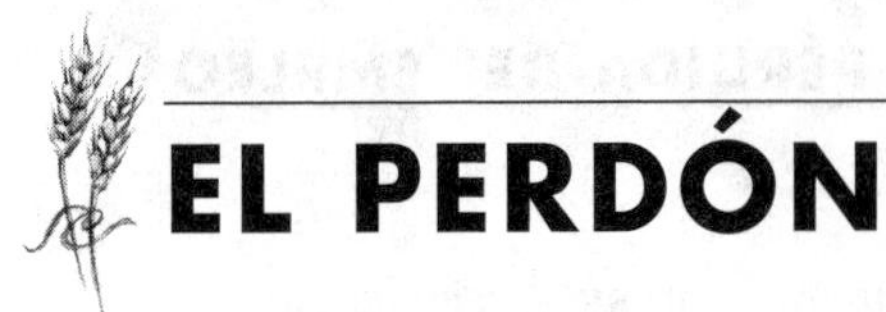

# EL PERDÓN

"Perdón" es una de las palabras más bellas del vocabulario humano. ¡Cuánto dolor y cuántas consecuencias desgraciadas podrían evitarse si todos aprendiéramos el significado de esta palabra! El rey David nos dio a conocer parte de la emoción que experimentó personalmente después de pedirle a Dios: *"Lávame más y más de mi maldad, y límpiame de mi pecado"* (Salmos 51:2).

En otro lugar, dice:

> *"Bienaventurado aquel cuya transgresión ha sido perdonada, y cubierto su pecado. Bienaventurado el hombre a quien Jehová no culpa de iniquidad, y en cuyo espíritu no hay engaño"* (Salmos 32:1–2).

En un solo acto, el perdón nos restablece una relación correcta con el Señor, aunque nuestro pecado quizá siga teniendo consecuencias.

---

*Billy Graham dice: "El perdón de Dios no es una palabra dicha a la ligera; es borrar por completo toda la suciedad y la degradación de nuestro pasado, presente y futuro. La única razón por la que nuestros pecados pueden ser perdonados es que, en la cruz, Jesucristo pagó el castigo total por ellos. Solo cuando nos inclinamos al pie de la cruz con contrición, confesión y arrepentimiento podemos obtener el perdón".*

---

## Los fundamentos del perdón

1. Reconocer lo que somos y lo que hemos hecho—arrepentimiento—: *"Porque yo reconozco mis rebeliones, y mi pecado está siempre delante de mí. Contra ti, contra ti solo he pecado, y he hecho lo malo delante de tus ojos"* (Salmos 51:3–4).

2. Pedir perdón: *"Purifícame con hisopo, y seré limpio; lávame, y seré más blanco que la nieve. [...] Esconde tu rostro de mis pecados, y borra todas mis maldades"* (Salmos 51:7, 9).

## Los resultados del perdón

1. *Reconciliación.* Cuando Dios perdona hay un cambio inmediato y completo en la relación. En lugar de hostilidad, hay amor y aceptación. En lugar de enemistad, hay amistad. Dios siempre está *"reconciliando consigo al mundo, no tomándoles en cuenta a los hombres sus pecados"* (2 Corintios 5:19).

2. *Purificación*. La esencia misma del perdón es ser restaurados a nuestra posición original delante de Dios: "*Purifícame con hisopo, y seré limpio; lávame, y seré más blanco que la nieve*" (Salmos 51:7; vea también Romanos 4:7; 1 Juan 1:9).

   Cuando Dios nos perdona y nos purifica de nuestro pecado, también lo olvida: "'*Yo les perdonaré sus iniquidades, y nunca más me acordaré de sus pecados*'" (Hebreos 8:12, NVI; vea también Salmos 103:12; Isaías 38:17).

3. *Remisión*. El perdón hace que Dios desestime los cargos que había contra nosotros y no nos juzgue por causa de nuestros pecados. Jesús dijo a la mujer sorprendida en el acto de adulterio: "*Ni yo te condeno; vete, y no peques más*" (Juan 8:11; vea también Romanos 8:1).

¡Qué gran privilegio tendrá usted al asegurar a las personas interesadas el gozo del perdón de Dios!

# Estrategia para el aconsejamiento

Consideraremos tres aspectos: el perdón de Dios, el perdonar a quienes nos han hecho daño, y el perdonarnos a nosotros mismos dejando atrás nuestro pasado.

## *Para la persona que no es cristiana:*

1. Dé seguridad a la persona. Dígale que Dios comprende el pecado y sabe cómo manejarlo. Él perdona el pecado, y la persona puede conocer el gozo de ser perdonada.

2. Explique **Cómo obtener paz con Dios** (p. 12). Ponga énfasis en los "resultados del perdón" que señalamos anteriormente en este artículo.

3. Explique la sección sobre la seguridad de la salvación (p. 17).

   NOTA: Si la persona insiste en que no puede ser perdonada, que ha cometido el "pecado imperdonable", pase al artículo que trata ese tema.

4. Anime a la persona a comenzar a leer y estudiar la Biblia. Esto le dará mayor seguridad del perdón (vea 1 Juan 3:19).

5. Recomiéndele que busque la comunión de un grupo de cristianos que crean en la Biblia. Una buena iglesia le dará enseñanza bíblica, oportunidades de adorar a Dios, de servir y de testificar.

6. Anímela a orar y confesar sus pecados diariamente (vea 1 Juan 1:9) como requisito fundamental para ser perdonada y renovada cada día.

7. Ore con la persona para que comprenda plenamente lo que significa un compromiso con Cristo, y las implicaciones que este tiene en su vida diaria.

## *Para el cristiano que está amargado o resentido:*

1. Señale amablemente que tal actitud es pecaminosa. La persona debe poner su propia "casa" en orden y confesar la amargura y el resentimiento a Dios, como pecado.

2. Anime a la persona a perdonar a quienes le han hecho daño o la han ofendido. Es difícil, pero Dios nos ordena que lo hagamos: "*soportándoos unos a otros, y perdonándoos unos a otros si alguno tuviere queja contra otro. De la manera que Cristo os perdonó, así también hacedlo vosotros*" (Colosenses 3:13). Algunas veces, ¡quienes menos merecen el perdón son quienes más lo necesitan! Perdonar como el Señor perdonó significa olvidar. Esto es difícil, y quizá lleve tiempo, pero Dios puede cambiar nuestra actitud. La respuesta de Jesús: "*setenta veces siete*" a la pregunta de Pedro: "*Señor, ¿cuántas veces perdonaré a mi hermano que peque contra mí?*" (vea Mateo 18:21–35) implica que el cristiano debe estar dispuesto a perdonar, y aun debe estar deseoso de hacerlo.

3. Recomiende a la persona que en el espíritu de Colosenses 3:13 trate de restaurar la relación rota. Muy probablemente, esto signifique "*caminar la segunda milla*" (vea Mateo 5:41), lo que quizá sea necesario para poder renovar la relación. Hasta que una de las partes involucradas tome la iniciativa del perdón y la restauración, la relación continuará rota. Debemos intentar reconciliarnos, ya sea que la otra persona responda o no.

## *Para el cristiano que no puede perdonarse a sí mismo:*

1. Pregúntele si realmente se ha arrepentido y ha confesado todo su pecado a Dios. De no ser así, explique lo relativo a la restauración (p. 19) y haga énfasis en 1 Juan 1:9.

2. Si la persona ya ha hecho lo anterior, pero no puede perdonarse a sí misma, explíquele que Dios sí la ha perdonado. Si Dios la ha perdonado (vea 1 Juan 1:9), es equivocado dudar de Dios. Debemos tomarle la palabra a Dios. Hable del testimonio de David en Salmos 32:1–2: "*Bienaventurado aquel cuya transgresión ha sido perdonada, y cubierto su pecado. Bienaventurado el hombre a quien Jehová no culpa de iniquidad, y en cuyo espíritu no hay engaño*".

Quizá el problema se deba, en parte, a una falsa humildad. Anime a la persona, dígale que es un hijo o una hija de Dios, y que Dios ha perdonado y olvidado nuestros pecados.

3. Si la persona verdaderamente se ha arrepentido, comente que debemos vernos a nosotros mismos como Dios nos ve: nuevas criaturas en Cristo Jesús (vea 2 Corintios 5:17). Dios comprende el pecado y sabe tratar con él. El Señor perdonará nuestro pecado si nos arrepentimos y lo confesamos. Debemos practicar la sabiduría de Pablo: *"Olvidando ciertamente lo que queda atrás, y extendiéndome a lo que está delante, prosigo a la meta, al premio del supremo llamamiento de Dios en Cristo Jesús"* (Filipenses 3:13–14).

# Pasajes bíblicos

*"Yo, yo soy el que borro tus rebeliones por amor de mí mismo, y no me acordaré de tus pecados"* (Isaías 43:25).

*"Porque si perdonáis a los hombres sus ofensas, os perdonará también a vosotros vuestro Padre celestial; mas si no perdonáis a los hombres sus ofensas, tampoco vuestro Padre os perdonará vuestras ofensas"* (Mateo 6:14–15).

*"Y Jesús decía: Padre, perdónalos, porque no saben lo que hacen"* (Lucas 23:34).

*"Así que, si el Hijo os libertare, seréis verdaderamente libres"* (Juan 8:36).

## *Otros pasajes bíblicos sugeridos:*

Salmo 51

# LA PORNOGRAFÍA

La pornografía puede describirse como "imágenes visuales, escritura o palabras que se usan con el objetivo de despertar deseos sexuales lujuriosos".

La pornografía es tanto un síntoma como una causa de la inmoralidad y corrupción generalizada en la sociedad moderna. Alcanza a personas de todas las edades a través de películas, libros y revistas, vídeos para uso hogareño y en habitaciones de hoteles, y mensajes telefónicos al alcance de niños al igual que adultos. El tema de estos medios pornográficos incluye toda perversión imaginable: homosexualidad, violación, incesto, sadismo, bestialismo, bisexualidad y explotación sexual infantil.

## El verdadero problema con la pornografía:

### *Es engañosa*

Las vívidas descripciones y las fotografías y películas de mujeres y hombres desnudos son una fantasía. La pornografía desvía intencionalmente al sexo de su intención original; no realza los apetitos o la satisfacción sexuales naturales, sino que, en realidad, desensibiliza al usuario. Suele ser un intento de la persona de sanar heridas causadas por la soledad, el rechazo, el aislamiento y el dolor de no poder estar a la altura de las expectativas.

### *Es corruptora*

La pornografía termina, inevitablemente, en la lujuria, que distorsiona la percepción del individuo de su yo y de su sexualidad. El respeto y la autoestima se desploman mientras crece la culpa. Las relaciones matrimoniales normales suelen disolverse. Para algunos usuarios, la pornografía conduce a un comportamiento sexual desviado y a crímenes sexuales.

### *Lleva a la adicción*

Lo que comienza como una simple incursión en el mundo de la fantasía sexual puede llevar a la obsesión. Como en la droga y el alcohol, el uso prolongado y descontrolado de la pornografía tendrá un efecto degenerativo y progresivo en la mente y la moral del usuario. Las metas de la persona se reducen a la gratificación sexual por cualquier medio. El usuario se vuelve dependiente de materiales cada vez más pervertidos para satisfacer sus demandas mentales y físicas.

## *Causa entorpecimiento espiritual*

La pornografía desensibiliza y corrompe la moral y los valores espirituales; la pornografía y la espiritualidad no pueden coexistir:

*"Porque el deseo de la carne es contra el Espíritu, y el del Espíritu es contra la carne;* ***y éstos se oponen entre sí,*** *para que no hagáis lo que quisiereis"* (Gálatas 5:17—Énfasis agregado).

### *La lujuria nos separa de Dios*

*"Si vivimos pensando en todo lo malo que nuestros cuerpos desean, entonces quedaremos separados de Dios. Pero si pensamos solo en lo que desea el Espíritu Santo, entonces tendremos vida eterna y paz"* (Romanos 8:6, TLA).

*"¿No saben que los malvados no heredarán el reino de Dios? ¡No se dejen engañar! [...] Pero el cuerpo no es para la inmoralidad sexual sino para el Señor, y el Señor para el cuerpo [...] Huyan de la inmoralidad sexual. Todos los demás pecados que una persona comete quedan fuera de su cuerpo; pero el que comete inmoralidades sexuales peca contra su propio cuerpo"* (1 Corintios 6:9, 13, 18, NVI).

### *La lujuria debe evitarse*

*"Por lo tanto, no dejen ustedes que el pecado siga dominando en su cuerpo mortal y que los siga obligando a obedecer los deseos del cuerpo"* (Romanos 6:12, DHH).

*"Huyan de la inmoralidad sexual"* (1 Corintios 6:18, NVI).

### *La lujuria termina en muerte espiritual*

*"Ya no estamos obligados a vivir de acuerdo con nuestros propios deseos. Si ustedes viven de acuerdo a esos deseos, morirán para siempre; pero si por medio del Espíritu Santo ponen fin a esos malos deseos, tendrán vida eterna"* (Romanos 8:12–13, TLA).

*"Luego, cuando el deseo ha concebido, engendra el pecado; y el pecado, una vez que ha sido consumado, da a luz la muerte"* (Santiago 1:15, NVI).

# Estrategia para el aconsejamiento

1. Elogie a la persona por buscar ayuda en cuestiones que están más allá de su control. Exprese su disposición a alentarla y ayudarla en todo lo que pueda.

2. Debido a que la pornografía es un problema principalmente espiritual y moral, la persona interesada debe buscar el perdón de sus pecados y de comportamientos sexuales inmorales:

   A. Si la persona no es creyente, invítela a recibir a Jesucristo como Señor y Salvador. Presente **Cómo obtener paz con Dios** (p. 12).

   Explique que la participación en la lujuria a través de la pornografía suele ser un intento de parte del usuario de solucionar sus problemas de soledad, aislamiento, dolor o culpa. Jesús llevó nuestros pecados y nuestras penas. Debemos echar todas nuestras ansiedades y cuidados sobre Él (1 Pedro 5:7).

   B. La persona puede haber estado sufriendo mucho por la adicción durante años. Asegúrele que cuenta con su comprensión y deseo de alentarla y ayudarla. No nos ponemos a juzgar y sugeriremos, en oración, un procedimiento posible.

3. La persona debe aceptar que existe un problema:

   A. Debe enfrentar la verdad de la adicción a la lujuria a través de la pornografía.

   B. Debe confrontar el problema con la ayuda del Señor; sin negarlo, racionalizarlo ni minimizarlo.

   C. Debe asumir la responsabilidad por actuar inmediatamente. Esto significa dejar de alimentar la adicción:

      (1) Destruir todo material pornográfico.

      (2) Inmediatamente dejar de concurrir a lugares que sean de tentación, como ir a ver películas pornográficas y visitar librerías "para adultos", o lugares de alquiler de vídeos.

      (3) Romper toda relación con otras personas que haya alentado la adicción.

4. Comenzar un esfuerzo serio por construir o reconstruir una vida piadosa. La libertad y la restauración plenas y finales exigirán un compromiso sincero de buscar a Dios:

   *"Como el ciervo brama por las corrientes de las aguas, así clama por ti, oh Dios, el alma mía. Mi alma tiene sed de Dios, del Dios vivo"* (Salmos 42:1–2).

   *"Me buscaréis y me hallaréis, porque me buscaréis de todo vuestro corazón"* (Jeremías 29:13) (Vea también Marcos 9:29; Filipenses 3:7–17).

La piedad puede encontrarse al someternos al señorío de Cristo a través de las disciplinas de:

A. Oración:

(1) Confesar diariamente todo pecado conocido (1 Juan 1:7, 9). Hasta tanto se experimente verdaderamente la liberación de la lujuria y la adicción a la pornografía, debe prestarse una atención especial a la confesión (Salmo 51; Marcos 7:20–22; 1 Juan 1:7, 9).

(2) Renunciar diariamente a la conformidad al mundo en todas sus formas (Romanos 12:2; 6:13–14).

(3) Cultivar una relación íntima con Cristo (Juan 10:10; 15:5–7; Efesios 3:14–19; Filipenses 3:10–14).

(4) Ofrecer diariamente el propio cuerpo como *"sacrificio vivo"* a Dios (Romanos 12:1; 1 Corintios 6:19–20).

(5) Adorar y alabar en oración (Juan 4:23–24; Filipenses 3:3; Apocalipsis 4:8–11).

(6) Dar gracias a Dios (Filipenses 4:6–7; Colosenses 4:2).

(7) Suplicar o pedir (Filipenses 4:6–7; Hebreos 4:12).

B. La Palabra de Dios:

En una batalla para conseguir la renovación y la transformación de la mente, uno debe comprometerse a leer, estudiar y memorizar la Biblia (Romanos 8:7; 12:2; 2 Corintios 10:3–6).

C. Dependencia del Espíritu Santo (Romanos 8:26–27; 1 Corintios 6:19–20).

D. Buscar la comunión con Dios (Filipenses 3:10–14).

5. Establecer vínculos de comunión con creyentes de mentalidad espiritual, que significará:

A. Relacionarse activamente con una iglesia centrada en Cristo y que cree en la Biblia.

B. Destruir puentes o romper vínculos con el pasado; renunciar a todas las relaciones anteriores y cultivar relaciones nuevas.

6. Establecer una red de rendición de cuentas, someterse a un creyente maduro (no siempre un pastor) o a un grupo de creyentes a los cuales la persona puede reportar para que su progreso espiritual

pueda ser monitoreado. Trabajar con una persona o un grupo de este tipo brindará aliento y dirección espiritual.

7. Podría ser aconsejable recomendar que la persona interesada busque la ayuda profesional de un psicólogo o psiquiatra cristiano que aplique principios de aconsejamiento bíblicos. La adicción a la lujuria y a la pornografía podría tener sus raíces en el dolor de una niñez con heridas, o una familia disfuncional. Podría aconsejarse un tratamiento de mayor profundidad a fin de reconstruir la comunicación y las relaciones con un cónyuge o la familia.

# LAS PROFECÍAS

La profecía—la predicción de sucesos futuros—juega un papel clave en la Biblia. Sus páginas registran tanto la entrega de profecías como el cumplimiento de ellas. Muchas profecías dadas en tiempos del Antiguo Testamento fueron cumplidas en tiempos del Nuevo Testamento, en la vida y obra de Cristo. Como dijo alguien: "El Nuevo está en el Antiguo, escondido; el Antiguo está en el Nuevo, revelado".

Los profetas de la Biblia a menudo predijeron sucesos con precisión, décadas o aun siglos antes de que ocurrieran. Gran parte de las profecías de la Biblia ya se han cumplido. Otras profecías se están cumpliendo aún en nuestros días.

Pedro declara que los profetas de la Biblia estuvieron inspirados divinamente: "*Tenemos también la palabra profética más segura, a la cual hacéis bien en estar atentos como a una antorcha que alumbra en lugar oscuro, hasta que el día esclarezca y el lucero de la mañana salga en vuestros corazones; entendiendo primero esto, que ninguna profecía de la Escritura es de interpretación privada, porque nunca la profecía fue traída por voluntad humana, sino que los santos hombres de Dios hablaron siendo inspirados por el Espíritu Santo*" (2 Pedro 1:19–21).

Los profetas predicen sucesos futuros. La Biblia también describe como profetas a los que "anuncian", o declaran osadamente, la voluntad de Dios para su pueblo. Natán, el profeta, confrontó a David con su pecado (2 Samuel 12). Los profetas, junto con los evangelistas y pastores, cumplen una función en la edificación de la Iglesia (Efesios 4:11).

## *Profecías cumplidas*

La evidencia más convincente de la profecía cumplida está relacionada con la persona y la obra de Jesucristo, según lo registran los cuatro Evangelios. La falta de espacio impide que indiquemos todas estas profecías. Sin embargo, las que siguen constituyen una evidencia poderosa:

- Cristo descendería de la familia del rey David (Salmos 89:3–4; Isaías 9:6–7; 11:1; vea Marcos 12:36; Juan 7:42).
- Nacería de una virgen (Isaías 7:14; vea Mateo 1:23).
- Nacería en Belén (Miqueas 5:2; vea Juan 7:42).
- Haría una entrada triunfal en Jerusalén (Zacarías 9:9; vea Mateo 21:5).
- Los soldados echarían suertes por su ropa (Salmos 22:18; vea

Mateo 27:35).

- Sus últimas palabras antes de morir fueron predichas (Salmos 22:1; vea Mateo 27:46).
- Moriría junto a criminales (Isaías 53:9, 12; vea Lucas 22:37).
- Su muerte sería para la salvación de la humanidad (Isaías 53:6; vea 1 Corintios 15:3).
- Resucitaría de los muertos el tercer día (Salmos 16:10). Jesús confirmó la resurrección al referirse a las Escrituras del pasado (Lucas 24:46); Pedro la confirmó citando la profecía de David (Hechos 2:25–32).

## *Profecías que faltan cumplirse*

Las profecías que faltan cumplirse se relacionan, en su mayor parte, con la venida de Jesucristo. El escritor de Hebreos dice: "*Esta confianza nos da plena seguridad; es como el ancla de un barco, que lo mantiene firme y quieto en el mismo lugar. Y esta confianza nos la da Jesucristo, que traspasó la cortina del templo de Dios en el cielo y entró al lugar más sagrado*" (Hebreos 6:19, TLA).

---

*Billy Graham escribe: "La importancia de la esperanza de la venida de Cristo se establece por la frecuencia, la extensión y la intensidad de sus menciones en la Biblia. Se menciona en todos los libros menos cuatro del Nuevo Testamento. Cristo hacía referencia constantemente a su retorno, no solo a sus discípulos sino a los demás también. Dijo al sumo sacerdote:* 'Desde ahora veréis al Hijo del Hombre sentado a la diestra del poder de Dios, y viniendo en las nubes del cielo' *(Mateo 26:64).*

*"Uno de cada treinta versículos de la Biblia menciona este tema. Hay 318 referencias sobre esto en los 216 capítulos del Nuevo Testamento. Una veinteava parte de todo el Nuevo Testamento trata con este tema. Su venida fue predicha por la mayoría de los escritores del Antiguo Testamento: por Moisés (Deuteronomio 33:2), por Job (Job 19:25), por David (Salmos 102:16), por Isaías (Isaías 59:20), por Jeremías (Jeremías 23:5), por Daniel (Daniel 7:13–14), por Zacarías (Zacarías 14:4) y por muchos otros".*

---

Hay diferentes puntos de vista con relación a las profecías futuras. Sin embargo, creemos que el punto de vista "premilenialista" ofrece la explicación más integral de los sucesos venideros. Según este punto de vista:

1. La venida de Cristo es inminente: podría ocurrir en cualquier momento (Mateo 24:42–44; 1 Corintios 15:52; Apocalipsis 22:12).
2. La primera etapa de su venida se conoce como el "rapto": "*¿Acaso no creemos que Jesús murió y resucitó? Así también Dios resucitará con Jesús*

*a los que han muerto en unión con él [...] El Señor mismo descenderá del cielo con voz de mando, con voz de arcángel y con trompeta de Dios, y los muertos en Cristo resucitarán primero. Luego los que estemos vivos, los que hayamos quedado, seremos arrebatados junto con ellos en las nubes para encontrarnos con el Señor en el aire. Y así estaremos con el Señor para siempre"* (1 Tesalonicenses 4:14, 16–17, NVI; vea también Tito 2:13). Esta es la primera resurrección (1 Corintios 15:52–57; 2 Corintios 5:4; 1 Juan 3:2).

3. A continuación, viene el tribunal de Cristo, para los creyentes (2 Corintios 5:10). Los creyentes serán juzgados por su fidelidad en la vida y el servicio (1 Corintios 3:11–15; 4:1–5). Pero no serán juzgados por sus pecados, porque estos fueron solucionados en el Calvario (2 Corintios 5:21).
4. Sigue el período de la Gran Tribulación (Daniel 12:1; Mateo 24:21, 29; Apocalipsis 7:14); y *"el hombre de pecado"* (el Anticristo) se manifestará (2 Tesalonicenses 2:3–4, 8; Apocalipsis 13:1–10).
5. Cristo vuelve (segunda etapa) como Rey de reyes y Señor de señores (Apocalipsis 19:11–16). Se libra la decisiva batalla de Armagedón (Joel 3:12; Apocalipsis 16:16; 19:17–21).
6. Sigue el milenio (el reino de mil años de Cristo) (Apocalipsis 20:4–6).
7. Una segunda resurrección reunirá a todos los que han rechazado a Cristo a lo largo de los tiempos. Serán juzgados *"por las cosas que estaban escritas en los libros, según sus obras"* (Apocalipsis 20:12), en el juicio del Gran Trono Blanco, *"y el que no se halló inscrito en el libro de la vida fue lanzado al lago de fuego"* (Apocalipsis 20:15).
8. Finalmente, los que han sido redimidos por la fe en Cristo comenzarán su vida eterna en "un cielo nuevo y una tierra nueva" (Apocalipsis 21–22).

# Estrategia para el aconsejamiento

## *Para la persona que tiene temor de los sucesos futuros:*

La única forma de estar confiado y seguro con relación al futuro es entregarnos a Aquel que tiene el futuro en sus manos: *"Tenemos como firme y segura ancla del alma una esperanza"* (Hebreos 6:19). Explique **Cómo obtener paz con Dios** (p. 12).

## *Para el creyente que no está seguro de la venida de Cristo:*

1. Asegure al creyente que podemos recibir luz y estar seguros tanto del presente como del futuro. Pablo dice: "*Tampoco queremos, hermanos, que ignoréis acerca de los que duermen, para que no os entristezcáis como los otros que no tienen esperanza*" (1 Tesalonicenses 4:13).
2. Explique la sección sobre la seguridad, que se encuentra en la página 17, haciendo énfasis también en 1 Juan 5:13.
3. Anime a la persona interesada a dedicarse a leer y estudiar la Biblia e involucrarse en una iglesia que enseña la Biblia, donde pueda aprender a "usar bien la palabra de verdad" (vea 2 Timoteo 2:15). Sugiérale que compre buenos libros sobre la vida y el testimonio cristianos, así como estudios bíblicos sobre la profecía.

## *Para el creyente preocupado por su condición ante Dios:*

1. Haga preguntas con relación al momento en que se apartó.
2. Invite a la persona interesada a volver al Calvario para confesar y recibir perdón, sobre la base de 1 Juan 1:9 y 2:1. Explique la sección sobre la restauración, que se encuentra en la página 19.
3. Anímela a identificarse firmemente con el Señor:
   - A involucrarse en la lectura y el estudio de la Biblia
   - A buscar la comunión en una iglesia que enseña la Biblia
   - A testificar activamente, tanto por palabra como por acción

   El dar estos pasos debería brindar al creyente inseguro una mayor seguridad en Cristo y una mejor comprensión de la voluntad de Dios para su vida.

# Pasajes bíblicos

## *La primera etapa de su venida, el rapto:*

*"Hermanos, no queremos que ignoren lo que va a pasar con los que ya han muerto, para que no se entristezcan como esos otros que no tienen esperanza. ¿Acaso no creemos que Jesús murió y resucitó? Así también Dios resucitará con Jesús a los que han muerto en unión con él. Conforme a lo dicho por el Señor, afirmamos que nosotros, los que estemos vivos y hayamos quedado hasta la venida del Señor, de*

*ninguna manera nos adelantaremos a los que hayan muerto. El Señor mismo descenderá del cielo con voz de mando, con voz de arcángel y con trompeta de Dios, y los muertos en Cristo resucitarán primero. Luego los que estemos vivos, los que hayamos quedado, seremos arrebatados junto con ellos en las nubes para encontrarnos con el Señor en el aire. Y así estaremos con el Señor para siempre. Por lo tanto, anímense unos a otros con estas palabras"* (1 Tesalonicenses 4:13–18, NVI).

*"Amados, ahora somos hijos de Dios, y aún no se ha manifestado lo que hemos de ser; pero sabemos que cuando él se manifieste, seremos semejantes a él, porque le veremos tal como él es. Y todo aquel que tiene esta esperanza en él, se purifica a sí mismo, así como él es puro"* (1 Juan 3:2–3).

## *La segunda etapa de su venida, el día del Señor:*

*"Miraba yo en la visión de la noche, y he aquí con las nubes del cielo venía uno como un hijo de hombre, que vino hasta el Anciano de días, y le hicieron acercarse delante de él. Y le fue dado dominio, gloria y reino, para que todos los pueblos, naciones y lenguas le sirvieran; su dominio es dominio eterno, que nunca pasará, y su reino uno que no será destruido"* (Daniel 7:13–14).

*"Pero el día del Señor vendrá como ladrón en la noche; en el cual los cielos pasarán con grande estruendo, y los elementos ardiendo serán deshechos, y la tierra y las obras que en ella hay serán quemadas [...] Pero nosotros esperamos, según sus promesas, cielos nuevos y tierra nueva, en los cuales mora la justicia"* (2 Pedro 3:10, 13).

## *La actitud del creyente a la luz de su venida:*

*"Porque el que se avergonzare de mí y de mis palabras en esta generación adúltera y pecadora, el Hijo del Hombre se avergonzará también de él, cuando venga en la gloria de su Padre con los santos ángeles"* (Marcos 8:38).

*"Predica la Palabra; persiste en hacerlo, sea o no sea oportuno; corrige, reprende y anima con mucha paciencia, sin dejar de enseñar. Porque llegará el tiempo en que no van a tolerar la sana doctrina, sino que, llevados de sus propios deseos, se rodearán de maestros que les digan las novelerías que quieren oír. Dejarán de escuchar la verdad y se volverán a los mitos. Tú, por el contrario, sé prudente en todas las circunstancias, soporta los sufrimientos, dedícate a la evangelización; cumple con los deberes de tu ministerio"* (2 Timoteo 4:2–5, NVI).

*"El oro, aunque perecedero, se acrisola al fuego. Así también la fe de ustedes, que vale mucho más que el oro, al ser acrisolada por las pruebas demostrará que es digna de aprobación, gloria y honor cuando Jesucristo se revele [...] Por eso, dispónganse para actuar con inteligencia; tengan dominio propio; pongan su esperanza completamente en la gracia que se les dará cuando se revele Jesucristo"* (1 Pedro 1:7, 13, NVI).

*"Ya se acerca el fin de todas las cosas. Así que, para orar bien, manténganse sobrios y con la mente despejada. Sobre todo, ámense los unos a los otros profundamente, porque el amor cubre multitud de pecados. Practiquen la hospitalidad entre ustedes sin quejarse. Cada uno ponga al servicio de los demás el don que haya recibido, administrando fielmente la gracia de Dios en sus diversas formas"* (1 Pedro 4:7–8, NVI).

# LA PROSPERIDAD DE LOS IMPÍOS

Hace más de tres mil años, un humilde pero envidioso sacerdote-cantor de Israel entró en el santuario de Dios, muy afligido por la aparente prosperidad, falta de preocupación, arrogancia, indiferencia y poder de sus vecinos injustos. "*¿Para qué me preocupo siquiera en buscar la justicia?*—se preguntó Asaf—. *¿Para qué me preocupo en mantener mi corazón puro? ¡No parece que valga la pena, cuando ellos prosperan y yo no!*" (vea Salmo 73).

En respuesta a estas preguntas, el Señor mostró a Asaf que las apariencias engañan, y que Dios verdaderamente reservaba lo mejor para los que le son fieles. Los malvados prósperos tienen sus recompensas, tal como son, durante su vida; pero perecerán en su infidelidad.

Algunos creyentes pueden estar perturbados al observar la aparente prosperidad y éxito de los incrédulos, mientras ellos mismos enfrentan todo tipo de adversidades.

## Estrategia para el aconsejamiento

Luego de escuchar pacientemente a la persona interesada, asegúrele de su interés y preocupación. Esta es un área que aflige a muchos del pueblo de Dios. Dígale que está dispuesto a explicar lo que pueda y que espera que le sea de aliento. Haga las siguientes consideraciones:

1. La prosperidad no indica, necesariamente, la bendición de Dios. La riqueza, en muchos casos, ha sido mal habida y amasada a costa de otros. Hay, sin embargo, muchos cristianos ricos que están totalmente consagrados a Cristo y atribuyen su riqueza a la bendición de Dios. Estos apoyan gozosamente la obra del Señor como fieles mayordomos.

2. La persona interesada no tiene que rendir cuentas ante Dios por los excesos de los ricos, así que no debe asumir esa responsabilidad. Dios es el juez final, en su propio tiempo y de su propia forma.

3. Anímela a evitar tener envida o estar amargada, y no codiciar lo que tiene otro. No debe sumergirse en la autocompasión. Estos pensamientos son desagradables para Dios, y destruirán la vida espiritual de la persona. Recuerde que la mayoría de los creyentes del mundo son pobres; si la persona interesada es pobre, ¡está en buena compañía! "*¿No ha elegido Dios a los pobres de este mundo, para*

*que sean ricos en fe?"* (Santiago 2:5).

4. La persona interesada debe ser objetiva al evaluar a los ricos. ¿Por qué tienen tanto? ¿Tienen una mejor educación o capacidades especiales que ella no tiene? ¿Han aprovechado mejor sus oportunidades? ¿Heredaron su riqueza? Anímela a no tener una actitud de juicio.
5. Recomiéndele que renueve sus votos de fidelidad a Dios, proponiéndose amarlo y servirlo, no importa cuál sea el costo. Job dijo: *"He aquí, aunque él me matare, en él esperaré"* (Job 13:15). Debemos buscar ser ricos en la fe; es la fe, y no la riqueza, lo que agrada a Dios (Hebreos 11:6).
6. Anímela a orar por las necesidades materiales y a aprender a confiar en que Dios las suplirá. Pablo dijo: *"Sé vivir humildemente, y sé tener abundancia; en todo y por todo estoy enseñado, así para estar saciado como para tener hambre, así para tener abundancia como para padecer necesidad. Todo lo puedo en Cristo que me fortalece"* (Filipenses 4:12–13).
7. Anímela a mantenerse fiel en la ofrenda de recursos financieros. Esto la mantendrá en sintonía con los propósitos eternos de Dios, y dará testimonio de un corazón entregado.

# Pasajes bíblicos

*"Las riquezas y la gloria proceden de ti, y tú dominas sobre todo; en tu mano está la fuerza y el poder, y en tu mano el hacer grande y el dar poder a todos"* (1 Crónicas 29:12).

*"Porque ¿qué aprovechará al hombre si ganare todo el mundo, y perdiere su alma?"* (Marcos 8:36).

*"[Jesús] miró entonces a los que estaban allí y les dijo: '¡No vivan siempre deseando tener más y más! No por ser dueños de muchas cosas se vive una vida larga y feliz'"* (Lucas 12:15, TLA).

*"Pero Dios le dijo: Necio, esta noche vienen a pedirte tu alma; y lo que has provisto, ¿de quién será? Así es el que hace para sí tesoro, y no es rico para con Dios... Mas buscad el reino de Dios, y todas estas cosas os serán añadidas [...] Porque donde está vuestro tesoro, allí estará también vuestro corazón"* (Lucas 12:20–21, 31, 34).

## *Otros pasajes bíblicos sugeridos:*

Josué 1:8, especialmente DHH

# LA RECONSAGRACIÓN

El creyente que está ayudando tal vez tenga el privilegio de orar con otro creyente que desea reconsagrar su vida a Cristo. Esta reconsagración suele ser buscada por alguien que ya ha recibido a Cristo como Salvador y Señor, pero quiere experimentar una dimensión de vida más profunda con Él.

El deseo de reconsagrar la vida de una persona puede estar basado en una de varias motivaciones:

- Una falta de realización, que tal vez pueda describirse con la sensación de que "debe haber algo más en la vida cristiana que lo que he experimentado hasta ahora".
- Una búsqueda de libertad del pecado y de la culpa, debido a un descuido en el arrepentimiento y la confesión diarios.
- Un deseo de conocer mejor la voluntad de Dios para la propia vida.

## Estrategia para el aconsejamiento

1. Permita que la persona interesada exprese plenamente su motivo al buscar la reconsagración. Si usted ha experimentado personalmente la voluntad y los caminos de Dios, podrá hacer las preguntas pertinentes, que la ayudarán a centrarse en la verdadera cuestión.
2. ¡Elogie a la persona interesada! Nuestro deseo de entregarnos completamente a Dios le agrada y es recompensado por Él (Hebreos 11:6; Santiago 4:7–8).
3. Si es apropiado, anime a la persona interesada a confesar todo pecado conocido y que confíe en Dios para ser limpiada (Hebreos 9:14; 1 Juan 1:9).
4. Anímela a entregarse completamente a Dios en un acto de obediencia total; cite Romanos 12:1–2 y Efesios 5:15.
5. Anímela a buscar la plenitud del Espíritu Santo; cite Efesios 5:18 y 3:16–19.
6. Enfatice la importancia de leer la Biblia diariamente, estudiar y memorizar pasajes bíblicos de una forma planificada y disciplinada (Salmos 119:9, 11 y Colosenses 3:16).
7. Señale que debe hacer de la oración un ejercicio diario (1 Tesalonicenses 5:17; Efesios 6:18–19).

8. Recomiéndele que sea un testigo de Cristo en forma diaria:

   A. En acciones (Efesios 2:10).

   B. Con palabras (Romanos 1:16; Filipenses 2:16).

9. Pídale que ore, asumiendo un compromiso a la luz de lo anterior. Luego ore con la persona interesada para que su vida pueda convertirse en un andar diario con Cristo, lo que resultará en oportunidades para el servicio.

## Pasajes bíblicos

Josué 24:15

1 Samuel 15:22

Salmos 43:4

Salmos 107:8–9

Mateo 6:33

Mateo 22:37–38

2 Corintios 10:5

Filipenses 1:6, 9–11

1 Tesalonicenses 5:23–24

1 Pedro 2:11–12

# LA SALVACIÓN DE LOS NIÑOS

Cuando los niños aprenden acerca de Jesús, su vida, su muerte y su resurrección, también aprenden a responder al amor de Dios. Su salvación es algo deseable, porque Jesús dijo: *"Dejen que los niños vengan a mí, y no se lo impidan, porque el reino de Dios es de quienes son como ellos"* (Marcos 10:14, NVI). En otra oportunidad, dijo: *"Les aseguro que a menos que ustedes cambien y se vuelvan como niños, no entrarán en el reino de los cielos"* (Mateo 18:3, NVI). Un niño está listo para entregarse a Cristo tan pronto entiende el significado del pecado y que Jesús es quien salva del pecado.

## Estrategia para el aconsejamiento

Usted puede explicar al niño, de la forma más sencilla posible, el camino de la salvación. Use la Biblia, pero asegúrese de que el niño entienda la importancia de cada pasaje en el desarrollo del plan de Dios. Si siente que el niño entiende, guíelo en una oración donde le pida a Jesús que lo perdone y que entre en su corazón como Salvador. El siguiente bosquejo podría ser útil al explicarle el evangelio:

1. ¿Cuál es el plan de Dios para ti? (*Paz y vida.*)

   Este es el mundo de Dios. Él lo hizo. Él te hizo a ti. Él quiere que tengas paz y felicidad. En el primer capítulo de la Biblia dice: *"Dios miró todo lo que había hecho, y consideró que era muy bueno"* (Génesis 1:31, NVI). Pero, cuando leemos sobre todos los problemas que hay en el mundo—la infelicidad, la maldad—nos damos cuenta de que algo está mal en el mundo de Dios.

2. ¿Por qué no podemos vivir de acuerdo con el plan de Dios? (*El pecado.*)

   En vez de vivir nuestra vida para agradar a Dios, hemos estado agradándonos a nosotros mismos: *"Todos andábamos perdidos, como ovejas; cada uno seguía su propio camino"* (Isaías 53:6, NVI). Esto es lo que la Biblia llama "pecado". El pecado es insistir en seguir nuestro propio camino egoísta en vez de seguir el camino de Dios. La Biblia dice: *"Todos hemos pecado, y por eso estamos lejos de Dios"* (Romanos 3:23, TLA).

3. ¿Cómo soluciona Dios este problema de nuestro pecado? (*La cruz de Jesús.*)

Cuando el Hijo de Dios, Jesús, murió en la cruz, recibió el castigo por el pecado que merecíamos nosotros. A través de su muerte, podemos ser perdonados: *"Pues Dios amó tanto al mundo, que dio a su Hijo único, para que todo aquel que cree en él no muera, sino que tenga vida eterna"* (Juan 3:16, DHH).

4. ¿Qué debemos hacer ahora para agradar a Dios? (*Abrir nuestro corazón y recibir a Jesús.*)

   Si estás dispuesto a pedir a Dios que perdone tus pecados y recibir a Jesús como tu Salvador, pasarás a ser miembro de la familia de Dios: *"Pero a quienes lo recibieron y creyeron en él, les concedió el privilegio de llegar a ser hijos de Dios"* (Juan 1:12, DHH).

5. ¿Quieres que hagamos una oración juntos? Si realmente quieres recibir a Jesús, quiero que repitas estas palabras conmigo:

   "Querido Dios, tú dijiste que he pecado y que necesito ser perdonado. Lamento haber buscado agradarme yo mismo en vez de agradarte a ti. Recibo a Jesús ahora mismo como mi Salvador y Señor. Amén".

6. Anime al niño o niña a:

   A. Leer la Biblia todos los días.

   B. Aprender a orar a Jesús todos los días.

   C. Tratar de ser afectuoso con sus padres y otras personas, y a ayudarlos.

   D. Asistir a la Escuela Dominical y a la iglesia todos los domingos.

# Pasajes bíblicos

*"Pues la Biblia también dice: 'Dios salvará a todos los que lo llamen'"* (Romanos 10:13, TLA).

*"Si decimos que no hemos pecado, nos engañamos a nosotros mismos y no decimos la verdad. Pero si reconocemos ante Dios que hemos pecado, podemos confiar siempre en que él, que es justo, nos perdonará y nos limpiará de toda maldad"* (1 Juan 1:8–9, TLA).

*"Mira, yo estoy llamando a la puerta; si alguien oye mi voz y abre la puerta, entraré en su casa y cenaremos juntos"* (Apocalipsis 3:20, DHH).

# LA SANIDAD

El concepto bíblico de sanidad significa mucho más que el alivio de una serie de síntomas físicos. Significa sanidad del cuerpo y del espíritu. Jesús preguntó al hombre en Juan 5:6: "*¿Quieres ser sano?*" Muchas enfermedades son resultado de la actitud o el estilo de vida de la persona:

- Los científicos del campo de la medicina sostienen que gran parte de nuestras enfermedades tienen causas emocionales: tensiones, temores, dolor, envidia, resentimiento, odio y cosas similares. Los dolores y los problemas físicos quizá sean muy reales, pero su raíz está en las emociones.

- La elección de un estilo de vida como fumar, beber alcohol y comer demasiado causan muchas enfermedades. El fumador empedernido puede llegar a tener problemas como enfisemas, cáncer o hipertensión.

El consumo de alcohol puede tener consecuencias devastadoras, tanto emocionales como físicas. Muchas de ellas son irreversibles: úlceras en los órganos del aparato digestivo, un hígado destrozado o un cerebro dañado.

El comer demasiado o una alimentación deficiente pueden ser causas de mala salud.

Pero muchas enfermedades no son consecuencia de abusos, de una vida disipada o de problemas emocionales. Jesús, refiriéndose al hombre que nació ciego, dijo: "*No es que pecó éste, ni sus padres, sino para que las obras de Dios se manifiesten en él*" (Juan 9:3). Entre estas enfermedades se encuentran los problemas congénitos o enfermedades genéticas, las lesiones y las infecciones virales o bacterianas.

Lamentablemente, muchas personas sufren en su físico a causa de las malas decisiones de otros, como las víctimas de la violencia o de problemas ambientales como los desechos químicos, o el caso de los fumadores pasivos.

Dios ofrece sanidad por lo menos de tres maneras:

## *Dios sana a través del nuevo nacimiento*

Cuando alguien se convierte en una "nueva persona" en Cristo (vea 2 Corintios 5:17), descubre que Jesús puede satisfacer cualquier necesidad. Muchos testifican que cuando ordenaron su vida en el aspecto espiritual, y comenzaron a vivir con una perspectiva correcta y una relación correcta con Dios, sus enfermedades fueron sanadas.

Las enfermedades que son consecuencia de la ansiedad o depresión causada por una culpa real pueden aliviarse cuando se produce el verdadero arrepentimiento y hay perdón.

## *Dios sana a través de la confesión de pecados*

Muchos cristianos viven debilitados y enfermos a causa de la desobediencia y de los pecados no confesados. Estas personas pueden sanarse por completo si confiesan su pecado y se arrepienten. El salmista dice que Dios es quien *"perdona todos tus pecados y sana todas tus dolencias; él rescata tu vida del sepulcro y te cubre de amor y compasión"* (Salmos 103:3–4, NVI). Como en el caso de la sanidad que puede producirse tras la conversión a Cristo, esta sanidad se aplica a enfermedades causadas por disfunciones mentales o emocionales.

## *Dios sana milagrosamente, según su soberana voluntad*

La Biblia contiene muchos ejemplos de personas a quienes Dios sanó de enfermedades físicas. También hay evidencias actuales de esto. Pero Dios no sana a todos los que claman a Él o a toda persona por la que alguien ha orado. Dios sana a algunos y no a otros con una selectividad divina que refleja su sabiduría eterna y su voluntad. Sus caminos son más altos que nuestros caminos (vea Isaías 55:8).

Esta selectividad divina puede verse en el ejemplo de Pablo, que oró durante mucho tiempo para que le fuera quitada su aflicción (vea 2 Corintios 12:8–10). Pero Dios no lo sanó, aunque sí le dio gracia y fortaleza en esa situación. Dios quiere enseñarnos que *"la excelencia del poder [es] de Dios, y no de nosotros"* (2 Corintios 4:7). La gloriosa voluntad y los gloriosos caminos de Dios cobraron una dimensión más clara en la vida de Pablo cuando él aprendió que *"cuando soy débil, entonces soy fuerte"* (2 Corintios 12:10).

Pero nada de esto debe desalentarnos ni impedir que oremos con fe por los enfermos. Dios puede responder nuestra oración de fe de maneras que nos sorprenderán. *"Orad sin cesar"* (1 Tesalonicenses 5:17) es su mandato. Pero usted debe tener cuidado de no prometer la sanidad física como resultado de su oración por la persona.

# Estrategia para el aconsejamiento

1. Asegure a la persona que Dios la ama y puede satisfacer todas nuestras necesidades, y que para usted es un gusto hablar de su fe y orar por ella.
2. Después que le haya explicado el problema, diga que quisiera hacerle una pregunta muy importante relacionada directamente con

este tema: ¿Alguna vez ha recibido a Jesucristo como su Señor y Salvador? Si no fue así, explíquele **Cómo obtener paz con Dios** (p. 12), y después, lo relativo a la seguridad de la salvación (p. 17) y el artículo **La seguridad de la salvación**.

3. Ahora vuelva a centrar la conversación en el problema emocional o físico. ¿Puede deberse a hábitos o excesos como los que hemos mencionado? Es posible que haya cierto intercambio de ideas en este punto. Ayude a la persona a comprender que estos hábitos, si existen, podrían tener una relación directa con el problema. Anímela a pedir ayuda a Dios para ordenar su vida.

4. Ore con la persona para que Dios la ayude a poner su vida en orden, así como para que su salud sea completamente restaurada.

5. Si la persona es cristiana, trate de determinar si su enfermedad está relacionada de alguna forma con una falta de armonía con la voluntad de Dios y con su plan para su vida. Pregúntele si abriga algún enojo, amargura, resentimiento o algún otro pecado no confesado. De ser así, explíquele lo relativo a la restauración (p. 19). Haga énfasis en 1 Juan 1:9 y 2:1.

   Anime a la persona a vivir en comunión con Cristo, que busque siempre glorificarlo (vea 1 Corintios 10:31). Después ore con fe y convicción por su sanidad, según Mateo 18:19.

6. Si la persona es cristiana y cree haber andado en la voluntad de Dios, pase directamente a la oración e invoque la promesa de Dios para la oración de fe.

7. Después de actuar en cualquiera de los casos anteriores, siempre hable de la paz y la plenitud que podemos experimentar cuando aprendemos a confiar en la Palabra de Dios y la oración. Ellas nos brindan gran ánimo cuando debemos enfrentar una enfermedad u otra adversidad.

8. Recomiende a la persona que participe de una iglesia donde se enseñe la Biblia. La comunión, el cuidado y las oraciones del pueblo de Dios son una gran fuente de fortaleza. El consejo y el aliento de un pastor pueden ser muy positivos para la persona.

# Pasajes bíblicos

*"Si yo tuviera malos pensamientos, el Señor no me habría escuchado"* (Salmos 66:18, DHH).

*"Y para que la grandeza de las revelaciones no me exaltase desmedidamente, me fue*

*dado un aguijón en mi carne, un mensajero de Satanás que me abofetee, para que no me enaltezca sobremanera; respecto a lo cual tres veces he rogado al Señor, que lo quite de mí. Y me ha dicho: Bástate mi gracia; porque mi poder se perfecciona en la debilidad. Por tanto, de buena gana me gloriaré más bien en mis debilidades, para que repose sobre mí el poder de Cristo"* (2 Corintios 12:7–9).

*"Pero pida con fe, no dudando nada; porque el que duda es semejante a la onda del mar, que es arrastrada por el viento y echada de una parte a otra"* (Santiago 1:6).

*"¿Está alguno entre vosotros afligido? Haga oración. ¿Está alguno alegre? Cante alabanzas. ¿Está alguno enfermo entre vosotros? Llame a los ancianos de la iglesia, y oren por él, ungiéndole con aceite en el nombre del Señor. Y la oración de fe salvará al enfermo, y el Señor lo levantará; y si hubiere cometido pecados, le serán perdonados. Confesaos vuestras ofensas unos a otros, y orad unos por otros, para que seáis sanados. La oración eficaz del justo puede mucho"* (Santiago 5:13–16).

# SATANÁS, SU ORIGEN Y SUS OBRAS

## *¿Quién es Satanás?*

Satanás es un ángel caído. Pertenecía a la orden más alta de seres angélicos, ungido para cubrir el trono de Dios. Dios creó a Satanás, pero no como un ser malvado; se volvió malvado cuando, por su propia voluntad, renunció a su posición privilegiada ante Dios (Ezequiel 28:15). Satanás intentó hacerse igual a Dios, con la esperanza aun de usurpar la posición de Dios. Pero, en cambio, debido a su orgullo y su ambición egoísta, Dios lo echó del cielo (Isaías 14:12–14).

A Satanás se le unieron, en su rebelión, millones de ángeles inferiores que ahora sirven como sus mensajeros (vea el artículo sobre **Los demonios**).

Satanás aparece en la Biblia con diferentes nombres, entre ellos: el *"tentador"* (Mateo 4:3); el *"enemigo"* (Mateo 13:39); un *"homicida"* y *"padre de mentira"* (Juan 8:44); el *"dios de este siglo"* (2 Corintios 4:4); el *"príncipe de la potestad del aire"* (Efesios 2:1–3); el *"adversario"* y un *"león rugiente"* (1 Pedro 5:8–10); uno que *"engaña"* (Apocalipsis 12:9); y el *"acusador de nuestros hermanos"* (Apocalipsis 12:10; vea Job 1:6–12). Estos nombres revelan algo de la naturaleza y la misión de Satanás.

## *¿Cuál es el ámbito en que se mueve Satanás?*

Satanás no vive en el infierno (¡tampoco lleva un tridente!). No es ni será jamás el amo del infierno. Sin embargo, un día será una de sus víctimas; de hecho, el infierno fue hecho específicamente para Satanás y los ángeles caídos (Mateo 25:41). Al momento, Satanás se dedica a *"rodear la tierra y andar por ella"* (Job 1:7) y aparece en el cielo para acusar al pueblo de Dios ante Él (Apocalipsis 12:10).

## *¿Cómo es Satanás?*

¿Qué revelan los nombres de Satanás acerca de él? Aquí tenemos tres puntos importantes que debemos recordar cuando hablamos sobre Satanás con una persona interesada:

- Satanás engaña, transformándose en un *"ángel de luz"* (2 Corintios 11:14).
- Satanás tienta, según se ve en su contienda con Jesús (Mateo 4:1–11).

- Satanás ciega las mentes de los incrédulos, con la esperanza de impedir que lleguen a la luz (2 Corintios 4:4).

La Biblia registra la antiquísima contienda entre Satanás y Cristo. Satanás controla el sistema mundial como dios de este mundo. En 1 Juan 2:16 se describe el espíritu de este mundo: "*Porque todo lo que hay en el mundo, los deseos de la carne, los deseos de los ojos, y la vanagloria de la vida, no proviene del Padre, sino del mundo*".

---

*"Se hacen muchos chistes sobre el diablo, pero el diablo no es ningún chiste", dice Billy Graham. "Los estudiantes hoy quieren saber acerca del diablo, de la brujería y del ocultismo. Muchas personas no saben que se están volviendo a Satanás. Están siendo engañados porque, según Jesucristo, Satanás es el padre de las mentiras y el mayor mentiroso de todos los tiempos. Es llamado 'el engañador'. A fin de lograr sus propósitos, el diablo ciega a las personas para que no vean su necesidad de Cristo. Hay dos fuerzas que obran en el mundo: las fuerzas de Cristo y las fuerzas del mal. Se nos dice que debemos elegir una de las dos".*

---

# Estrategia para el aconsejamiento

## *Para la persona que no es creyente:*

Alguien tal vez pregunte por qué los creyentes se preocupan tanto, por qué son tan negativos o se enojan tanto por el diablo. Podría ser alguien que está buscando justificación para un estilo de vida muy mundano. También podría consultarlo a usted alguien que cuestiona la existencia de Satanás. En tales casos, haga lo siguiente:

1. La Biblia enseña que hay una personalidad detrás de todo el mal del mundo: su nombre es Satanás. Hable de la información dada en la página anterior sobre Satanás.

2. Trate de guiar la conversación para que gire alrededor de la victoria de Cristo sobre Satanás: Mientras que Satanás es un enemigo derrotado que un día será arrojado al lago de fuego, Jesucristo reinará como Rey de reyes y Señor de señores (Apocalipsis 17:14).

3. Pregunte a la persona interesada si alguna vez ha recibido a Jesucristo como Señor y Salvador. Presente **Cómo obtener paz con Dios** (p. 12). Mencione que parte de la obra de Satanás es cegar el entendimiento de las personas "*para que no vean la brillante luz del evangelio del Cristo glorioso*" (2 Corintios 4:4, DHH).

4. Si se produce una entrega a Cristo, anime al nuevo creyente a identificarse firmemente con Cristo, a que empiece a leer y estudiar la Palabra de Dios, a orar cada día, y a involucrarse en un grupo dinámico de creyentes para tener comunión, adoración y servicio.

## *Para la persona que es creyente:*

Un creyente tal vez haga preguntas como, por ejemplo: "¿Es real Satanás?", "¿Puede ejercer poder sobre mi vida?" o "¿Es tan real como el Espíritu Santo?"

1. Por cierto, Satanás es una persona real. Sin embargo, está limitado en su poder. El Espíritu Santo, por otra parte, es todopoderoso; como miembro de la Trinidad, es Dios.

2. El creyente no debe tomar a la ligera los designios y las obras de Satanás: "*Porque no tenemos lucha contra sangre y carne, sino contra principados, contra potestades, contra los gobernadores de las tinieblas de este siglo, contra huestes espirituales de maldad en las regiones celestes*" (Efesios 6:12).

3. El creyente debe creer que Satanás es un enemigo derrotado: "*Mayor es el que está en vosotros, que el que está en el mundo*" (1 Juan 4:4). Jesucristo surgió victorioso sobre Satanás a través de su encarnación, su muerte en la cruz y su resurrección: "*Así como los hijos de una familia son de la misma carne y sangre, así también Jesús fue de carne y sangre humanas, para derrotar con su muerte al que tenía poder para matar, es decir, al diablo*" (Hebreos 2:14, DHH).

4. Satanás no tendrá ningún poder ni influencia sobre el creyente que se somete constantemente al dominio de Cristo, a la autoridad y la iluminación de la Palabra de Dios, a la disciplina de la oración, y participa en un grupo dinámico de creyentes. Eso es lo que significa vestirse "*de toda la armadura de Dios, para que podáis estar firmes contra las asechanzas del diablo*" (Efesios 6:11).

5. Ore con la persona interesada; pida comprensión acerca de Satanás y victoria sobre todas las preocupaciones y temores con respecto al enemigo y su influencia y poder.

# Pasajes bíblicos

Job 1:6–12, especialmente DHH

Mateo 4:1–11

Efesios 2:1–3, especialmente NVI

Hebreos 2:14

1 Pedro 5:8–10

Apocalipsis 12:9–10

Apocalipsis 20:1–10

# CÓMO RESISTIR A SATANÁS

Antes que Jesús comenzara su ministerio terrenal fue tentado por Satanás en el desierto (Mateo 4:1–11). Porque lo resistió, Jesús puede ayudarnos a resistir al diablo cuando él nos tienta (Hebreos 4:15–16).

Porque Cristo derrotó a Satanás en la cruz, nosotros, que lo reconocemos como Salvador y Señor, hemos sido librados del poder de Satanás (Colosenses 1:13). Sin embargo, nuestra confrontación con Satanás no ha concluido; no se da por vencido tan fácilmente. Él es *"el acusador de nuestros hermanos"* (Apocalipsis 12:10); el *"enemigo"* (Mateo 13:39); el *"tentador"* (Mateo 4:3); y *"el que engaña"* (Apocalipsis 12:9).

Se nos dice que debemos estar firmes *"contra las asechanzas del diablo"* (Efesios 6:11) y que debemos resistirlo (Santiago 4:7). ¿Cuánto poder tiene en realidad Satanás sobre los creyentes? ¿Qué recursos debemos tener a fin de resistir sus tentaciones y ataques? El creyente debe aprender a confiar en la obra completa de Cristo. Satanás en un enemigo derrotado: *"Ellos le han vencido por medio de la sangre del Cordero"* (Apocalipsis 12:11). Jesús se hizo humano *"para destruir por medio de la muerte al que tenía el imperio de la muerte, esto es, al diablo"* (Hebreos 2:14).

El creyente disfruta una posición privilegiada de refugio y seguridad. Según Gálatas 2:20, el "viejo yo" está muerto y su vida está ahora *"escondida con Cristo en Dios"* (Colosenses 3:1–3). El creyente está bajo el constante cuidado y protección de Cristo: *"Todo aquel que ha nacido de Dios, no practica el pecado, pues Aquel que fue engendrado por Dios le guarda, y el maligno no le toca"* (1 Juan 5:18).

## Estrategia para el aconsejamiento

Si un creyente siente que está siendo atacado por Satanás o está vulnerable a sus maquinaciones y tentaciones, pida que le cuente lo que le pasa. Podría estar simplemente sucumbiendo a deseos egoístas y pecaminosos. Satanás es culpado por muchas cosas de las que no es culpable.

1. Confesar todo pecado conocido (1 Juan 1:9), con el entendimiento de que el pecado debe ser abandonado. *"Una conciencia sin ofensa ante Dios y ante los hombres"* (Hechos 24:16) es el primer paso para confrontar a Satanás.

2. Estar atento y "en guardia": *"Sed sobrios, y velad; porque vuestro adversario el diablo, como león rugiente, anda alrededor buscando a quien devorar"* (1 Pedro 5:8). Estar atentos a los designios e intenciones de

Satanás ayudará a evitar confrontaciones con él.

3. Someterse a Dios (Santiago 4:7–8) de dos maneras:

   A. Resistir al diablo:

      (1) Tener un esquema mental contrario a él: "*Daniel propuso en su corazón no contaminarse*" (Daniel 1:8). "*Revístanse ustedes del Señor Jesucristo, y no se preocupen por satisfacer los deseos de la naturaleza pecaminosa*" (Romanos 13:14, NVI).

      (2) Poner a Satanás en su lugar. Cuando Satanás habló a Jesús a través de Pedro para intentar desviarlo de su propósito eterno, Jesús lo reprendió: "*¡Aléjate de mí, Satanás! Quieres hacerme tropezar; no piensas en las cosas de Dios sino en las de los hombres*" (Mateo 16:23, NVI).

      (3) Usar la Biblia. Cuando Satanás tentó a Jesús (Mateo 4:1–11), Él le contestó de forma devastadora, con tres pasajes pertinentes: Deuteronomio 8:3; 6:16 y 6:13. El poder resistir a Satanás con la Biblia es un fuerte argumento a favor de estar familiarizado con la Palabra de Dios.

   B. "*Acérquense a Dios, y él se acercará a ustedes*" (Santiago 4:8, NVI). El tiempo íntimo, devocional, con el Señor, usando su Palabra y buscando su presencia y fortaleza a través de la oración, nos ayudará a resistir a Satanás y hará que él huya: "*En mi corazón he guardado tus dichos, para no pecar contra ti*" (Salmos 119:11).

4. Vencer a Satanás por el Espíritu Santo: "*Vivan por el Espíritu, y no seguirán los deseos de la naturaleza pecaminosa*" (Gálatas 5:16, NVI).

# Pasajes bíblicos

"*Con Cristo estoy juntamente crucificado, y ya no vivo yo, mas vive Cristo en mí; y lo que ahora vivo en la carne, lo vivo en la fe del Hijo de Dios, el cual me amó y se entregó a sí mismo por mí*" (Gálatas 2:20).

"*Vestíos de toda la armadura de Dios, para que podáis estar firmes contra las asechanzas del diablo*" (Efesios 6:11).

"*Ya que han resucitado con Cristo, busquen las cosas de arriba, donde está Cristo sentado a la derecha de Dios. Concentren su atención en las cosas de arriba, no en las de la tierra, pues ustedes han muerto y su vida está escondida con Cristo en Dios*" (Colosenses 3:1–3, NVI).

"*Por eso, obedezcan a Dios. Háganle frente al diablo, y él huirá de ustedes. Háganse amigos de Dios, y él se hará amigo de ustedes*" (Santiago 4:7–8, TLA).

*Otros pasajes bíblicos sugeridos:*

Colosenses 1:13, especialmente DHH

# LAS SECTAS

Una secta puede ser definida como un grupo religioso que enseña doctrinas o creencias que se apartan del consenso amplio de la doctrina cristiana ortodoxa. Las sectas o bien distorsionan la verdad bíblica o se basan en verdades a medias. La verdad que proclaman está, generalmente, mezclada con errores doctrinales y, por lo tanto, es peligrosa. Las sectas logran engañar a muchas personas. Como advirtió Pablo: "*Vendrá tiempo cuando no sufrirán la sana doctrina, [...] y apartarán de la verdad el oído y se volverán a las fábulas*" (2 Timoteo 4:3–4). Jesús dijo: "*Porque vendrán muchos en mi nombre, diciendo: Yo soy el Cristo; y engañarán a muchos*" (Marcos 13:6).

## *¿Cuál es la causa de la proliferación de las sectas?*

Las sectas proliferan sobre la base de la ignorancia y la incertidumbre. Los cristianos que no saben lo que creen o por qué lo creen, son especialmente vulnerables a ellas. Es por eso que las iglesias tienen la responsabilidad de enseñar la Palabra de Dios y enseñar a los cristianos, hacerlos discípulos. Pablo amonestó a Timoteo a: "*...que prediques la palabra; que instes a tiempo y fuera de tiempo; redarguye, reprende, exhorta con toda paciencia y doctrina*" (2 Timoteo 4:2).

## *Características comunes a todas las sectas*

- *Una revelación "especial" o ajena a la Biblia.* Las sectas generalmente agregan a los sesenta y seis libros de la Biblia sus propias revelaciones, a las que generalmente se les da mayor importancia. También es posible que utilicen un número limitado de pasajes bíblicos completamente fuera de contexto, lo cual lleva a una interpretación errónea de ellos. La Biblia defiende explícitamente su propia integridad: "*Si alguien les anda predicando un evangelio distinto del que recibieron, ¡que caiga bajo maldición!*" (Gálatas 1:9, NVI; vea también Apocalipsis 22:18–19).
- *Salvación por obras.* Cualquier enseñanza que motive a una persona a buscar una relación correcta con Dios sin tener como base la persona y la obra de Jesucristo, está errada. Esto puede manifestarse como un rechazo total de Cristo y su obra, o un rechazo parcial que intente *agregar* algo a su obra. La secta quizá diga que, además de confiar en Cristo, la persona debe hacer otras cosas para ser salva. El evangelio consiste en gracia; nada más, y nada menos (Efesios 2:8–9).
- *La negación o la falta de reconocimiento total de Jesucristo como Hijo de Dios e igual al Padre.* Las sectas niegan totalmente a Cristo o lo relegan

a un papel menor que el que Él merece.

*"¿Quién es el mentiroso, sino el que niega que Jesús es el Cristo? Este es anticristo, el que niega al Padre y al Hijo"* (1 Juan 2:22).

*"Porque nadie puede poner otro fundamento que el que está puesto, el cual es Jesucristo"* (1 Corintios 3:11).

*"Cristo es el Hijo de Dios, y existe desde antes de la creación del mundo; él es la imagen del Dios que no podemos ver. Por medio de él, Dios creó todo lo que hay en el cielo y en la tierra, lo que puede verse y lo que no se puede ver"* (Colosenses 1:15–16, TLA).

*"Él es anterior a todas las cosas, que por medio de él forman un todo coherente"* (Colosenses 1:17, NVI).

*"Aquel que es la Palabra [Jesús] se hizo hombre y vivió entre nosotros. Y hemos visto su gloria, la gloria que recibió del Padre, por ser su Hijo único, abundante en amor y verdad"* (Juan 1:14, DHH).

*"Y en ningún otro hay salvación; porque no hay otro nombre bajo el cielo, dado a los hombres, en que podamos ser salvos"* (Hechos 4:12).

# Estrategia para el aconsejamiento

1. Debemos motivar al cristiano que ha sido engañado para unirse a una secta a que:

   A. Reafirme su relación personal con Jesucristo. ¡Dichoso, en verdad, es el creyente que puede decir, como Pablo: *"Sé en quién he creído, y estoy seguro de que tiene poder para guardar hasta aquel día lo que le he confiado"* (2 Timoteo 1:12, NVI).

   B. Reafirme su fe y su compromiso adhiriendo a las enseñanzas de la Biblia: *"Por tanto, de la manera que habéis recibido al Señor Jesucristo, andad en él; arraigados y sobreedificados en él, y confirmados en la fe, así como habéis sido enseñados, abundando en acciones de gracias. Mirad que nadie os engañe por medio de filosofías y huecas sutilezas, según las tradiciones de los hombres, conforme a los rudimentos del mundo, y no según Cristo"* (Colosenses 2:6–8).

   C. Entre a formar parte de una iglesia donde se enseñe la Biblia y participe activamente del ministerio de esa iglesia.

   D. Ore para ser liberado de la secta y para comprometerse con Jesucristo y su Palabra.

2. Si la persona con la que habla intenta promover activamente la secta,

será necesario que usted asuma el dominio de la conversación; de lo contrario, deberá soportar una inacabable defensa de las falsas doctrinas y la organización de la secta. Si esto sucede, intente interrumpir diciendo algo así como. "Sí, comprendo que esto es significativo para usted, pero quisiera hacerle algunas preguntas muy importantes".

Estas son algunas preguntas que podría formularle a la persona atrapada en una secta:

A. ¿Qué cree usted acerca de Jesús? ¿Es el Hijo de Dios? ¿Es igual al Padre? ¿Es el único Salvador? (Recite Juan 3:16 y Hechos 4:12).

B. ¿Qué cree usted sobre el pecado? ¿Es usted pecador? Si no confía en Jesucristo para ser perdonado, ¿dónde encontrará perdón?

C. Ya sea que reciba respuestas positivas o negativas a las preguntas anteriores, formule la pregunta más importante de todas: "¿Recibió usted a Cristo como su Salvador personal?" O: "¿Conoce usted el plan de Dios para tener paz y vida?" [Presente **Cómo obtener paz con Dios** (p. 12)].

D. Anime a la persona a definirse claramente por Cristo, a abandonar la secta y todo contacto con ella. Debe haber un corte completo con ese pasado. Recuerde que es posible que todo el sistema emocional y el sostén económico de la persona estén relacionados con la secta, y que necesitará ayuda para salir de ella.

E. Anime a la persona a entrar a formar parte de una iglesia que sostenga la posición que históricamente ha seguido la fe cristiana evangélica, donde pueda estudiar lo que realmente dice la Biblia. El pastor de la iglesia podrá ayudarla a desarrollar un nuevo círculo de apoyo emocional, y amistades.

F. Ore con la persona para que sea completamente libre y se comprometa plenamente con Cristo y con la Palabra de Dios.

# Pasajes bíblicos

## *Profecías sobre falsos maestros y falsas doctrinas:*

*"Porque éstos son falsos apóstoles, obreros fraudulentos, que se disfrazan como apóstoles de Cristo. Y no es maravilla, porque el mismo Satanás se disfraza como ángel de luz. Así que, no es extraño si también sus ministros se disfrazan como ministros de justicia; cuyo fin será conforme a sus obras"* (2 Corintios 11:13–15).

*"Pero vosotros, amados, tened memoria de las palabras que antes fueron dichas por los apóstoles de nuestro Señor Jesucristo; los que os decían: En el postrer tiempo habrá burladores, que andarán según sus malvados deseos. Estos son los que causan divisiones; los sensuales, que no tienen al Espíritu"* (Judas 17–19).

## *Cómo discernir el error:*

*"Entonces, si alguien les dice a ustedes: '¡Miren, aquí está el Cristo!' o '¡Miren, allí está!', no lo crean. Porque surgirán falsos Cristos y falsos profetas que harán señales y milagros para engañar, de ser posible, aun a los elegidos. Así que tengan cuidado; los he prevenido de todo"* (Marcos 13:21–23, NVI).

*"Mientras que esos malvados embaucadores irán de mal en peor, engañando y siendo engañados. Pero tú, permanece firme en lo que has aprendido y de lo cual estás convencido, pues sabes de quiénes lo aprendiste. Desde tu niñez conoces las Sagradas Escrituras, que pueden darte la sabiduría necesaria para la salvación mediante la fe en Cristo Jesús"* (2 Timoteo 3:13–15, NVI).

*"Queridos hermanos, no crean a cualquiera que pretenda estar inspirado por el Espíritu, sino sométanlo a prueba para ver si es de Dios, porque han salido por el mundo muchos falsos profetas. En esto pueden discernir quién tiene el Espíritu de Dios: todo profeta que reconoce que Jesucristo ha venido en cuerpo humano, es de Dios; todo profeta que no reconoce a Jesús, no es de Dios sino del anticristo. Ustedes han oído que éste viene; en efecto, ya está en el mundo"* (1 Juan 4:1–3, NVI).

## *Cómo oponernos al error:*

*"Velad y orad, para que no entréis en tentación; el espíritu a la verdad está dispuesto, pero la carne es débil"* (Marcos 14:38).

*"...para que aprobéis lo mejor, a fin de que seáis sinceros e irreprensibles para el día de Cristo, llenos de frutos de justicia que son por medio de Jesucristo, para gloria y alabanza de Dios"* (Filipenses 1:10–11).

*"Procura con diligencia presentarte a Dios aprobado, como obrero que no tiene de qué avergonzarse, que usa bien la palabra de verdad"* (2 Timoteo 2:15).

*"Pero vosotros, amados, edificándoos sobre vuestra santísima fe, orando en el Espíritu Santo, conservaos en el amor de Dios, esperando la misericordia de nuestro Señor Jesucristo para vida eterna. A algunos que dudan, convencedlos. A otros salvad, arrebatándolos del fuego; y de otros tened misericordia con temor, aborreciendo aun la ropa contaminada por su carne"* (Judas 20–23).

*Otros pasajes bíblicos sugeridos:*

2 Timoteo 4:3–5

## *Vea también* Las doctrinas falsas

# LA SEGURIDAD DE LA SALVACIÓN

Estar seguro de la salvación es tener conciencia de pertenecer a Cristo y tener completa confianza en que Él nos ha dado vida eterna. Debido a una cierta ambivalencia en su relación con Cristo, muchos cristianos no experimentan el gozo del Señor. Muchos tienen dudas e inseguridad que podrían deberse a cualquiera de las siguientes causas:

- *La persona no es cristiana.* Un cristiano es una persona que ha confiado en Jesucristo como su Señor y Salvador:

  *"Si confesares con tu boca que Jesús es el Señor, y creyeres en tu corazón que Dios le levantó de los muertos, serás salvo. Porque con el corazón se cree para justicia, pero con la boca se confiesa para salvación"* (Romanos 10:9–10).

  Una persona que no ha tenido esta experiencia no puede, de ninguna manera, tener la seguridad de que tiene vida eterna. La salvación no está basada en el desempeño de una persona, sino en su relación con Jesucristo. Un cristiano que está seguro puede decir: *"Sé en quién he creído, y estoy seguro de que tiene poder para guardar hasta aquel día lo que le he confiado"* (2 Timoteo 1:12, NVI).

- *La persona confía en lo que siente en lugar de confiar en Dios.* Muchos, especialmente los cristianos nuevos, esperan vivir en un estado de éxtasis emocional continuo; y cuando esto no sucede, o decae, llegan las dudas. Nuestra relación eterna con Dios no puede estar basada solamente en las emociones. Debemos apoyarnos en realidades basadas en su Palabra escrita. Debemos entregarnos a la obra completa de Cristo en la cruz. Después de confiar en Él, continuamos en esta relación confiando en que *"el que comenzó en vosotros la buena obra, la perfeccionará hasta el día de Jesucristo"* (Filipenses 1:6).

- *Hay pecado y desobediencia en la vida del cristiano.* El pecado y la desobediencia causan dudas e incertidumbre: *"El hombre de doble ánimo es inconstante en todos sus caminos"* (Santiago 1:8). Para poder mantener una comunión ininterrumpida con Dios es necesario reconocer y confesar el pecado.

El cristiano que no alimenta su vida en la Palabra de Dios, la oración, la comunión y el testimonio, se seca y abre el camino a la incertidumbre y las dudas. La amonestación bíblica es: *"Creced en la gracia y el conocimiento de nuestro Señor y Salvador Jesucristo"* (2 Pedro 3:18). No es una frase hueca: o crecemos, o morimos.

# Estrategia para el aconsejamiento

1. *Para la persona que no está segura de su salvación*: Si la persona no sabe si ha confiado en Jesucristo como su Señor y Salvador, ya sea por algún malentendido sobre lo que significa verdaderamente llegar a ser cristiano, o debido a que cree que depende de sus obras para lograrlo, explíquele **Cómo obtener paz con Dios** (p. 12). Haga énfasis en que la salvación implica una relación con Cristo por medio del nuevo nacimiento (Juan 1:12; 3:3), no por nuestro esfuerzo (Efesios 2:9).

2. *Para la persona que se guía por lo que siente*: Nuestras experiencias deben basarse en los hechos bíblicos del evangelio, no en una emoción. Explíquele lo que dice la sección sobre la seguridad de la salvación (p. 17).

3. *Para un cristiano que ha desobedecido y ha permitido que el pecado anide en su vida*: Repase la sección sobre la restauración de la relación con Dios (p. 19). Haga énfasis en 1 Juan 1:9 y 2:1, y Romanos 12:1.

4. *Para un cristiano inmaduro*: Si la incertidumbre y la duda son resultado de un alto en su desarrollo espiritual, haga énfasis en que o crecemos o morimos. Repase la sección sobre la restauración de la relación con Dios (p. 19).

5. Junto con todo lo anterior, haga énfasis en que es necesario buscar una relación espiritual vital con Cristo por medio de:

   A. La lectura y el estudio de la Biblia.

   B. La oración. Por medio de la oración:

      o adoramos a Dios,

      o le confesamos nuestros pecados,

      o le expresamos nuestra gratitud y

      o recordamos las necesidades de los demás y las nuestras.

   C. Relacionarse con otros cristianos en una iglesia donde se enseñe la Biblia. Esto le dará a la persona comunión, estudio bíblico y oportunidades de servir a Cristo: todos elementos esenciales para desarrollar la vida cristiana.

   D. Ore con la persona para que pueda comenzar a conocer una vida de gozo y seguridad en Cristo.

# Pasajes bíblicos

## *Salvación:*

*"Mas a cuantos lo recibieron, a los que creen en su nombre, les dio el derecho de ser hijos de Dios"* (Juan 1:12, NVI).

*"El que oye mi palabra, y cree al que me envió, tiene vida eterna; y no vendrá a condenación, mas ha pasado de muerte a vida"* (Juan 5:24).

*"Por lo tanto, el que está unido a Cristo es una nueva persona. Las cosas viejas pasaron; se convirtieron en algo nuevo"* (2 Corintios 5:17, DHH).

*"Porque por gracia sois salvos por medio de la fe; y esto no de vosotros, pues es don de Dios; no por obras, para que nadie se gloríe"* (Efesios 2:8–9).

## *La salvación es un hecho, no solo una emoción:*

*"Por lo cual estoy seguro de que ni la muerte, ni la vida, ni ángeles, ni principados, ni potestades, ni lo presente, ni lo por venir, ni lo alto, ni lo profundo, ni ninguna otra cosa creada nos podrá separar del amor de Dios, que es en Cristo Jesús Señor nuestro"* (Romanos 8:38–39).

*"Cristo nunca pecó. Pero Dios lo trató como si hubiera pecado, para declararnos inocentes por medio de Cristo"* (2 Corintios 5:21, TLA).

*"Estando persuadido de esto, que el que comenzó en vosotros la buena obra, la perfeccionará hasta el día de Jesucristo"* (Filipenses 1:6).

*"Sé en quién he creído, y estoy seguro de que tiene poder para guardar hasta aquel día lo que le he confiado"* (2 Timoteo 1:12, NVI).

*"Ustedes confían en Dios, y por eso él los protege con su poder, para que puedan ser salvados tal y como está planeado para los últimos tiempos"* (1 Pedro 1:5, TLA).

*"Estas cosas os he escrito a vosotros que creéis en el nombre del Hijo de Dios, para que sepáis que tenéis vida eterna, y para que creáis en el nombre del Hijo de Dios"* (1 Juan 5:13).

## *Confesión de pecados para la restauración:*

*"Pacientemente esperé a Jehová, y se inclinó a mí, y oyó mi clamor. Y me hizo sacar del pozo de la desesperación, del lodo cenagoso; puso mis pies sobre peña, y enderezó mis pasos. Puso luego en mi boca cántico nuevo, alabanza a nuestro Dios. Verán esto muchos, y temerán, y confiarán en Jehová"* (Salmos 40:1–3).

*"El que encubre sus pecados no prosperará; mas el que los confiesa y se aparta alcanzará misericordia"* (Proverbios 28:13).

## LA SEGURIDAD DE LA SALVACIÓN

*"Si confesamos nuestros pecados, él es fiel y justo para perdonar nuestros pecados, y limpiarnos de toda maldad"* (1 Juan 1:9).

# EL SIDA / VIH

El Síndrome de Inmuno Deficiencia Adquirida (SIDA) es causado por el Virus de Inmuno Deficiencia Humana (HIV) que destruye el sistema inmunológico del cuerpo y le impide luchar contra las enfermedades. De esta manera, la persona que tiene SIDA está en perpetuo peligro de contraer diversas enfermedades que, en condiciones normales, serían fácilmente curables.

La persona que sufre de SIDA o que sabe que es portadora del VIH probablemente pase por varias etapas del proceso de duelo que, para el paciente de SIDA, puede tomar varias formas:

1. *Negación.* "No puedo creer que me suceda esto. ¡Voy a hacerme de nuevo los análisis!" Esta sería la primera reacción de una persona que descubre que está infectada.
2. *Ira expresada hacia fuera.* La ira puede estar dirigida a la persona que la contagió de SIDA, a los médicos o al gobierno por no haber hallado una cura, o a Dios por permitir tal sufrimiento.
3. *Ira expresada hacia adentro.* La persona comienza a sentirse culpable y a condenarse por haberse infectado. Aun quien contrajo el virus por un medio como una transfusión sanguínea puede llegar a sentir que es castigada por algún pecado no relacionado con la enfermedad.
4. *Dolor genuino.* La persona comienza a darse cuenta de que el tiempo que le resta de vida es limitado. Se instala un sentido de pérdida que es muy real. Comienza a temer aquellos problemas que irán empeorando: el sufrimiento físico, los prejuicios sociales y el aislamiento, la pérdida del trabajo, las elevadas cuentas por servicios médicos, el efecto de la enfermedad sobre sus amistades y su familia.
5. *Resolución.* La etapa final del duelo llega cuando la persona acepta el hecho de que es un enfermo terminal y comienza a hacer los preparativos y los ajustes emocionales necesarios para el final de su vida.

Los amigos o familiares de la persona que tiene SIDA posiblemente pasen por un proceso de duelo similar:

- Negación de que esto pueda sucederle a alguien tan cercano.
- Ira dirigida hacia el paciente por su estilo de vida, o a otras personas, sean ellas culpables o inocentes.
- Ira dirigida hacia ellos mismos: "Es mi culpa que haya llegado a esta

situación en que contrajo el SIDA".

- Genuino dolor por una vida que se acorta.
- Finalmente, aceptar la enfermedad y trabajar para que el tiempo que le queda a la persona enferma sea lo mejor posible.

# Estrategia para el aconsejamiento

## *Para la persona que sufre de SIDA/VIH:*

El enfermo de SIDA que busca ayuda debe ser tratado con compasión. Quizá haya tenido que superar un terrible temor para dar a conocer su problema, solo para poder recibir ayuda. También es posible que tenga profunda conciencia de su necesidad espiritual, debido a la enfermedad y a la perspectiva de muerte.

Si usted se entera de que la persona contrajo SIDA por un contacto homosexual y no está seguro de poder hablar de esto objetivamente, derive a la persona a otro colaborador cristiano.

Al tratar con una persona que dice estar infectada de SIDA o VIH, puede seguir los siguientes pasos:

1. Agradezca a la persona por hablar con usted y asegúrele que desea ayudarla de cualquier manera que sea posible. Intente demostrarle comprensión, al tiempo que admite, sinceramente, que nunca entenderá plenamente la angustia que ella seguramente siente.
2. En algún momento de la conversación donde sea conveniente, pregúntele si ha recibido alguna vez a Jesucristo como su Señor y Salvador. Pase a **Cómo obtener paz con Dios** (p. 12).
3. Si responde afirmativamente, ore para que pueda tener una nueva visión de la vida en los difíciles días que le esperan. Ore para que la bendita esperanza de la vida eterna se haga realidad en su vida, y que Dios use a este nuevo creyente con poder, como testigo de su gracia salvadora.
4. Haga énfasis en la importancia de leer y estudiar diariamente la Palabra de Dios, para obtener una nueva comprensión de la vida y la eternidad desde la perspectiva de Dios.
5. Anime a la persona a participar de una iglesia donde se enseñe la Biblia y donde pueda recibir apoyo. Recomiéndele que comunique su situación al pastor para que él pueda hacer lo necesario para que reciba el apoyo y la aceptación necesaria para crecer como cristiano,

mientras enfrenta los problemas futuros.

6. Ya sea que la persona reciba a Cristo o no, recomiéndele que se ponga en contacto con el pastor de una iglesia local para poder ser derivada a un consejero cristiano profesional y a una organización cristiana que trate las necesidades de los enfermos de SIDA. Subraye que tal organización estará dispuesta a ayudarla sin importar su creencia religiosa.

## *Preguntas que podría formular un enfermo de SIDA que es homosexual*

1. "¿Acaso los cristianos no creen que todos los homosexuales son pecadores sin remedio?" O: "¿Acaso los cristianos no creen que el SIDA es el juicio de Dios para los homosexuales?"

   *Respuesta*: Cuando responda esta pregunta, recuerde que Cristo siempre fue muy directo cuando hablaba con las personas sobre el pecado, pero lo hacía con amor, siempre con la meta de llevarlas al arrepentimiento y la salvación. No tema decirle a la persona que usted, basándose en lo que dice la Biblia, cree que el comportamiento homosexual, así como cualquier contacto íntimo heterosexual fuera del matrimonio, es pecado. Vea los versículos de la sección "Pasajes bíblicos" en el artículo **La homosexualidad**.

   La Biblia enseña que todos somos pecadores, y que no hay un pecado que sea peor que otro. Señale a la persona que usted es tan pecador, a los ojos de Dios, como ella.

   Después pase directamente a la gran promesa de Romanos 6:23: "*El pago que da el pecado es la muerte, pero el don de Dios es vida eterna en unión con Cristo Jesús, nuestro Señor*" (DHH). Después lea Efesios 2:8–9: "*Porque por gracia sois salvos por medio de la fe; y esto no de vosotros, pues es don de Dios; no por obras, para que nadie se glorie*".

   La salvación está basada en la gracia de Dios, no en la conducta moral del ser humano. Invite a la persona a recibir el regalo de la vida eterna.

2. "¿Cómo puedo confiar en un Dios que permite que yo sufra de esta manera?"

   *Respuesta*: Admita que usted no puede explicar todas las razones por las que Dios permite que suframos en esta vida. Pero, sí, sabe que Dios permitió que su único Hijo, Jesús, sufriera. Lea Isaías 53:1–9 y Juan 3:16. Aunque era Dios, Cristo sufrió más que cualquier ser humano, así que comprende a la persona que sufre. Dios nunca nos prometió que estaríamos libres de sufrimientos durante este breve tiempo que llamamos vida aquí en la Tierra. Pero, sí, promete libertad del sufrimiento para toda la eternidad, si confiamos en Jesucristo como nuestro Salvador.

Es muy normal sentir amargura cuando tenemos una enfermedad terrible, pero no debemos permitir que tal amargura nos impida recibir la vida eterna por medio de la salvación en Cristo.

3. "Si recibo a Cristo como mi Salvador, ¿me curará del SIDA?"

   *Respuesta*: Dios siempre puede decidir curar a cualquier persona de cualquier enfermedad, pero la historia indica que Él, algunas veces, elige permitir que el sufrimiento del ser humano logre un cometido más profundo haciendo que ansiemos la "cura" mayor, que es la vida eterna. Esta seguridad de la vida eterna también nos ayuda a soportar cualquier sufrimiento que debamos soportar en esta vida actual.

4. "¿Puede Dios perdonar a un homosexual como yo, que tiene SIDA?"

   *Respuesta*: Diga algo así como: "Si Dios puede perdonarme mi egoísmo y mi soberbia y todos los demás pecados que he cometido, ¡claro que puede perdonarlo a usted!" Mencione Proverbios 6:16–19, donde ni siquiera se incluye la homosexualidad entre los siete peores pecados. Diga: "Yo cometí seis de los siete peores pecados, y Dios me perdonó y me salvó; así que, seguramente, Él puede perdonarle a usted su homosexualidad o cualquier otro pecado". En 1 Juan 1:9 se promete perdón para cualquier pecado, si somos lo suficientemente humildes como para confesarlo. En 1 Corintios 6:9–11 se señala la homosexualidad como uno de los pecados que los cristianos corintios habían cometido anteriormente. Pero los homosexuales de Corinto fueron perdonados, como todos los demás, cuando renunciaron a su pecado.

5. "¿Cómo puedo dejar de ser homosexual?"

   *Respuesta*: Anime a la persona a buscar aconsejamiento profesional por parte de un psicólogo cristiano o un pastor capacitado.

## *Para familiares o amigos de un enfermo de SIDA/VIH:*

Si la persona busca consuelo o consejo con relación a un miembro de su familia que tiene SIDA, proceda de la siguiente manera:

1. Lo antes posible, averigüe si la persona que busca ayuda recibió a

Cristo como su Señor y Salvador. Explíquele **Cómo obtener paz con Dios** (p. 12). La fe en Cristo le dará a la persona una perspectiva totalmente nueva sobre el enfermo de SIDA.

2. Si el amigo o familiar contrajo SIDA por un contacto homosexual, ofrézcale ayuda según los puntos 1 al 4 de la sección anterior del presente artículo (*Preguntas que podría formular un enfermo de SIDA que es homosexual*). Asegúrese de que la persona comprenda que, a los ojos de Dios, la homosexualidad no es peor que cualquier otro pecado.
3. Aconséjele que considere la situación como una oportunidad para presentar el evangelio y mostrar el amor y la aceptación de Cristo.
4. Haga énfasis en la necesidad de mantener abiertas las líneas de comunicación con el enfermo de SIDA, de evitar condenarlo y al mismo tiempo mostrarle aceptación, por ejemplo, invitándolo a su casa e incluyéndolo en actividades sociales.
5. Aconséjele que anime al enfermo de SIDA a buscar aconsejamiento y otros servicios de apoyo disponibles; especialmente, que lo anime a participar de una iglesia donde se enseñe la Biblia.
6. Busque aconsejamiento para los demás familiares, especialmente los niños más pequeños, que quizá tengan preguntas sobre la enfermedad, o sientan prejuicios por su vínculo con el enfermo de SIDA.

# Pasajes bíblicos

## *Una perspectiva cristiana sobre el sufrimiento:*

"Yo soy la resurrección y la vida; el que cree en mí, aunque esté muerto, vivirá" (Juan 11:25).

"No se turbe vuestro corazón; creéis en Dios, creed también en mí. En la casa de mi Padre muchas moradas hay; si así no fuera, yo os lo hubiera dicho; voy, pues, a preparar lugar para vosotros. Y si me fuere y os preparare lugar, vendré otra vez, y os tomaré a mí mismo, para que donde yo estoy, vosotros también estéis" (Juan 14:1–3).

"Pues tengo por cierto que las aflicciones del tiempo presente no son comparables con la gloria venidera que en nosotros ha de manifestarse. Porque el anhelo ardiente de la creación es el aguardar la manifestación de los hijos de Dios. Porque la creación fue sujetada a vanidad, no por su propia voluntad, sino por causa del que la sujetó en esperanza; porque también la creación misma será libertada de la esclavitud de corrupción, a la libertad gloriosa de los hijos de Dios. Porque sabemos que toda la creación gime a una, y a una está con dolores de parto hasta ahora; y no sólo ella, sino que también nosotros mismos, que tenemos las primicias del Espíritu, nosotros también gemimos dentro de nosotros mismos, esperando la adopción, la redención de nuestro cuerpo. [...] Y sabemos que a los que aman a Dios, todas las cosas les ayudan a bien, esto es, a los que conforme a su propósito son llamados. Porque a los que antes conoció, también los predestinó para que fuesen hechos conformes a la imagen de su Hijo, para que él sea el primogénito entre muchos hermanos. Y a los que predestinó, a éstos también llamó; y a los que llamó, a éstos también justificó; y a los que justificó, a éstos también glorificó. ¿Qué, pues, diremos a esto? Si Dios es por nosotros, ¿quién contra nosotros? [...] ¿Quién nos separará del amor de Cristo? ¿Tribulación, o angustia, o persecución, o hambre, o desnudez, o peligro, o espada? [...] Antes, en todas estas cosas somos más que vencedores por medio de aquel que nos amó" (Romanos 8:18–23, 28–31, 35, 37).

"Pues los sufrimientos ligeros y efímeros que ahora padecemos producen una gloria eterna que vale muchísimo más que todo sufrimiento" (2 Corintios 4:17, NVI).

"Porque para mí el vivir es Cristo, y el morir es ganancia" (Filipenses 1:21).

## *La homosexualidad es pecado, pero puede ser perdonada como cualquier otro pecado:*

"No se dejen engañar, pues en el reino de Dios no tendrán parte los que se entregan a la prostitución, ni los idólatras, ni los que cometen adulterio, ni los afeminados, ni los homosexuales, ni los que roban, ni los avaros, ni los borrachos, ni los maldicientes, ni los ladrones. Y esto eran antes algunos de ustedes; pero ahora ya recibieron el baño de la purificación, fueron santificados y hechos justos en el nombre del Señor Jesucristo y por el Espíritu de nuestro Dios" (1 Corintios 6:9–11, DHH).

"Por lo tanto, el que está unido a Cristo es una nueva persona. Las cosas viejas pasaron; se convirtieron en algo nuevo" (2 Corintios 5:17, DHH).

## *Vea también* **La homosexualidad, El sufrimiento y la adversidad** *y* **Enfermedades terminales**

# LA SOLEDAD

La soledad es la comprensión dolorosa de que carecemos de relaciones significativas y estrechas con otras personas. Esta carencia conduce a la vacuidad, la melancolía, el aislamiento y aun a la desesperación. Aparecen una sensación de rechazo y una baja autoimagen, porque no podemos relacionarnos, nos sentimos dejados de lado, o no queridos, no importa cuánto intentemos pertenecer.

---

*En muchos de sus mensajes, Billy Graham ha mencionado esa "soledad cósmica" de la persona que está separada de Dios y siente que su vida tiene poco significado. Dice: "Hay miles de personas solitarias que llevan las pesadas y difíciles cargas de la pena, la ansiedad, el dolor y la desilusión; pero la más solitaria es la persona cuya vida está sumida en el pecado".*

---

Uno de los resultados de la Caída es que la humanidad quedó alienada de Dios. Esta alienación hizo que Adán y Eva se ocultaran de Dios e intentaran cubrir su pecado. Solo cuando encontramos el perdón en Cristo somos aliviados de la soledad que resulta de esta alienación de Dios. El salmista se regocija en la obra de Dios en su vida y escribe: "*Confortará mi alma*" (Salmos 23:3). Esta consolación quita las causas de nuestra alienación: "*En otro tiempo ustedes, por su actitud y sus malas acciones, estaban alejados de Dios y eran sus enemigos. Pero ahora Dios, a fin de presentarlos santos, intachables e irreprochables delante de él, los ha reconciliado en el cuerpo mortal de Cristo mediante su muerte*" (Colosenses 1:21–22, NVI).

El restablecimiento de nuestra comunión con Dios también incluye al Espíritu Santo de Dios quien mora en nosotros: "*¿Acaso no saben que su cuerpo es templo del Espíritu Santo, quien está en ustedes y al que han recibido de parte de Dios?*" (1 Corintios 6:19, NVI). Por lo tanto, estamos completos en Él: "*Porque toda la plenitud de Dios se encuentra visiblemente en Cristo, y en él Dios los hace experimentar todo su poder, pues Cristo es cabeza de todos los seres espirituales que tienen poder y autoridad*" (Colosenses 2:9–10, DHH).

## Estrategia para el aconsejamiento

Solo cuando nuestra comunión con Dios ha sido restablecida podremos experimentar la plena comunión con nuestros congéneres. Sea que trate con creyentes o no creyentes, la persona que ayuda debe encarar el problema de la soledad desde esta perspectiva.

## *Para la persona solitaria que no es creyente:*

1. Ofrezca una palabra de aliento. Cuando habla de su problema de soledad, la persona interesada reconoce una necesidad. Esto es importante para resolver cualquier problema de la vida. Ofrézcale seguridad de que este importante primer paso puede conducir a una solución satisfactoria.

2. Trate de determinar las causas de la soledad de la persona. Si no surge la información suficiente, formule preguntas relevantes: ¿Dónde vive la persona? ¿Quiénes son sus vecinos? ¿Dónde trabaja? ¿Es satisfactorio el trabajo? ¿Qué puede decir acerca de sus pasatiempos, amistades, la iglesia, etc.?

3. Determine si la persona ha recibido alguna vez a Cristo como Salvador. Explique **Cómo obtener paz con Dios** (p. 12). El primer paso en el plan de Dios para la vida de una persona solo puede lograrse si recibe a Cristo, y ese primer paso también debería resolver gran parte de la alienación que siente. Tendrá paz con Dios (Romanos 5:1) y tendrá a Cristo como su amigo constante: "*Amigo hay más unido que un hermano*" (Proverbios 18:24).

4. Sugiera que busque crecer espiritualmente leyendo y estudiando la Biblia, y aprendiendo a orar. El ejercicio diario de la oración será muy útil para reducir las sensaciones de soledad que permanecen, ya que brinda un acceso inmediato a Dios, quien es "*nuestra ayuda en momentos de angustia*" (Salmos 46:1, DHH).

5. Recomiéndele que busque relacionarse con una iglesia que enseña la Biblia, donde pueda encontrar la calidez de la comunión y oportunidades para adorar y servir. Adviértale que no debe esperar demasiado, demasiado pronto. Las relaciones significativas no se desarrollan de la noche a la mañana; deben ser cultivadas, y esto lleva tiempo. Cuanto más da la persona, más recibirá de otros: "*El hombre que tiene amigos ha de mostrarse amigo*" (Proverbios 18:24). Explíquele que algunas iglesias tienen grupos para personas no casadas, si esto le interesa.

6. Aconseje a la persona que fortalezca cualquier vínculo en el hogar que tal vez no sea lo que debería ser. La comunicación con otros miembros de la familia será muy importante para desarrollar el respeto y el afecto mutuos. Ahora que conoce a Cristo, la salvación de los miembros de la familia debería ser una importante preocupación.

7. Ore pidiendo crecimiento espiritual y el desarrollo de relaciones

significativas, tanto con amigos creyentes como no creyentes.

## *Para la persona solitaria que es creyente:*

1. Anime a la persona interesada a tener un tiempo devocional diario. El sentir la presencia constante de Dios ayudará a reducir los sentimientos de soledad.

---

*Billy Graham ofrece su propia experiencia como aliento: "Les daré una pequeña receta que he encontrado para combatir la soledad. Primero, nunca me siento solo cuando oro, porque esto me pone en compañía del mayor de todos los amigos, Jesucristo. Él dijo: '*Ya no los llamo siervos [...] los llamo mis amigos*' (Juan 15:15, DHH). Luego, nunca me siento solo cuando leo la Biblia. La leo cada día; varios capítulos cada vez. Nada disuelve la soledad como una sesión con la Palabra de Dios".*

---

A medida que crecemos en esta relación devocional con Dios, comenzamos a cambiar. Las actitudes de amor y afecto que se desarrollan gradualmente se convierten en la base para los contactos con otros, y para la profundización de las relaciones.

2. Recomiéndele que busque un lugar significativo de servicio en una iglesia activa que enseña la Biblia. Cuando nos centramos en las necesidades de otros, nuestros problemas adquieren la proporción correcta, y parecen ser un poco menos importantes. El servicio nos ayuda a cultivar relaciones con otros cristianos que sirven, y tiende a aumentar nuestra autoestima, al convertirnos en parte de un grupo.

---

*Billy Graham dice acerca del servicio: "Nunca estoy solo cuando testifico de Jesús a otros. El hablar a otros de Cristo genera enorme entusiasmo. Esto es algo que todos podemos hacer".*

---

3. Sugiera a la persona que fortalezca los vínculos familiares. Los esfuerzos constantes por comunicarse con su propia familia—aprendiendo a estrechar relaciones, respetar e interesarse, ser parte unos de otros—serán muy útiles para evitar la soledad. La mejora de las relaciones en el hogar siempre producirá mejoras en otras áreas.
4. Anime a la persona interesada a buscar el consejo de un pastor local, preferentemente el propio pastor de la persona. Un pastor puede ayudarla a desarrollar relaciones, y puede recomendar áreas de servicio a través de la iglesia.

# Pasajes bíblicos

*"Pacientemente esperé a Jehová, y se inclinó a mí, y oyó mi clamor. Y me hizo sacar del pozo de la desesperación, del lodo cenagoso; puso mis pies sobre peña, y enderezó mis pasos. Puso luego en mi boca cántico nuevo, alabanza a nuestro Dios. Verán esto muchos, y temerán, y confiarán en Jehová. Bienaventurado el hombre que puso en Jehová su confianza, y no mira a los soberbios, ni a los que se desvían tras la mentira. Has aumentado, oh Jehová Dios mío, tus maravillas; y tus pensamientos para con nosotros, no es posible contarlos ante ti. Si yo anunciare y hablare de ellos, no pueden ser enumerados"* (Salmos 40:1–5).

*"Venid a mí todos los que estáis trabajados y cargados, y yo os haré descansar. Llevad mi yugo sobre vosotros, y aprended de mí, que soy manso y humilde de corazón; y hallaréis descanso para vuestras almas; porque mi yugo es fácil, y ligera mi carga"* (Mateo 11:28–30).

*"He aquí yo estoy con vosotros todos los días, hasta el fin del mundo"* (Mateo 28:20).

*"Dios siempre cumple sus promesas, y él es quien los llamó a vivir en unión con su Hijo Jesucristo, nuestro Señor"* (1 Corintios 1:9, DHH).

*"Él dijo: No te desampararé, ni te dejaré; de manera que podemos decir confiadamente: El Señor es mi ayudador; no temeré lo que me pueda hacer el hombre"* (Hebreos 13:5–6).

## *Otros pasajes bíblicos sugeridos:*

Proverbios 3:5–6, DHH

# EL SUFRIMIENTO Y LA ADVERSIDAD

¿Por qué? ¿Por qué yo? ¿Por qué mi familia? ¿Cuál es el significado de este sufrimiento? Estas son preguntas habituales que hacen los creyentes y los no creyentes por igual. Nadie está inmune al sufrimiento y a la adversidad. *"Como las chispas se levantan para volar por el aire, así el hombre nace para la aflicción"* (Job 5:7). Están las presiones de la privación, la necesidad, la pena, la persecución, la impopularidad y la soledad. Algunos sufren por lo que han hecho; otros, por lo que la gente les hace. Muchos sufren porque son víctimas de circunstancias que no pueden controlar.

El dolor produce angustia. Puede haber noches de agonía en las que Dios parece sumamente injusto y no parece haber ninguna ayuda posible. El alivio temporal puede parecer adecuado, pero la verdadera solución al sufrimiento no está en aislarnos y tratar de deshacernos de él; ni siquiera en apretar los dientes y soportarlo. La solución, más bien, está en condicionar nuestras actitudes para que podamos aprender a triunfar en y a través del sufrimiento. Cuando Pablo buscaba alivio de su *"aguijón en la carne"* (vea 2 Corintios 12:7), Dios no se lo quitó sino que le aseguró: *"Bástate mi gracia; porque mi poder se perfecciona en la debilidad"* (2 Corintios 12:9).

Salvo en el dolor físico, el manejo del sufrimiento parece ser una cuestión de actitud: "¿Qué voy a hacer ante el sufrimiento a fin de aprender de él y usarlo en mi provecho, con relación a los propósitos eternos de Dios?"

---

*Billy Graham comenta: "En ninguna parte la Biblia enseña que los cristianos están exentos de las tribulaciones y los desastres naturales que afligen al mundo. Lo que sí enseña la Biblia es que el cristiano puede enfrentar la tribulación, la crisis, la calamidad y el sufrimiento personal con un poder sobrenatural que no está disponible para la persona que no está en Cristo".*

---

Es muy tentador revolcarse en la autocompasión y culpar a Dios por el sufrimiento. La actitud de Job es una inspiración: *"Aunque él me matare, en él esperaré"* (Job 13:15).

La persona que sufre se verá bendecida si, en medio de la gran agonía y desesperación, puede mirar a los ojos del Padre Celestial y, gracias a su amor y presencia eternos, estar agradecida. Nuestra respuesta al sufrimiento debería ser mirar más allá y ver los propósitos más elevados de

Dios y lo que Él quiere enseñarnos.

## *Razones para el sufrimiento humano*

- Nosotros podemos provocar nuestro sufrimiento. Una vida disipada y la falta de disciplina dan lugar a consecuencias desdichadas. El abuso prolongado de nuestro cuerpo puede generar enfermedades. Las malas elecciones vuelven para acecharnos. Con tacto, usted podría preguntar a la persona interesada: "¿Cree usted que esto le pasa por su propio juicio errado, o por acciones excesivas? ¿Qué puede hacer para aliviar su sufrimiento?"
- A veces Dios toma una acción correctiva debido al pecado y la desobediencia. Dios corrige y disciplina a los suyos. A través del castigo demuestra que nos ama y que verdaderamente le pertenecemos (Hebreos 12:5–11).
- Dios puede permitir el sufrimiento para que aprendamos a responder a los problemas bíblicamente. La Biblia nos dice que Jesús *"a pesar de ser Hijo, sufriendo aprendió lo que es la obediencia"* (Hebreos 5:8, DHH). Nuestra meta debería ser no solo el alivio del sufrimiento sino, más bien, aprender de él (Romanos 12:1–2).
- A veces Dios nos permite sufrir simplemente para enseñarnos que el dolor forma parte de la vida. ¡En ninguna parte de la Biblia dice que el cristiano no sufrirá adversidad! Pablo señala que *"a vosotros os es concedido a causa de Cristo, no sólo que creáis en él, sino también que padezcáis por él"* (Filipenses 1:29).

  La adversidad puede ser un regalo de Dios. Cristo no intentó escapar a la cruz. Hebreos 12:2 dice que *"sufrió la cruz, menospreciando el oprobio"*. ¿Por qué? *"Por el gozo puesto delante de él"*. Jesús sabía que la última palabra no era la crucifixión –el sufrimiento– sino la resurrección—la victoria—. Podremos sufrir brevemente, o toda la vida. Pero no abandonemos la esperanza ni nos entreguemos a la autocompasión o la amargura. El resultado final es lo que anhelamos: ¡estar con el Señor en el cielo para que todo esté en la perspectiva correcta!

- Dios puede permitir el sufrimiento para nuestro bienestar: *"Ahora bien, sabemos que Dios dispone todas las cosas para el bien de quienes lo aman, los que han sido llamados de acuerdo con su propósito"* (Romanos 8:28, NVI). Debemos aceptar esto por fe y orar pidiendo que el bien más elevado de Dios surja como resultado de nuestro sufrimiento. Algunas de las lecciones más profundas de la vida se aprenden solo a través de la adversidad. Debemos confiar en que Dios obrará su propia voluntad y propósito en nosotros para que podamos ser más como Cristo (Romanos 8:29).

- A veces Dios permite el sufrimiento a fin de hablar a través de nuestra vida y testimonio para consolar a otros. Jesús dijo que a cierto ciego se le había permitido sufrir *"para que las obras de Dios se manifiesten en él"* (Juan 9:3). Dios puede obrar en su vida a través del sufrimiento, para inspirar a otros por medio de su ejemplo al manejar la adversidad. Quienes soportan la adversidad pueden compadecerse e identificarse más fácilmente con otros que sufren. Consolamos a otros de la forma que somos consolados: *"Bendito sea el Dios y Padre de nuestro Señor Jesucristo, Padre de misericordias y Dios de toda consolación, el cual nos consuela en todas nuestras tribulaciones, para que podamos también nosotros consolar a los que están en cualquier tribulación, por medio de la consolación con que nosotros somos consolados por Dios"* (2 Corintios 1:3–4).

# Estrategia para el aconsejamiento

## *Para la persona que no es creyente:*

1. Sea comprensivo. Escuche cuidadosamente mientras la persona cuenta sus problemas. Guíe la conversación para que usted pueda ofrecer ayuda espiritual.
2. Ofrezca aliento y esperanza. Dios ama a la persona y sabe lo que ocurre. La persona no está sola: *"Cuando pases por las aguas, yo estaré contigo; y si por los ríos, no te anegarán. Cuando pases por el fuego, no te quemarás, ni la llama arderá en ti"* (Isaías 43:2). Dígale que usted está contento porque acudió y que, trabajando juntos, tendrían que poder encontrar una respuesta a la situación.
3. Pregúntele si ha recibido a Jesucristo como Salvador y Señor. A veces Dios permite la aflicción a fin de que conseguir que le prestemos atención y así llevarnos a la salvación. Explique **Cómo obtener paz con Dios** (p. 12).
4. Ore con la persona interesada pidiendo salvación y liberación.
5. Anime a la persona a leer y estudiar la Biblia. La oración le brindará fortaleza y perspectiva sobre los problemas de la vida.
6. Recomiéndele que busque una iglesia que enseña la Biblia. La comunión con cristianos comprometidos tendrá una influencia maduradora. La iglesia también podrá proveer oportunidades para el estudio bíblico y el servicio cristiano.

## *Para el creyente:*

Si la persona interesada está afligida por alguna tragedia o sufrimiento, analicen posibles razones por las que Dios podría haberlo permitido.

1. Identifíquese con la persona interesada. Anímela ofreciéndole el consuelo de Dios. Usted podría hablar de algunos conceptos de lo tratado anteriormente en este artículo bajo el título "Razones para el sufrimiento humano". Aplique los que le parezcan más apropiados.
2. Si la persona parece manifestar un deseo de restauración y reconsagración, háblele sobre la base del contenido de la página 19.
3. Anime a la persona a escudriñar la Palabra de Dios y a orar sinceramente para que Dios revele sus razones para el sufrimiento:
    a. ¿Qué me trata de decir Dios?
    b. ¿Qué me trata de enseñar?
    c. ¿Qué pasos debería dar yo como resultado?
4. Si la persona aún no está involucrada, anímela a integrarse a una iglesia que enseña la Biblia. El estudio bíblico puede llevarla a una comprensión más profunda de la voluntad y los caminos de Dios.
5. Anime a la persona interesada a comunicarse con amigos cristianos. Siempre ayuda el contar con un oído atento. Esto resultará en consolación, comprensión y fortaleza.
6. Ore con la persona personalmente, pida liberación.

# Pasajes bíblicos

*"No se preocupen. Confíen en Dios y confíen también en mí"* (Juan 14:1, TLA).

*"Sabemos que Dios va preparando todo para el bien de los que le aman, es decir, de los que él ha llamado de acuerdo con su plan. Desde el principio, Dios ya sabía a quiénes iba a elegir, y ya había decidido que fueran semejantes a su Hijo, para que este sea el Hijo mayor"* (Romanos 8:28–29, TLA).

*"¿Quién nos podrá separar del amor de Cristo? ¿El sufrimiento, o las dificultades, o la persecución, o el hambre, o la falta de ropa, o el peligro, o la muerte violenta? [...]. Pero en todo esto salimos más que vencedores por medio de aquel que nos amó"* (Romanos 8:35, 37, DHH).

*"Hermanos míos, considérense muy dichosos cuando tengan que enfrentarse con diversas pruebas, pues ya saben que la prueba de su fe produce constancia [...] Dichoso el que resiste la tentación [la prueba] porque, al salir aprobado, recibirá la corona de la*

*vida que Dios ha prometido a quienes lo aman"* (Santiago 1:2–3, 12, NVI).

*"Queridos hermanos, no se extrañen del fuego de la prueba que están soportando, como si fuera algo insólito. Al contrario, alégrense de tener parte en los sufrimientos de Cristo, para que también sea inmensa su alegría cuando se revele la gloria de Cristo"* (1 Pedro 4:12–13, NVI).

*"Pero si alguien sufre por ser cristiano, que no se avergüence, sino que alabe a Dios por llevar el nombre de Cristo [...] Así pues, los que sufren según la voluntad de Dios, entréguense a su fiel Creador y sigan practicando el bien"* (1 Pedro 4:16, 19, NVI).

# EL SUICIDIO

Una persona suicida siente que ha agotado todas las opciones posibles. La vida no tiene ningún sentido, ningún propósito, ningún futuro, así que ¿para qué seguir soportando su extrema infelicidad, angustia, desesperación y desesperanza? La creencia obsesiva de que nada cambiará jamás para mejor, la deja con una sensación de indefensión, con la convicción de que la muerte es la única salida.

Una persona así es víctima de la depresión y está atormentada por sentimientos de indignidad, pecado y fracaso, una culpa profunda y la necesidad de ser castigada. Hay muchas cosas que condicionan a esta persona para que esté en este estado de depresión que puede llevarla al suicidio o a un intento de suicidio: ira, envidia, celos, temor, culpa, autocompasión, desviación sexual, drogas, alcohol, etc. Por lo tanto, debe ser obvio para la persona que ayuda, que las causas que están en la raíz de una crisis tal probablemente sean profundas y vengan de mucho tiempo atrás. De hecho, muchas de estas causas tienen que ver con la niñez y, por lo tanto, apuntan a la necesidad de un aconsejamiento profesional prolongado con un psicólogo o psiquiatra cristiano.

Si bien no todos los problemas de la persona suicida son espirituales, el máximo problema en la vida de toda persona es su separación de Dios, que se soluciona solamente con una relación personal con Jesucristo. Sin esta relación con Jesucristo, no puede haber ninguna solución o sanidad real. Cuando una persona experimenta todo lo que involucra la nueva vida en Cristo (2 Corintios 5:17)—perdón, libertad de la culpa y el temor, un sentido de satisfacción y bienestar, una nueva motivación para vivir—, se ponen en movimiento fuerzas que llevan a un cambio radical. Es aquí donde la persona que ayuda puede prestar un verdadero servicio, al guiar a la persona interesada a tener una relación personal con Jesucristo.

Algunas personas amenazan con suicidarse a fin de conseguir atención y compasión. Quieren que alguien escuche su dolor y sus frustraciones. Otros están más allá de este punto y tienen en mente seriamente la autodestrucción.

No es más que natural que alguien se sienta inadecuado al verse confrontado con este tipo de desafío; sin embargo, uno debería ayudar, recordando que nuestros recursos vienen del Señor. Él extenderá su mano en amor y poder a través de usted. Siéntase motivado por las promesas de la Biblia en cuanto a que *"para Dios todo es posible"* (Mateo 19:26) y que *"si alguno de vosotros tiene falta de sabiduría, pídala a Dios [...] y le será dada"* (Santiago 1:5).

# Estrategia para el aconsejamiento

Al hablar con una persona con tendencia suicida, deben mantenerse en mente dos metas principales:

- Compartir el mensaje del evangelio como una fuente de esperanza. Una nueva relación con Jesucristo puede provocar un cambio.
- Recoger información sobre la persona afectada, en previsión de posibles procedimientos de emergencia.

## *Cómo ayudar a la persona con tendencia suicida que no es creyente:*

1. Discretamente, pero cuanto antes, usted debería tratar de determinar si la persona es realmente un suicida. ¿Ha tomado pastillas o veneno? ¿Hay un arma cargada que amenaza usar? Al avanzar en la conversación, trate de conseguir el nombre, dirección y teléfono de la persona, el nombre de un familiar que viva cerca, y el nombre de un pastor y una iglesia. Siempre pida información de forma informal y amistosa, para no despertar sospechas.

2. Hablar con una persona con tendencia suicida exige sumo tacto y paciencia. ¡Esté preparado para escuchar! Deje que la persona hable lo más posible hasta que usted se forme un cuadro de la situación. Haga preguntas ocasionales durante la conversación, para alentar su continuidad. Si la persona hace alguna afirmación explícita, procure obtener alguna explicación adicional sobre cómo se siente. O pregúntele qué la lleva a sacar esa conclusión. La frase: "Cuénteme sobre eso" suele ser útil.

3. En la medida que lo permita la conversación, ofrezca palabras de aliento a la persona. Ponga énfasis en que ha acudido al lugar correcto, porque somos amigos y estamos dispuestos a escuchar. Sugiérale que Dios puede ayudar a revelar soluciones y que está realmente interesado en ella y la ama.

4. No minimice ningún sentimiento o conclusión que la persona podría expresar sobre sus problemas. Se le debería permitir que exteriorice toda la ira, tensión y sensación de desesperanza almacenados. No contradiga ninguna afirmación que haga, salvo mostrar su desacuerdo con la "solución" propuesta. Si la persona dice que la vida no vale la pena ser vivida, ¡créalo! Probablemente, para ella en su estado actual, es así. Evite afirmaciones del tipo de: "Vamos, las cosas no pueden ser tan desesperadas" o "Usted no es tan malo como le gustaría que yo lo considere".

5. ¡Asegúrele que hay una solución para sus problemas y que hay esperanza! Si le permite a Dios intervenir, Él puede perdonar todo el pasado y arreglar las cosas a través de Jesucristo. Jesús entiende el sufrimiento. Él fue difamado, maltratado y asesinado. A Él realmente le interesa lo que nos ocurre. Nos amó tanto que murió por nosotros. Cristo vendrá a nosotros donde estemos –a nuestro nivel de necesidad, no importa cuán pecaminosos o sin esperanzas nos consideremos– a fin de levantarnos más allá de nuestra desesperanza. Jesús dice: "*Vengan a mí todos ustedes que están cansados y agobiados, y yo les daré descanso*" (Mateo 11:28, NVI).

6. Explique **Cómo obtener paz con Dios** (p. 12).

7. Si la persona recibe a Cristo, ofrézcale la seguridad de que esta experiencia puede ser el catalizador de un verdadero cambio: "*Por lo tanto, si alguno está en Cristo, es una nueva creación. ¡Lo viejo ha pasado, ha llegado ya lo nuevo!*" (2 Corintios 5:17, NVI).

8. Explíquele que, para ayudar a lograr este cambio, necesita comenzar a leer y estudiar la Biblia.

9. Anímela a orar, porque comunicarse con Dios es muy importante para lograr un cambio. Podemos entregar a Dios todas nuestras emociones y problemas a través de la oración: "*Depositen en él toda ansiedad, porque él cuida de ustedes*" (1 Pedro 5:7, NVI). Comparta también Filipenses 4:6. Sugiérale que anote estas referencias para que pueda consultar los versículos fácilmente.

10. Anímela a buscar nuevas amistades, identificándose con una iglesia local que enseña la Biblia. Esto brindará oportunidades para la adoración, la comunión, el estudio bíblico y el servicio, todos los cuales son importantes en el intento de la persona por redireccionar el sentido de su vida.

11. Pregúntele si le gustaría recibir la visita de un pastor, si puede arreglarse este tipo de contacto. No prometa que ocurrirá, sino diga que se hará lo posible. Si parece difícil que usted pueda hacer arreglos para la entrevista, aliente a la persona a establecer el contacto. Sea cual fuere el caso, las amenazas de suicidio deben tener el mayor seguimiento posible.

12. Si la persona no se entrega a Cristo, de la mejor forma posible anímela a hacerlo. Explíquele que lo que han compartido, puede hacerlo ella en cualquier momento. La puerta de acceso a Dios está siempre abierta. Recomiéndele que haga contacto con un pastor local para ser aconsejada. La inmediatez es importante.

13. Tal vez sea necesaria ayuda médica. Vea si se le puede alentar a un familiar para que lleve a la persona con tendencia suicida a la sala de emergencias o a un hospital.

## *Cómo ayudar a la persona con tendencia suicida que es creyente:*

Los cristianos no están inmunizados ante los pensamientos o intentos de suicidio. Un pecado no resuelto o no confesado, o una situación de crisis, como una profunda desilusión, la muerte de un ser querido, un divorcio, la pérdida de trabajo o de salud, o una crisis nerviosa, pueden precipitar una depresión lo suficientemente severa como para conducir a un intento de suicidio.

1. Como señalamos para el caso de una persona que no es creyente, determine lo antes posible si la persona realmente es suicida. ¿Ha tomado pastillas o veneno? ¿Hay un arma cargada que amenaza usar? Al avanzar la conversación, trate de obtener el nombre, dirección y teléfono de la persona, el nombre de un familiar que vive cerca, y el nombre de un pastor y una iglesia. Siempre solicite información de forma informal, amistosa, a fin de evitar sospechas.
2. Recuerde al creyente que Dios siempre ama y está interesado: *"Porque Dios ha dicho: 'Nunca te dejaré ni te abandonaré'"* (Hebreos 13:5, DHH).
3. Recuérdele también que somos hijos de Dios (cite Juan 1:12).
4. Enfatice la verdad de que Dios todavía perdona. Hable de la sección sobre la restauración, que se encuentra en la página 19, y enfatice Proverbios 28:13 y 1 Juan 1:9. La confesión da como resultado el perdón y la restauración de la comunión.
5. Anímela a mirar solo al Señor y no a los problemas y circunstancias presentes (Mateo 14:27–32; Proverbios 3:5–6).
6. Sugiérale que es importante sumergirse en la Palabra de Dios: escucharla, leerla, estudiarla, meditarla y memorizarla.
7. Recuérdele que la oración es un recurso valioso y una parte esencial de la vida del cristiano. *"No se preocupen por nada. Más bien, oren y pídanle a Dios todo lo que necesiten, y sean agradecidos. Así Dios les dará su paz, esa paz que la gente de este mundo no alcanza a comprender, pero que protege el corazón y el entendimiento de los que ya son de Cristo"* (Filipenses 4:6–7, TLA; también 1 Tesalonicenses 5:17).
8. Recomiéndele que se integre a una iglesia que enseña la Biblia, como un paso importante para recuperar su estabilidad emocional. Esta

identidad le permitirá tener comunión con personas compasivas que adoran y trabajan juntas.

9. Ore con la persona pidiendo que Dios le dé un nuevo significado para su vida, y una nueva medida de esperanza y confianza.

## Pasajes bíblicos

Proverbios 3:5–6, especialmente DHH

Mateo 11:28

Mateo 14:27–32

2 Corintios 5:17, especialmente NVI

Filipenses 4:6–7

1 Tesalonicenses 5:17

1 Pedro 5:7

# EL TEMOR

Una sensación moderada de temor puede ser considerada normal, y hasta sana. Puede ser, simplemente, que la persona tiene conciencia de un peligro inminente, un mecanismo de defensa. Puede ser simplemente un corazón que late agitado, un rostro enrojecido y las palmas de las manos sudorosas que alguien siente mientras espera ser llamado a dar lección o pasar para dar un discurso. Los temores pueden ser una reacción a situaciones reales o imaginarias.

Cuando se encuentre con una persona temerosa, usted debe actuar con amor y descubrir la causa de sus temores. Quizá no haya soluciones fáciles o instantáneas para el problema completo; pero puede sugerirle que tener una adecuada relación con Jesucristo, depender del Espíritu Santo y tener una vida enfocada en la Palabra de Dios, son pasos necesarios para ser libres de temores.

Las expresiones "temor de Dios" o "temer a Dios" en la Biblia no implican que Dios espere que nos aterroricemos frente a Él esperando ser castigados, sino que le debemos todo nuestro respeto y confianza reverentes. Salomón dijo:

> *"El temor de Jehová es el principio de la sabiduría"* (Proverbios 9:10).

¡El temor de Dios es el único temor—actitud de confianza y adoración—que nos libra de todos los demás temores!

> *"Busqué a Jehová, y él me oyó, y me libró de todos mis temores"* (Salmos 34:4).

---

*Billy Graham escribe: "Jesús dijo que no debemos temer ni estar ansiosos; no debemos atormentarnos; no debemos preocuparnos. La Biblia dice que esa clase de temor es pecado.* 'La paz os dejo, mi paz os doy [...] No se turbe vuestro corazón, ni tenga miedo'" *(Juan 14:27).*

---

## Estrategia para el aconsejamiento

### *Para la persona que no es cristiana:*

Probablemente usted esté tratando con un pecado no resuelto para el cual hay remedio. Presente **Cómo obtener paz con Dios** (p. 12). Ponga énfasis en que:

1. Dios puede limpiar nuestra conciencia: "*¿Cuánto más la sangre de Cristo, el cual mediante el Espíritu eterno se ofreció a sí mismo sin mancha a Dios, limpiará vuestras conciencias de obras muertas para que sirváis al Dios vivo?*" (Hebreos 9:14).

2. Dios nos libera de los temores al castigo futuro: "*Ahora, pues, ninguna condenación hay para los que están en Cristo Jesús, los que no andan conforme a la carne, sino conforme al Espíritu. Porque la ley del Espíritu de vida en Cristo Jesús me ha librado de la ley del pecado y de la muerte*" (Romanos 8:1–2). Explique lo relativo a la seguridad de la salvación (p. 17).

## *Para la persona que es cristiana:*

Si la persona es un cristiano cuyo mayor temor *es sentirse inútil, fallar o no estar a la altura de lo que se espera de él, señale lo siguiente*:

1. Dios no nos pide que seamos exitosos; ¡solo que le agrademos a Él! "*Deléitate asimismo en Jehová, y él te concederá las peticiones de tu corazón*" (Salmos 37:4).

2. Aprenda a aceptarse tal como es, sin exigirse demasiado a sí mismo. Pablo dijo: "*Por la gracia de Dios soy lo que soy*" (1 Corintios 15:10). El Señor le dijo a Pablo: "*Bástate mi gracia; porque mi poder se perfecciona en la debilidad*" (2 Corintios 12:9).

3. No se compare con los demás. Simplemente, sea usted mismo: "*No nos atrevemos a igualarnos ni a compararnos con algunos que tanto se recomiendan a sí mismos. Al medirse con su propia medida y compararse unos con otros, no saben lo que hacen*" (2 Corintios 10:12, NVI).

4. Dios le ha dado todo lo necesario para sentirse seguro: "*Dios no nos ha dado un espíritu de temor, sino un espíritu de poder, de amor y de buen juicio*" (2 Timoteo 1:7, DHH).

5. Aprenda a confiar en Dios implícitamente para todo lo que quiera ser y hacer: "*Confía de todo corazón en el Señor y no en tu propia inteligencia. Ten presente al Señor en todo lo que hagas, y él te llevará por el camino recto*" (Proverbios 3:5–6, DHH).

6. Convierta sus temores en temas de oración concretos: "*Por nada estéis afanosos, sino sean conocidas vuestras peticiones delante de Dios en toda oración y ruego, con acción de gracias. Y la paz de Dios, que sobrepasa todo entendimiento, guardará vuestros corazones y vuestros pensamientos en Cristo Jesús*" (Filipenses 4:6–7).

Si la persona es un cristiano cuyo mayor temor es *sentirse inútil, fallar o no estar a la altura de lo que se espera de él*, señale lo siguiente:

1. Dios no nos pide que seamos exitosos; ¡solo que le agrademos a Él! *"Deléitate asimismo en Jehová, y él te concederá las peticiones de tu corazón"* (Salmos 37:4).
2. Aprenda a aceptarse tal como es, sin exigirse demasiado a sí mismo. Pablo dijo: *"Por la gracia de Dios soy lo que soy"* (1 Corintios 15:10). El Señor le dijo a Pablo: *"Bástate mi gracia; porque mi poder se perfecciona en la debilidad"* (2 Corintios 12:9).
3. No se compare con los demás. Simplemente, sea usted mismo: *"No nos atrevemos a igualarnos ni a compararnos con algunos que tanto se recomiendan a sí mismos. Al medirse con su propia medida y compararse unos con otros, no saben lo que hacen"* (2 Corintios 10:12, NVI).
4. Dios le ha dado todo lo necesario para sentirse seguro: *"Dios no nos ha dado un espíritu de temor, sino un espíritu de poder, de amor y de buen juicio"* (2 Timoteo 1:7, DHH).
5. Aprenda a confiar en Dios implícitamente para todo lo que quiera ser y hacer: *"Confía de todo corazón en el Señor y no en tu propia inteligencia. Ten presente al Señor en todo lo que hagas, y él te llevará por el camino recto"* (Proverbios 3:5–6, DHH).
6. Convierta sus temores en temas de oración concretos: *"Por nada estéis afanosos, sino sean conocidas vuestras peticiones delante de Dios en toda oración y ruego, con acción de gracias. Y la paz de Dios, que sobrepasa todo entendimiento, guardará vuestros corazones y vuestros pensamientos en Cristo Jesús"* (Filipenses 4:6–7).

Si la persona es un cristiano que siente cierta ansiedad o inquietud por las *incertidumbres de la vida y el futuro*, ofrézcale aliento. Cuando confiamos en Jesucristo, podemos tener lo siguiente:

1. Jesucristo nos asegura:

   *"Yo soy el buen pastor; y conozco mis ovejas, y las mías me conocen"* (Juan 10:14).

   *"Porque yo sé muy bien los planes que tengo para ustedes—afirma el SEÑOR—planes de bienestar y no de calamidad, a fin de darles un futuro y una esperanza"* (Jeremías 29:11, NVI).
2. Dios ha prometido:

   - Su presencia: *"Porque Dios ha dicho: 'Nunca te dejaré; jamás te abandonaré'"* (Hebreos 13:5, NVI).

- Su provisión: *"Joven fui, y he envejecido, y no he visto justo desamparado, ni su descendencia que mendigue pan"* (Salmos 37:25).
- Su protección: *"Jehová es mi luz y mi salvación; ¿de quién temeré? Jehová es la fortaleza de mi vida; ¿de quién he de atemorizarme?"* (Salmos 27:1).

3. Señale que el amor es la antítesis del temor: *"En el amor no hay temor, sino que el perfecto amor echa fuera el temor; porque el temor lleva en sí castigo. De donde el que teme, no ha sido perfeccionado en el amor"* (1 Juan 4:18).

Si se trata de un cristiano que teme por *su trabajo y su ministerio*, anímelo a:

1. Estar completamente seguro de su propia relación con Jesucristo: *"No me avergüenzo, porque sé en quién he creído, y estoy seguro de que tiene poder para guardar hasta aquel día lo que le he confiado"* (2 Timoteo 1:12, NVI).
2. Asumir un compromiso moral consciente con Dios: *"Os ruego [...] que presentéis vuestros cuerpos en sacrificio vivo, santo, agradable a Dios, que es vuestro culto racional"* (Romanos 12:1).
3. Confiar en que Dios estará con él y obrará a través de él: *"Bástate mi gracia; porque mi poder se perfecciona en la debilidad"* (2 Corintios 12:9). *"No temas delante de ellos, porque contigo estoy para librarte, dice Jehová"* (Jeremías 1:8).
4. Dar testimonio fielmente de las pequeñas cosas. Demostrar su fe cristiana por medio de cosas tales como actos de bondad, el control de las actitudes propias, y dar gracias a Dios por una comida en un lugar público.
5. Buscar la compañía y la fortaleza de un cristiano más fuerte para poder testificar juntos. Cuando la persona integra un equipo evangelístico, cobra seguridad: *"Los planes se afirman con un buen consejo; la guerra se hace con una buena estrategia"* (Proverbios 20:18, DHH).
6. Tomar algún curso sobre evangelismo personal que se dicte en una iglesia.
7. Orar para que lo consuma la compasión por los perdidos: *"Pues si anuncio el evangelio, no tengo por qué gloriarme; porque me es impuesta necesidad; y ¡ay de mí si no anunciare el evangelio!"* (1 Corintios 9:16).

Si la persona tiene temor de la muerte, repase con ella el capítulo sobre "Muerte".

## Pasajes bíblicos

*"Busqué a Jehová, y él me oyó, y me libró de todos mis temores"* (Salmos 34:4).

*"Mas el que me oyere, habitará confiadamente y vivirá tranquilo, sin temor del mal"* (Proverbios 1:33).

*"No temas, porque yo estoy contigo; no desmayes, porque yo soy tu Dios que te esfuerzo; siempre te ayudaré, siempre te sustentaré con la diestra de mi justicia"* (Isaías 41:10).

*"No temas, porque yo te redimí; te puse nombre, mío eres tú. Cuando pases por las aguas, yo estaré contigo; y si por los ríos, no te anegarán. Cuando pases por el fuego, no te quemarás, ni la llama arderá en ti"* (Isaías 43:1–2).

*"Pues no habéis recibido el espíritu de esclavitud para estar otra vez en temor, sino que habéis recibido el espíritu de adopción, por el cual clamamos: ¡Abba, Padre! El Espíritu mismo da testimonio a nuestro espíritu, de que somos hijos de Dios"* (Romanos 8:15–16).

## *Vea también* La ansiedad, las preocupaciones y las tensiones

# LA TENTACIÓN

De la misma forma en que la aguja de una brújula es afectada por la atracción magnética, el cristiano siente la atracción por el pecado. Una ilustración de esto es el deseo de Israel de volver a *"los pepinos, los melones, los puerros, las cebollas y los ajos"* de Egipto (Números 11:5) y Demas, el joven que Pablo menciona que dejó el ministerio *"por amor a este mundo"* (2 Timoteo 4:10, NVI). Pablo describe al cristiano como alguien que tiene dos naturalezas, la vieja y la nueva, que compiten constantemente por tener la supremacía. El cristiano debe entender esto y debe aprender a confrontar esta "atracción magnética" de su propia naturaleza pecaminosa y las argucias de Satanás.

---

*Un párrafo de Billy Graham ayuda a poner esto en perspectiva: "Dios nunca promete quitar la tentación de nosotros, pues aun Cristo estuvo sujeto a ella [...] Hay un sentido de logro y seguridad que surgen de la victoria sobre la tentación que no podemos adquirir de otra forma. La tentación muestra lo que las personas son en realidad. No nos convierte en cristianos o en no cristianos. Sin embargo, el vencer la tentación hace que el cristiano sea más fuerte y lo lleva a descubrir recursos de poder [...] En tiempos de tentación Cristo puede volverse más real que nunca para una persona".*

---

## *Algunas cosas que debemos recordar acerca de la tentación*

- La tentación es algo que sucede a todos los cristianos: *"Ustedes no han sufrido ninguna tentación que no sea común al género humano. Pero Dios es fiel, y no permitirá que ustedes sean tentados más allá de lo que puedan aguantar. Más bien, cuando llegue la tentación, él les dará también una salida a fin de que puedan resistir"* (1 Corintios 10:13, NVI).
- La tentación es del diablo (Mateo 4:1–11).
- La tentación en sí misma no es pecado, pero el sucumbir a ella sí lo es.

---

*Billy Graham dice: "Es pecado cuando usamos la tentación para ceder. Ninguno de nosotros debería colocarnos deliberadamente en una posición donde podamos ser tentados. Satanás siempre atacará donde seamos más vulnerables.* 'Cada uno es tentado cuando sus propios malos deseos lo arrastran y seducen. Luego, cuando el deseo ha concebido, engendra el pecado; y el pecado, una vez que ha sido consumado, da a luz la muerte' *(Santiago 1:14–15, NVI). Un pensamiento entra; lo consentimos; germina y crece, convirtiéndose en una acción mala".*

- Dios no nos guía personalmente hacia la tentación: "*Cuando alguno es tentado, no diga que es tentado de parte de Dios; porque Dios no puede ser tentado por el mal, ni él tienta a nadie*" (Santiago 1:13). Pero Dios ciertamente *permite* que seamos tentados (Job 1:6–12) para que podamos enfrentar la tentación, vencerla y volvernos más fuertes: "*Os he escrito a vosotros, jóvenes, porque sois fuertes, y la palabra de Dios permanece en vosotros, y habéis vencido al maligno*" (1 Juan 2:14; vea Santiago 1:12).
- Ninguna tentación es irresistible: "*Pueden confiar en Dios, pues él no va a permitir que sufran más tentaciones de las que pueden soportar. Además, cuando vengan las tentaciones, Dios mismo les mostrará cómo vencerlas, y así podrán resistir*" (1 Corintios 10:13, TLA).
- No importa lo que experimentemos, Jesús ha pasado por lo mismo antes. Él "*fue tentado en todo según nuestra semejanza, pero sin pecado*" (Hebreos 4:15).

# Estrategia para el aconsejamiento

1. Pregunte a la persona interesada si es un cristiano, alguien que ha recibido a Jesucristo como Salvador y Señor. Si no lo es, explique **Cómo obtener paz con Dios** (p. 12). Nadie es lo suficientemente fuerte como para vencer la tentación sin la ayuda de Dios, independientemente de cuán altos sean sus ideales o motivaciones.
2. Sugiera formas de confrontar y vencer la tentación:

   A. Debemos resistir al tentador: "*Resistid al diablo, y huirá de vosotros*" (Santiago 4:7).

   B. Debemos someternos a Dios (Santiago 4:7). Para hacer esto necesitamos:

   (1) Entregarnos diariamente a Dios (Romanos 12:1) y confesar diariamente todos nuestros pecados conocidos, para que no haya una "acumulación" innecesaria de tentaciones (Salmos 51:10).

   (2) Sujetar nuestras mentes al control de Dios:

   - "*Sean transformados mediante la renovación de su mente*" (Romanos 12:2, NVI).
   - "*Concentren su atención en las cosas de arriba, no en las de la*

*tierra"* (Colosenses 3:2, NVI).

(3) Tener disciplina en la oración:

- *"Acerquémonos, pues, confiadamente al trono de la gracia, para alcanzar misericordia y hallar gracia para el oportuno socorro"* (Hebreos 4:16).
- *"Oren en el Espíritu en todo momento, con peticiones y ruegos. Manténganse alerta y perseveren en oración por todos los santos"* (Efesios 6:18, NVI).

(4) Leer, estudiar y memorizar la Biblia. Dwight L. Moody solía decir: "El pecado te alejará de este libro, o este libro te alejará del pecado".

- *"La palabra de Dios es viva y poderosa [...] y juzga los pensamientos y las intenciones del corazón"* (Hebreos 4:12, NVI).

(5) Relacionarnos con el tipo correcto de amigos: el pueblo de Dios:

- *"No se dejen engañar: 'Las malas compañías corrompen las buenas costumbres'"* (1 Corintios 15:33, NVI).
- *"Preocupémonos los unos por los otros, a fin de estimularnos al amor y a las buenas obras. No dejemos de congregarnos, como acostumbran hacerlo algunos, sino animémonos unos a otros, y con mayor razón ahora que vemos que aquel día se acerca"* (Hebreos 10:24–25, NVI).

(6) Vestirnos de toda la armadura de Dios (Efesios 6:13–18).

(7) Depender del Espíritu Santo:

- *"Con mayor razón Dios, su Padre que está en el cielo, dará el Espíritu Santo a quienes se lo pidan"* (Lucas 11:13, TLA).
- *"Y yo le pediré al Padre que les mande otro Defensor, el Espíritu de la verdad, para que esté siempre con ustedes"* (Juan 14:16, DHH).
- *"Cuando venga el Espíritu de la verdad, él los guiará a toda verdad"* (Juan 16:13, DHH).

# Pasajes bíblicos

*"Dichoso el que resiste la tentación porque, al salir aprobado, recibirá la corona de*

*la vida que Dios ha prometido a quienes lo aman. Que nadie, al ser tentado, diga: 'Es Dios quien me tienta'. Porque Dios no puede ser tentado por el mal, ni tampoco tienta él a nadie. Todo lo contrario, cada uno es tentado cuando sus propios malos deseos lo arrastran y seducen. Luego, cuando el deseo ha concebido, engendra el pecado; y el pecado, una vez que ha sido consumado, da a luz la muerte"* (Santiago 1:12–15, NVI).

*"Han llegado ya la salvación y el poder y el reino de nuestro Dios; ha llegado ya la autoridad de su Cristo. Porque ha sido expulsado el acusador de nuestros hermanos, el que los acusaba día y noche delante de nuestro Dios. Ellos lo han vencido por medio de la sangre del Cordero y por el mensaje del cual dieron testimonio; no valoraron tanto su vida como para evitar la muerte"* (Apocalipsis 12:10–11, NVI).

## *Otros pasajes bíblicos sugeridos:*

Mateo 4:1–11

Romanos 8:26, especialmente DHH o NVI

Gálatas 5:16

# TESTIFICAR

La palabra *testificar* suele usarse para describir el proceso de proclamar la fe cristiana a los no creyentes. El término es muy apropiado, ya que los creyentes cuentan a otros de lo que han sido "testigos", lo que han visto de la gracia y la bondad de Dios. Precisamente por esta razón, el apóstol Juan se consideraba un testigo del evangelio:

"*Lo que ha sido desde el principio, lo que hemos oído, lo que hemos visto con nuestros propios ojos, lo que hemos contemplado, lo que hemos tocado con las manos, esto les anunciamos respecto al Verbo que es vida*" (1 Juan 1:1, NVI).

Los cristianos del primer siglo habían "*trastornado el mundo entero*" (Hechos 17:6, NVI) porque tenían un sentido de urgencia acerca del mensaje de Cristo. Pablo dijo: "*¡Ay de mí si no anunciare el evangelio!*" (1 Corintios 9:16).

Todos los creyentes son testigos; o bien dan a conocer a Cristo por medio de su vida y su palabra, o no lo hacen. Algunos son testigos negativos; otros permanecen en silencio en cuanto a su fe. Cada uno de nosotros necesita buscar una relación más vibrante con Cristo, para que la gente se dé cuenta de que hemos estado con Jesús (Hechos 4:13). Todos los creyentes son testigos, pero algunos han recibido el don del evangelismo. Tienen una capacidad especial para invitar a las personas a recibir a Cristo como Salvador.

Al testificar, el ejemplo es esencial. Nuestra vida debe reflejar lo que profesamos. Mediante nuestro ejemplo establecemos credibilidad y construimos confianza, que preparan el camino para presentar a Cristo. Sin embargo, necesitamos más que solo el ejemplo. No hay ningún sustituto para el testigo que anuncia verbalmente los hechos del evangelio:

- "*Dios estaba en Cristo reconciliando consigo al mundo...*" (2 Corintios 5:19).
- "*Además os declaro, hermanos, el evangelio que os he predicado [...] Que Cristo murió por nuestros pecados, conforme a las Escrituras; y que fue sepultado, y que resucitó al tercer día, conforme a las Escrituras*" (1 Corintios 15:1, 3–4).
- "*Y en ningún otro hay salvación; porque no hay otro nombre bajo el cielo, dado a los hombres, en que podamos ser salvos*" (Hechos 4:12).

Un creyente en Cristo testifica objetivamente al narrar los hechos del evangelio, y subjetivamente al hablar de sus propias experiencias en Cristo. No deberíamos pasar por alto el valor y la eficacia potencial de nuestro propio testimonio. La primera impresión real que algunas personas recibirán con respecto al poder de Cristo de transformar una vida (2 Corintios 5:17) será al oír lo que Jesús ha hecho por nosotros. Pablo relató muchas veces su experiencia en el camino a Damasco.

Estos son los ingredientes de un testimonio personal eficaz:

- Cómo era mi vida antes de recibir a Cristo.
- Cómo lo conocí y lo recibí (a través de qué medio y en qué circunstancias).
- Cómo ha sido la vida desde que lo recibí.

---

*Billy Graham escribe sobre la acción de testificar: "Somos mayordomos del evangelio. El poder para proclamar la más grande noticia en cielo y Tierra no fue dado a los ángeles; fue dado a hombres redimidos. Todo creyente debe ser un testigo; todo seguidor de Cristo debe predicar el evangelio. Podemos predicar al hacer conocer nuestras experiencias a otros. Podemos predicar al exaltar a Cristo en nuestra vida diaria. Los sermones que se ven suelen ser más eficaces que los que se oyen. Lo cierto es que los mejores sermones son los que se oyen y se ven".*

---

# Estrategia para el aconsejamiento

1. Para poder testificar eficazmente, una persona debe conocer a Cristo personalmente. Pregunte a la persona interesada si ha recibido a Jesucristo como Señor y Salvador. Si corresponde, presente **Cómo obtener paz con Dios** (p. 12).
2. ¡Jesús debe ser real para el creyente! Habrá muy poco para hablar con otra persona, si el testigo no busca ni mantiene un andar cercano a Cristo, leyendo y obedeciendo la Biblia y orando. No tenemos que ser súper creyentes para testificar, pero debemos ser creyentes auténticos. Inste a la persona que esté segura de que es un creyente auténtico y en crecimiento.
3. El testificar comienza con la oración. La oración con verdadero interés por los que necesitan a Cristo condicionará espiritualmente al creyente para su testimonio. Una lista de oración de los "candidatos", las personas que uno quiere alcanzar, es un buen punto de partida. La lista podría incluir a familiares, vecinos, un viejo amigo, un amigo nuevo, etc.
4. Aconseje a la persona que reúna toda la información posible sobre cada persona considerada como un probable candidato para testificar del evangelio. Cuanto más cuidadosamente planifique el acercamiento, más eficaz será el testimonio. (El acercamiento debería ser considerado como remar alrededor de una isla en busca del

mejor lugar para desembarcar.)

5. Sugiérale que comience con una persona. Que sea natural, amable y amistoso, sin ser condescendiente. Que no abrume al candidato intentando avanzar demasiado rápido. Que sea un buen oyente; la mayoría de las personas realmente quieren hablar de ellas mismas, sus problemas, sus heridas y sus anhelos.

6. En este punto, el testigo tal vez hable de sus propias experiencias con Cristo: cómo Cristo llegó a su vida y lo que significa su presencia.

7. Este dar a conocer su experiencia debe llevar al momento preciso en que el testigo explique el plan de salvación de Dios (vea **Cómo obtener paz con Dios**, que se encuentra en la p. 12). Las verdades del evangelio deben aplicarse de forma tal que converjan al punto de la necesidad del individuo. Para que una persona nazca de nuevo el pecado deberá ser enfrentado de raíz, la muerte expiatoria de Cristo deberá ser aceptada como el único camino hacia Dios, y será necesario expresar arrepentimiento y fe.

8. Aconseje a la persona que siempre apunte a una decisión, y que esta sea integral, inteligente y definida. El testigo debe invitar a la persona, con amabilidad pero con firmeza, a tomar una decisión basada en las verdades presentadas. El mayor servicio que un creyente puede prestar a otro ser humano, es ayudarlo a entender al paso de mayor importancia en su vida: entregar su vida a Cristo.

9. Aliente a la persona interesada a que selle la decisión con una oración. Si el candidato sabe lo suficiente, que le sugiera ofrecer su propia oración de entrega. Si no, el testigo podría guiarlo en una oración.

10. Luego de esto, el testigo debería analizar con el candidato lo que ha ocurrido realmente, a fin de confirmar su decisión (use como guía el material ofrecido en la página 15).

11. El objetivo final al testificar y ganar a personas para que crean en Cristo, es que ellas mismas puedan ser testigos eficaces y que se reproduzcan. A fin de que esto se realice, será necesario seguir dedicando tiempo al nuevo creyente, enseñándole la importancia de la lectura y el estudio de la Biblia, explicándole el valor y la práctica de la oración, y presentándolo a creyentes comprometidos para la comunión, el desafío y el aliento.

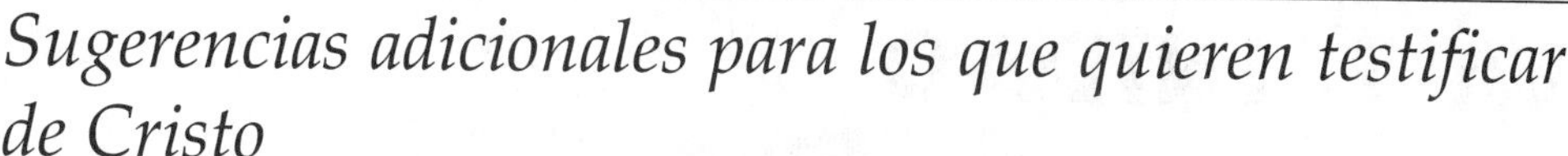

## *Sugerencias adicionales para los que quieren testificar de Cristo*

1. Identificarse con una iglesia donde la Biblia es predicada y enseñada, y donde se haga énfasis en el testimonio personal y en ganar almas.
2. Tratar de cultivar amistades con otros creyentes que testifican a fin de aprender de ellos: observar, y luego hacer. El método de Evangelismo Explosivo nos enseña en sus seminarios que el evangelismo es algo que se aprende en la práctica y no en el aula.
3. Inscribirse en cursos sobre evangelismo personal que estén disponibles a través de su iglesia u otra iglesia.
4. Leer y estudiar libros sobre memorización de la Biblia, evangelismo personal y maneras de testificar. Algunos títulos que podemos sugerir son:

   *Cómo compartir su fe*, por Paul Little (Lit. Mundo Hispano)

   *La razón de nuestra fe*, por Paul Little, (Edit. Las Américas)

   *Mi decisión y Cómo obtener paz con Dios*
   (Asociación Evangelística Billy Graham)

   *Cómo llegar a ser cristiano*, por John Stott (Ediciones Certeza Abua)

# Pasajes bíblicos

*"Pero recibiréis poder, cuando haya venido sobre vosotros el Espíritu Santo, y me seréis testigos en Jerusalén, en toda Judea, en Samaria, y hasta lo último de la tierra"* (Hechos 1:8)

*"Cuando las autoridades vieron la valentía con que hablaban Pedro y Juan, y se dieron cuenta de que eran hombres sin estudios ni cultura, se quedaron sorprendidos, y reconocieron que eran discípulos de Jesús"* (Hechos 4:13, DHH).

*"Dios estaba en Cristo reconciliando consigo al mundo [...] y nos encargó a nosotros la palabra de la reconciliación"* (2 Corintios 5:19).

*"Estén siempre listos para explicarle a la gente por qué ustedes confían en Cristo y en sus promesas"* (1 Pedro 3:15, TLA).

# LA TRINIDAD

Los cristianos creen en la Trinidad: que Dios es uno, pero a la vez en tres personas distintas: Padre, Hijo y Espíritu Santo. Cada uno es una persona distinta, pero esas tres personas son una en propósito, en esencia y en naturaleza. A la mente finita le cuesta comprender este misterio; debe ser aceptado por fe: "*En realidad, sin fe es imposible agradar a Dios, ya que cualquiera que se acerca a Dios tiene que creer que él existe y que recompensa a quienes lo buscan*" (Hebreos 11:6, NVI).

El *Credo de los Apóstoles*, una declaración de fe aceptada por la iglesia a lo largo de las edades, comienza por mencionar las tres personas de la Trinidad: "Creo en Dios, Padre todopoderoso, Creador del cielo y de la Tierra. Creo en Jesucristo, su único Hijo, nuestro Señor, que fue concebido por obra y gracia del Espíritu Santo".

La *Confesión de Westminster* incluye una defensa elocuente de la Trinidad: "En la unidad de Dios hay tres Personas de la misma sustancia, el mismo poder y la misma eternidad: Dios el Padre, Dios el Hijo y Dios el Espíritu Santo".

El entendimiento de que Dios es una Trinidad es exclusivo de la fe cristiana. La mayoría de las religiones no cristianas son animistas o politeístas; las pocas que creen en un Dios no tienen ningún concepto de que sea tres personas en una. Todas las principales sectas pseudocristianas rechazan enfáticamente esta creencia.

## Estrategia para el aconsejamiento

1. Elogie a la persona interesada por querer descubrir la verdad acerca de este importante tema. Explique que la Palabra de Dios—la Biblia—habla elocuentemente acerca de la realidad de la Trinidad.

2. Desafíela a recibir a Jesucristo como Señor y Salvador. La mejor forma de entender la Trinidad es recibir vida eterna a través de Jesucristo. Explique **Cómo obtener paz con Dios** (p. 12). Algunos pasajes bíblicos que podrían resultarle útiles son: "*Porque hay un solo Dios, y un solo mediador entre Dios y los hombres, Jesucristo hombre, el cual se dio a sí mismo en rescate por todos*" (1 Timoteo 2:5–6). Vea también Tito 3:5, Juan 1:12, Juan 3:36 y los pasajes que aparecen en la hoja siguiente, en "Pasajes bíblicos".

3. Si la persona interesada invita a Cristo a entrar en su vida, comparta versículos relacionados con la seguridad (página 17), y el artículo **La seguridad de la salvación**. Sugiera lo siguiente:

A. Decídase a identificarse firmemente con Cristo.

B. Comience a leer y estudiar la Biblia.

C. Busque una iglesia que enseña la Biblia, donde pueda tener comunión con otros creyentes, adorar, orar, testificar y aprender la manera de usar *"bien la palabra de verdad"* (2 Timoteo 2:15).

4. Ore con la persona, pida que pueda caminar fielmente con Cristo y tener una plena comprensión de la Biblia.

# Pasajes bíblicos

La Biblia hace una convincente defensa de la diversidad y la unidad de la Trinidad. A continuación ofrecemos una selección de los textos más obvios.

## *El Padre:*

Hay un Dios y Padre (1 Corintios 8:6).

Es el autor de nuestra redención (Gálatas 1:3–4).

Es todopoderoso (Efesios 4:6).

No cambia (Santiago 1:17).

Es el Padre de nuestro Señor Jesucristo (Efesios 1:3).

Es el Padre de los creyentes (2 Corintios 6:17–18).

## *Jesucristo, el Hijo:*

Es eterno, desde el principio (Juan 1:1).

Se encarnó (Juan 1:14).

Es el autor de la gracia y la verdad (Juan 1:17).

Es el Hijo de Dios, nuestro Salvador (Juan 3:16).

El Padre ama al Hijo (Juan 3:35).

El Hijo ama al Padre (Juan 14:31).

El Hijo y el Padre son Uno (Juan 10:30).

## *El Espíritu Santo:*

Dios es Espíritu (Juan 4:24).

El Espíritu Santo fue el autor de la Biblia (2 Pedro 1:21).

Nos guía a toda verdad (Juan 16:13).

Es enviado por el Padre al mundo (Juan 14:26).

Mora en los creyentes (Juan 14:17).

Confirma que somos hijos de Dios (Romanos 8:16).

Los creyentes pueden ser llenados con Él (Hechos 4:31).

## *La Trinidad presentada en conjunto:*

Cuando Jesús fue bautizado, el Espíritu Santo descendió y el Padre habló (Mateo 3:16–17).

Los creyentes deben ser bautizados y discipulados en el nombre del Padre, del Hijo y del Espíritu Santo (Mateo 28:18–19).

## *Los ministerios exclusivos de la Trinidad en la redención:*

La parte del Padre (Efesios 1:3–6).

La parte del Hijo (Efesios 1:6–12).

La parte del Espíritu Santo (Efesios 1:13–14).

# CÓMO CONOCER LA VOLUNTAD DE DIOS

Dios tiene una voluntad específica para la vida de todo creyente. Debería ser nuestro propósito más alto determinar precisamente cuál es su voluntad para nosotros, y luego cumplirla, no importa cuál sea el costo.

A fin de conocer la voluntad de Dios para nuestra vida, primero debemos conocer a Dios mismo. Jamás podremos saber quiénes somos sin saber primer *de quién* somos. Aprendemos a conocer a Dios al someternos cada vez más a su señorío, al obedecer su Palabra y al ser guiados por el Espíritu Santo. En proporción directa a nuestro conocimiento de Dios y nuestra sumisión a Él, experimentaremos el gozo de andar en su voluntad: "*Confía de todo corazón en el Señor y no en tu propia inteligencia. Ten presente al Señor en todo lo que hagas, y él te llevará por el camino recto*" (Proverbios 3:5–6, DHH).

---

*Billy Graham escribe: "Conocer la voluntad de Dios es lo máximo de toda sabiduría. El vivir en el centro de la voluntad de Dios pone el sello de verdadera sinceridad a nuestro servicio a Dios. Uno puede ser desdichado teniendo mucho si está fuera de su voluntad, pero puede tener paz en su corazón teniendo poco, si está en la voluntad de Dios. Uno puede ser feliz en medio del sufrimiento si está en la voluntad de Dios. Puede estar sereno y en paz en medio de la persecución mientras esté en la voluntad de Dios. La Biblia revela que Dios tiene un plan para cada vida, y que, si vivimos en comunión constante con Él, nos guiará en el cumplimiento de su plan".*

---

## Estrategia para el aconsejamiento

Elogie a la persona interesada por su deseo de buscar lo más alto y lo mejor de Dios para su vida. Sin embargo, mencione que solo el hijo de Dios puede conocer la voluntad directa y específica de Él para su vida. A veces, el no creyente expresará un deseo de conocer la voluntad de Dios sobre una decisión o un paso importante en su vida. Señale que el primer paso para conocer la voluntad de Dios es recibir a Jesucristo como Señor y Salvador. Explique **Cómo obtener paz con Dios** (p. 12).

Para el creyente que busca conocer la voluntad de Dios, sugiera algunos principios para conocer su voluntad:

1. Aconséjele que arregle cualquier conducta o relación que podría constituir un obstáculo para conocer la voluntad de Dios. A veces

una relación sentimental o comercial deberá terminar, o un pecado específico tendrá que ser confesado. Explique la sección sobre restauración, que se encuentra en la página 19.

Enfatice que el camino a Dios puede ser despejado a través de la confesión (1 Juan 1:9), mientras que el camino hacia otros puede ser despejado, si fuera necesario, a través de disculpas y restitución.

*"Por eso procuro siempre tener limpia mi conciencia delante de Dios y de los hombres"* (Hechos 24:16, DHH).

2. Anime a la persona a tener disposición para hacer la voluntad de Dios, no importa cuál sea ni lo que cueste: *"Y decía a todos: Si alguno quiere venir en pos de mí, niéguese a sí mismo, tome su cruz cada día, y sígame"* (Lucas 9:23).

3. Sugiérale reunir toda la información disponible y luego dejar que Dios hable y revele su voluntad. Las herramientas para hacer esto incluirían el propio intelecto y sentido común de la persona, su experiencia previa y el consejo de amigos piadosos. Ella necesita tener en cuenta también sus propios dones y talentos.

4. Sugiérale que busque la voluntad de Dios a la luz de las Escrituras reveladas. ¿Qué principios, mandatos o prohibiciones son aplicables? ¿Ha dado el Espíritu Santo algún versículo o promesa que sean motivadores? *"Tu palabra es una lámpara a mis pies y una luz en mi camino"* (Salmos 119:105, DHH).

5. Ínstela a orar pidiendo que se revele la voluntad de Dios y también por la percepción espiritual para discernirla. El siervo de Isaac dijo: *"¡Bendito sea el Señor, el Dios de mi amo Abraham, pues [...] me ha dirigido en el camino!"* (Génesis 24:27, DHH). *"No se inquieten por nada; más bien, en toda ocasión, con oración y ruego, presenten sus peticiones a Dios y denle gracias"* (Filipenses 4:6, NVI).

6. La persona deberá ser muy sensible a la guía del Espíritu Santo y preguntarse si Él la lleva hacia un curso de acción específico, o si la aleja de ese curso de acción.

   *"Pero cuando venga el Espíritu de verdad, él os guiará a toda la verdad; porque no hablará por su propia cuenta, sino que hablará todo lo que oyere, y os hará saber las cosas que habrán de venir"* (Juan 16:13).

7. Sugiérale que se pregunte: "¿Estoy en paz al considerar los factores involucrados, o estoy ansioso e impaciente por la incertidumbre o un conflicto interno?" *"El efecto de la justicia será paz; y la labor de la justicia, reposo y seguridad para siempre"* (Isaías 32:17).

8. Recomiéndele que deje lugar para la fe. Según la fe, ¿es el momento para seguir, para detenerse o para esperar? ¿Qué principios de los pasajes bíblicos considerados se aplican a su situación? (Recomiéndele que anote las referencias de los versículos para estudiarlos más adelante.)

   *"Encomienda a Jehová tu camino, y confía en él; y él hará"* (Salmos 37:5).

9. Como un ejercicio en el seguimiento práctico de su progreso, sugiérale preparar una lista bajo los títulos "a favor", "en contra" y "alternativas". A medida que el Señor, a través de su Palabra y la oración, le dé percepción de la situación, que registre esta perspectiva bajo uno de estos tres títulos.

10. Ore con la persona interesada acerca de todo paso inicial que debería tomar para implementar las sugerencias anteriores.

# Pasajes bíblicos

*"'¿Qué le agrada más al SEÑOR: que se le ofrezcan holocaustos y sacrificios, o que se obedezca lo que él dice? El obedecer vale más que el sacrificio, y el prestar atención, más que la grasa de carneros'"* (1 Samuel 15:22, NVI).

*"Confía en Jehová, y haz el bien; y habitarás en la tierra, y te apacentarás de la verdad [...] Encomienda a Jehová tu camino, y confía en él; y él hará"* (Salmos 37:3, 5).

*"A mí me agrada hacer tu voluntad, Dios mío; ¡llevo tu enseñanza en el corazón!"* (Salmos 40:8, DHH).

*"El SEÑOR es sol y escudo; Dios nos concede honor y gloria. El SEÑOR brinda generosamente su bondad a los que se conducen sin tacha"* (Salmos 84:11, NVI).

*"Si me amáis, guardad mis mandamientos [...] El que me ama, mi palabra guardará; y mi Padre le amará, y vendremos a él, y haremos morada con él"* (Juan 14:15, 23).

*"Pero sed hacedores de la palabra, y no tan solamente oidores, engañándoos a vosotros mismos"* (Santiago 1:22).

# APÉNDICE A

# SIETE PREGUNTAS FRECUENTES

*por Paul E. Little*

## 1. ¿Y qué pasa con los paganos?

"¿Qué pasa con la persona que nunca ha oído de Jesucristo? ¿Será condenada al infierno?" Hay ciertas cosas que solo Dios conoce (vea Deuteronomio 29:29). En cuanto a algunas cosas, Dios no ha revelado plenamente su plan. Este es un caso. La Biblia sí ofrece algunos puntos muy claros que debemos tener en cuenta.

- Dios es justo. Lo que Él haga con los que nunca han oído de Jesucristo, será justo.
- Ninguna persona será condenada por rechazar a Jesucristo si no ha oído de Él; en cambio, dicha persona será condenada por violar su propia norma moral, no importa cuán alta o baja haya sido. Todo el mundo—cada persona, sea que haya oído de los Diez Mandamientos o no—está en pecado. Romanos 2 nos dice claramente que toda persona tiene algún tipo de norma, y que en toda cultura las personas violan deliberadamente la norma que tienen (Romanos 2:12–16).
- La Biblia indica que toda persona cuenta con la suficiente información sobre la creación para saber que Dios existe (Romanos 1:20: *"...de modo que no tienen excusa"*). El Salmo 19 confirma este hecho. Mateo 7:7–11 y Jeremías 29:13 dicen que si alguien responde a la luz que tiene y busca a Dios, Él le dará una oportunidad para oír la verdad acerca de Jesucristo.
- No hay ninguna indicación en la Biblia de que una persona pueda ser salvada fuera de Jesucristo (Juan 14:6). Solo Él expió nuestros pecados. Él es el único puente sobre el abismo que separa el logro humano más alto posible de la norma infinitamente santa de Dios (Hechos 4:12). Nosotros, los que nos llamamos cristianos, debemos ocuparnos de que quienes no hayan oído el evangelio, lo oigan.
- La Biblia es perfectamente clara en cuanto al juicio que aguarda a la persona que ha oído el evangelio. Cuando esa persona se enfrente a Dios, el tema no será los paganos. Esa persona específica tendrá que dar cuenta de lo que ha hecho personalmente con Jesucristo. Generalmente alguien plantea el problema de los paganos como una pantalla de humo en un esfuerzo por eludir la responsabilidad

personal. Tenemos que contestar la pregunta. Pero luego, al terminar el planteo, necesitamos centrarnos en la persona y su responsabilidad. ¿Qué hará ella con Jesucristo? Para una consideración más profunda de la ley moral inherente en el universo, vea *"Mere Christianity"* [Mero cristianismo], de C. S. Lewis.

**2. ¿Es Cristo el único camino a Dios?**

Ni la sinceridad ni la intensidad de la fe pueden crear verdad. La fe no tiene más validez que el objeto en el que está depositada. El verdadero tema es la cuestión de la verdad. Por ejemplo, el islamismo y la fe cristiana son muy similares en el campo moral y ético, pero ambas creencias se oponen diametralmente en la cuestión crucial: "¿Quién es Jesús?" El islamismo niega que Jesucristo sea el Hijo de Dios. Ambas creencias no pueden ser simultáneamente verdaderas en este punto. Una es correcta; la otra es incorrecta. Si la esencia misma de la fe cristiana es falsa, nuestra fe no tiene ningún valor.

Este tema tiene algunos aspectos emocionales. Los cristianos no son intolerantes, prejuiciados y presuntuosos cuando dicen que Cristo es el único camino a Dios. Los cristianos no tienen ninguna otra opción porque Jesucristo mismo lo dijo. Estamos tratando con la verdad que nos ha llegado por revelación, a través de la irrupción de Dios mismo, en Jesucristo, en la historia humana.

Algunas leyes y sus penalidades se determinan socialmente. Por ejemplo, si uno es detenido por exceso de velocidad, puede significar el pago de una multa. Pero en algunos otros aspectos de la vida, como ser en el campo físico, encontramos leyes que no están determinadas socialmente. La ley de la gravedad es una de estas leyes. En el campo moral, como en el físico, hay leyes que no están determinadas socialmente. Discernimos estas leyes a partir de lo que Dios ha revelado sobre la ley inherente del universo. Una de estas leyes es que Jesucristo es el único camino a Dios. Dorothy L. Sayers ofrece algunas ideas adicionales sobre este tema en *The Mind of the Maker* [La mente del Hacedor].

**3. ¿Por qué sufren los inocentes?**

"Si Dios es completamente bueno y todopoderoso, ¿por qué sufren los inocentes?" Aquí tenemos que admitir nuestra ignorancia parcial. No tenemos una explicación completa del origen del problema del mal, porque Dios ha escogido revelar solo una parte a nosotros. Dios creó el universo perfecto; la humanidad, a través de su libre albedrío, escogió desobedecer. El mal entró en el universo a través de la desobediencia del hombre. Debido a que la humanidad desobedeció y quebrantó la ley de Dios, el mal impregna el universo.

No debemos pasar por alto la presencia del mal en cada uno de nosotros. Si Dios ejecutara su juicio equitativamente, ninguno de nosotros sobreviviría. Suponga que Dios fuera a decretar: "Hoy a la medianoche el mal será erradicado del universo". ¿Quién de nosotros estaría aquí a la 01:00?

Luego de señalar el problema personal del hombre con el mal, tenemos que saber que Dios ha hecho todo lo posible para solucionar este problema. Entró en la historia humana en el Señor Jesucristo, y este murió para resolver este problema. Toda persona que responde voluntariamente recibe su regalo de amor, gracia y perdón en Jesucristo. C. S. Lewis ha señalado que no tiene sentido que especulemos sobre le problema del mal. El problema que todos enfrentamos es la *realidad* del mal. La única solución para esta realidad es el Hijo de Dios, Jesucristo.

### 4. ¿Cómo pueden ser posibles los milagros?

"¿Cómo pueden ser posibles los milagros?" En esta era científica, ¿cómo puede una persona inteligente, que observa el orden del universo, creer en los milagros?" El verdadero tema aquí es si Dios existe o no. Si Dios existe, entonces los milagros son lógicos y no plantean ninguna contradicción intelectual. Por definición, Dios es todopoderoso. Él puede intervenir en el universo que ha creado, y lo hace.

En última instancia, se nos pregunta: "¿Cómo puedo saber que Dios existe?" La historia registra muchos argumentos a favor de la existencia de Dios. Sin embargo, estos tienen refutaciones, y algunas evidencias parecen negarlos. Así que se los considera como indicios más que evidencia concluyente de la existencia de Dios.

La mayor indicación de la existencia de Dios es que Él vino a la historia humana. Sé que Dios existe, no por todos los argumentos filosóficos, sino porque vino a la historia humana en Jesucristo y me he encontrado con Él personalmente. Nuestra respuesta comienza con Él. Sus credenciales respaldan su afirmación. La suprema credencial es, por supuesto, el hecho de que resucitó de los muertos. Al ayudar a un no cristiano a pensar en la base intelectual de la fe cristiana, nuestra mejor defensa es un buen ataque. Una forma de estimular el pensamiento de la persona es preguntar: "¿En cuál de las otras tres posibilidades acerca de Jesús cree usted, ya que no cree que Él era la Verdad?" Hay solo cuatro posibles conclusiones sobre Jesucristo y sus afirmaciones. Fue un mentiroso, un lunático, una leyenda o la Verdad.

A. *Un mentiroso*. La mayoría de las personas cree que Jesús fue un gran filósofo moral y maestro. Llamarlo mentiroso sería una contradicción.

B. *Un lunático*. Él pensaba que hacía lo correcto, pero sufría de delirios de grandeza. El problema con esta conclusión es que los síntomas clínicos de la paranoia no encajan con las características de la personalidad de Jesucristo. El aplomo y la compostura que demostró no son característicos de los que sufren de problemas de paranoia.

C. *Una leyenda.* Él nunca hizo las afirmaciones que se le atribuyen. Fueron puestas en su boca por seguidores demasiado entusiastas del tercer y cuarto siglo. Sin embargo, la arqueología moderna hace que esta teoría sea difícil de sostener. Hay hallazgos recientes que confirman que los documentos del Nuevo Testamento fueron escritos durante la vida de los contemporáneos de Jesucristo. El desarrollo de una compleja leyenda hubiera requerido un período de tiempo mucho mayor.

También debemos analizar con la persona lo que significa probar o no probar a Dios. Nunca podremos probar a Dios por el método científico. Pero eso no significa que el nuestro sea un caso perdido. El método científico es un medio de verificación que está limitado a los aspectos mensurables de la realidad. Nadie puede medir el amor, el odio o la justicia. Sin embargo, hay una ciencia de la historia. Al examinar la información sobre la fe cristiana, y especialmente la evidencia de la resurrección, encontramos un caso sólido sobre el cual podemos basar nuestra convicción.

Estas son las ideas que tenemos que sugerir a la persona que asume una posición básicamente materialista, basada en presuposiciones racionalistas, y que dice que, como no existe lo sobrenatural, los milagros son imposibles. Cuando alguien comienza con esta presuposición, no habrá evidencias suficientes que puedan convencerla de la verdad. Si usted comenzara por negar que los milagros sean posibles, ¿qué evidencia lo convencería de que un milagro ha ocurrido? Ninguna. Cristo trató con este problema en Lucas 16:27–31. El principio aún se mantiene hoy. La información que tenemos acerca de la visitación de Dios a este planeta es un fundamento suficiente para creer. Cuando alguien se niega a aceptar esta evidencia, no habrá evidencia adicional que convenza a esa persona.

### 5. ¿No está la Biblia llena de errores?

"¿Cómo reconcilia usted su fe con el hecho de que la Biblia está tan llena de errores?" Primero, pregunte qué errores específicos la persona tiene en mente. El noventa y nueve por ciento de las veces a las personas no se les ocurre ninguno. Si la persona tiene un problema específico y usted no tiene la respuesta, no entre en pánico. En cambio, sonríale informalmente y diga: "No tengo la respuesta a este tema, pero con todo gusto se lo averiguaré". Si la persona no ha leído la Biblia, es una buena indicación de su falta de sinceridad al cuestionarla. Pero no enfatice demasiado este punto, y nunca se burle de alguien ni trate de argumentar por el ridículo. Esto solo desprestigia el evangelio.

La Biblia ciertamente contiene algunas aparentes contradicciones. Pero, vez tras vez, una aparente contradicción ha sido reivindicada por los descubrimientos de la arqueología moderna. El Dr. Nelson Glueck, un destacado arqueólogo judío, hizo la siguiente afirmación asombrosa: "Ningún descubrimiento arqueológico ha impugnado jamás una referencia bíblica".

La evolución puede ser un problema si significa una conclusión atea para alguien. Sin embargo, el verdadero problema no es la evolución, sino enfrentarse con Cristo mismo. Pregunte:

"¿Qué conclusión saca de su posición evolucionista: que el universo es resultado de la casualidad? ¿O está diciendo que Dios creó el universo y lo hizo mediante procesos evolucionistas? No estoy convencido de esa posición específica, pero supongamos por un instante que es correcta. ¿Qué conclusión saca?"

A partir de ahí, dirija la atención a lo que Jesucristo dijo e hizo. Cómo Dios creó el universo no es tan importante como el hecho que lo hizo. La presuposición que tiene, y no la evidencia real, a menudo determina la conclusión de la persona. Puede hacerse un caso aparentemente fuerte a favor de la posición naturalista ignorando la evidencia a favor de Jesucristo. Pero si la persona quiere ser intelectualmente sincera, debe afrontar el hecho de Jesús. Hay una cantidad sorprendente de no cristianos que nunca han pensado realmente en la evidencia a favor de Jesucristo.

**6. ¿Acaso la experiencia cristiana no es solamente psicológica?**

Hay quienes sugieren que tenemos fe solo porque hemos sido condicionados desde los primeros años de nuestra infancia; hemos sido criados como los perros de Pavlov. Pero esto es una simplificación excesiva. Hay cristianos que se han convertido de todos los trasfondos imaginables. Hay miles de personas que no han tenido ningún contacto con la fe cristiana en su infancia. Sin embargo, cada uno de ellas testifica de un encuentro personal con Cristo que transformó su vida. El Señor mismo—y Él solo—es el único factor constante.

Hay otros que afirman que los ideales espirituales son, en esencia, deseos realizados. Estos pueden rastrearse a que la persona siente una necesidad de Dios, crea una imagen en su mente y luego adora esa proyección mental. La realidad objetiva está ausente por completo. La religión es llamada una muleta para personas que no pueden manejar la vida. Las personas religiosas están autohipnotizadas.

¿Cuál es nuestra evidencia objetiva de nuestras experiencias subjetivas? La fe cristiana difiere de la autohipnosis, los deseos realizados y todos los demás fenómenos psicológicos. La diferencia es que la experiencia subjetiva del cristiano está vinculada firmemente con un hecho objetivo e histórico, a saber, la resurrección de Jesucristo de entre los muertos.

Si la resurrección es verdadera, significa una colosal diferencia. Es la confirmación de la revelación de Dios en Cristo, una verdad absoluta, un hecho histórico fuera de nosotros, un hecho objetivo al cual está vinculada nuestra experiencia subjetiva. Necesitamos mantener lo objetivo y lo subjetivo en su perspectiva correcta. Necesito reconocer que mi experiencia está basada en el fundamento sólido de un hecho objetivo en la historia.

*Evidence for the Resurrection* [Evidencias de la resurrección], por J. N. D. Anderson, es un breve y útil resumen. El autor considera la importancia y las diversas alternativas que han sido propuestas para tratar de explicar la resurrección, y demuestra por qué, a la luz de la información, cada explicación es inadecuada.

### 7. ¿Acaso una buena vida moral no me llevará al cielo?

Un estudiante de la Universidad de Duke dijo: "Si Dios califica de acuerdo con un promedio, voy a pasar". La mayoría de las personas acepta la filosofía de que solo tenemos que hacer nuestro mejor esfuerzo y entonces todo estará bien; al menos, podremos "pasar". Esta actitud demuestra un optimismo increíble con relación a la justicia del hombre y una total ignorancia acerca de la infinita santidad de Dios. Dios no califica según el promedio. Él tiene una norma absoluta: Jesucristo. La luz destruye la oscuridad. El carácter de Dios brilla tanto en su pureza que consume todo mal. En la presencia de Dios seríamos consumidos por la corrupción de nuestra vida. La justicia perfecta de Jesucristo es la única base sobre la que podemos entrar en comunión con el Dios vivo.

La moralidad no es la respuesta. Para el holgazán de un barrio marginado, el universitario o la persona sumamente moral, todo esfuerzo humano es inútil. Nadie podría nadar la distancia que separa al continente americano de Hawaii. Todos se ahogarían. Ninguna instrucción sobre cómo nadar sería de ayuda. Necesitamos que alguien nos lleve a Hawaii. Es aquí donde entra Cristo.

Si usted pudiera vivir una vida que es absolutamente perfecta, podría llegar al cielo con sus propios recursos. Pero nadie ha logrado hacerlo, ni nadie lo logrará jamás. Todas las demás religiones del mundo son, en esencia, un conjunto de instrucciones sobre cómo nadar, códigos de ética sugeridos para un maravilloso patrón de vida. Pero el problema básico del hombre no es que no sepa *cómo* vivir, sino que le falta el *poder* para vivir como debería vivir. La buena noticia es que Jesucristo, que irrumpió en la historia humana, hace por nosotros lo que no podríamos hacer de ninguna forma por nosotros mismos. A través de Él podemos ser reconciliados con Dios, recibimos su justicia y podemos tener comunión con Él en su misma presencia.

# APÉNDICE B

# UNA COMPARACIÓN DE LA FE CRISTIANA CON LAS PRINCIPALES RELIGIONES Y SECTAS

| CRISTIANOS | BUDISTAS |
|---|---|
| *Dios* | |
| Dios es omnisciente y omnipotente (Job 42:2; Salmos 115:3; Mateo 19:26). | Niegan la existencia de Dios |
| *Jesucristo* | |
| Es el único Hijo de Dios, quien murió por el pecado de la humanidad (Mateo 14:33; 16:16; Juan 1:34; 9:35–37; Romanos 5:6–8; 1 Corintios 15:3). | Fue un gran maestro, menos importante que Buda. |
| *El pecado* | |
| El pecado es todo pensamiento o acción contrario a la voluntad de Dios. La humanidad está espiritualmente muerta en el pecado (Romanos 3:10, 23; 5:12; Efesios 2:1). | El pecado es todo lo que impide el progreso de la humanidad. Cada persona es responsable de su propio pecado. |
| *La salvación* | |
| La salvación es exclusivamente a través de los esfuerzos de Cristo (Hechos 4:12; Efesios 2:8–10; Tito 3:5). | La salvación es exclusivamente por el esfuerzo propio. |

| **CRISTIANOS** | **CIENCIA CRISTIANA** |
| --- | --- |
| ***Dios*** | |
| Dios es una persona. Él creó el universo y creó al hombre a su propia imagen (Génesis 1:1, 26). Dios, como persona, ve, oye, habla, recuerda, conoce (Génesis 6:5; Éxodo 2:24; Números 11:1; Salmos 79:8; 2 Timoteo 2:19). | Dios es un Principio impersonal, no una persona. Mary Baker Eddy (fundadora del movimiento) escribe: "Dios es todo... esa alma, o mente, del hombre espiritual es Dios, el Principio Divino de todo ser". |
| ***Jesucristo*** | |
| Cristo es uno con Dios. Jesús dijo: *"Yo y el Padre uno somos"* (Juan 10:30). Los cristianos encuentran muchas evidencias de la deidad de Cristo en la Biblia (1 Juan 1:1; Filipenses 2:5–8; 1 Juan 2:22–23). | Jesús no fue Dios. *Ciencia y Salud* dice: "Jesucristo no es Dios" (p. 361). Los seguidores de la Ciencia Cristiana consideran a Cristo como un hombre excepcional, un gran maestro, pero niegan su deidad. |
| ***La materia*** | |
| Lo que le hombre ve, toca, siente, huele y oye es real. Jesús demostró la realidad de la materia. Se hizo carne (Juan 1:14). Tuvo hambre (Mateo 4:2). Dio de comer a otros (Mateo 14:16). | Solo existe el Principio (Dios), y todo lo demás es una "ilusión". No existe la materia; las cosas materiales (el cuerpo de una persona, etc.) no son reales. |
| ***El pecado*** | |
| El pecado es real. Se origina en el corazón y la mente del hombre, y separa al hombre de Dios. El resultado último del pecado es la muerte (Isaías 59:2; Marcos 7:21–23; Romanos 5:12; 6:23). | El pecado, el mal y la muerte no existen. *Ciencia y Salud* afirma: Dado que Dios es Todo, no hay lugar para lo opuesto... por lo tanto, el mal, al ser lo opuesto de la bondad, es irreal" (p. 234). |

| **CRISTIANOS** | **CIENCIA CRISTIANA** |
|---|---|
| ***La expiación y la resurrección*** | |
| La sangre vertida por Cristo expió los pecados de la humanidad (1 Pedro 2:24), y Cristo murió y resucitó de los muertos en forma corporal (Juan 20:16–17, 20, 27). | La sangre vertida por Cristo en la cruz no limpió al hombre del pecado, y sus discípulos fueron engañados al pensar que estaba muerto cuando, en realidad, estaba vivo en la tumba (*Ciencia y Salud*, pp. 330, 349). |

| **CRISTIANOS** | **HINDÚES** |
|---|---|
| ***Dios*** | |
| Dios es un Ser externo, personal, espiritual en tres personas: Padre, Hijo y Espíritu Santo (Mateo 3:13–17; 28:19; 2 Corintios 13:14). | "Brahman", el concepto hindú de Dios, es un ser sin forma, abstracto, eterno que no tiene atributos. Brahman puede manifestarse como una trinidad y como millones de dioses inferiores. |
| ***Jesucristo*** | |
| Cristo es el unigénito Hijo de Dios el Padre. Él es Dios, además de hombre; Él es sin pecado; y murió por nuestra redención (Marcos 10:45; Juan 1:13–14; 8:46; 10:30; Hebreos 4:15; 1 Pedro 2:24). | Cristo es solo una de muchas encarnaciones, o hijos de Dios. Él no es más divino que ningún otro hombre, y no murió por los pecados de la humanidad. |
| ***El pecado*** | |
| El pecado es la rebelión altiva e independiente que separa al hombre de Dios. Significa no alcanzar las normas que Dios ha establecido en su Palabra. El pecado debe ser castigado, y su consecuencia es la muerte y la separación eterna de Dios (Romanos 3:23; 6:23). | El bien y el mal son términos relativos. Todo lo que ayuda es bueno; todo lo que obstaculiza es corrupción. Las personas no pueden evitar "tropezar" con estos obstáculos en su lucha por el conocimiento de sí mismas. Si no pueden tener éxito en esta vida, podrán intentarlo de nuevo en una forma reencarnada. |

| CRISTIANOS | HINDÚES |
|---|---|
| ***La salvación*** | |
| Las personas pueden ser justificadas solo a través de la muerte sacrificial y la resurrección de Jesucristo (Romanos 3:24; 1 Corintios 15:3). | Las personas son justificadas a través de la devoción, la meditación, las buenas obras y el autocontrol. |

| CRISTIANOS | TESTIGOS DE JEHOVÁ |
|---|---|
| ***Dios*** | |
| Dios es un Ser externo, personal, espiritual en tres personas: Padre, Hijo y Espíritu Santo (Mateo 3:13–17; 28:19; 2 Corintios 13:14). | Dios es un único ser solitario, Jehová Dios. No existe la Trinidad. |
| ***La inmortalidad*** | |
| Las personas tienen un alma eterna e inmortal (Génesis 1:26; 5:1; Job 32:8; Hechos 7:59; 1 Corintios 11:7). | Las personas no tienen un alma inmortal. El alma no está separada del cuerpo. |
| ***Jesucristo*** | |
| Cristo es divino, una parte de la Trinidad, Dios mismo (Juan 1:1; Colosenses 1:15–19; 2:9; 1 Juan 5:7–8). | Cristo no fue Dios; fue la primera criatura creada por Dios. |
| ***La expiación*** | |
| La muerte de Cristo fue el pago completo por los pecados del hombre (Romanos 3:24–25; 2 Corintios 5:20; Colosenses 1:20; 1 Pedro 2:24). | La muerte de Cristo brinda al hombre la oportunidad para trabajar por su salvación, que consistirá en una vida humana perfecta por la eternidad en una tierra parecida al Edén. |

| CRISTIANOS | TESTIGOS DE JEHOVÁ |
|---|---|
| ***La resurrección de Cristo*** | |
| Cristo fue resucitado físicamente de la tumba (Lucas 24:36–43; Juan 2:21; 20:24–29). | Cristo fue resucitado, no en forma corporal, sino como un "espíritu divino". |
| ***El retorno de Cristo*** | |
| Cristo regresará a la Tierra físicamente (Zacarías 12:10; Mateo 24:30; 1 Tesalonicenses 4:16–17; Apocalipsis 1:7). | Cristo volvió a la Tierra—invisiblemente—en 1914, y ahora gobierna la Tierra desde el cielo. |
| ***El infierno*** | |
| El infierno es el lugar de castigo eterno por el pecado (Mateo 5:22; 8:11–12; 13:42, 50; 22:13; Lucas 13:24–28; 2 Pedro 2:17; Judas 13; Apocalipsis 14:9–11). | No existe el infierno ni el castigo eterno. Los que no cumplen con las normas de Dios serán aniquilados; dejarán de existir. |

| CRISTIANOS | JUDÍOS ORTODOXOS |
|---|---|
| ***Dios*** | |
| Hay un Dios, que existe como Padre, Hijo y Espíritu Santo: la Trinidad. Dentro de la "esencia" única de la Deidad hay tres personas que son Dios, coigualmente y coeternamente (Mateo 3:13–17; 28:19; 2 Corintios 13:14). | La Deidad consiste de una sola persona. "Oye, Israel: Jehová nuestro Dios, Jehová uno es" (Deuteronomio 6:4). |

| CRISTIANOS | JUDÍOS ORTODOXOS |
| --- | --- |
| ***El pecado*** | |
| Hay un Dios, que existe como Padre, Hijo y Espíritu Santo: la Trinidad. Dentro de la "esencia" única de la Deidad hay tres personas que son Dios, coigualmente y coeternamente (Mateo 3:13–17; 28:19; 2 Corintios 13:14). | La Deidad consiste de una sola persona. "Oye, Israel: Jehová nuestro Dios, Jehová uno es" (Deuteronomio 6:4). |
| ***La salvación*** | |
| La humanidad es justificada ante Dios y obtiene la salvación a través de la muerte expiatoria de Cristo en la cruz. La salvación es un don de Dios que se recibe a través de la fe (Romanos 3:24; 1 Corintios 15:3; Efesios 2:8–9). | Toda persona, sea judía o no, puede obtener la salvación consagrándose a Dios y a la vida moral. El judaísmo espera una vida después de esta; sin embargo, no hace tanto énfasis en preparar al hombre para el mundo venidero como en guiar el comportamiento ético y moral en esta vida presente. |
| ***Jesucristo*** | |
| Cristo es el Hijo unigénito de Dios, el Mesías predicho en Isaías 53. Si bien es parte de la Deidad, se hizo hombre, vivió una vida sin pecado y murió para redimir a toda la humanidad del pecado (Marcos 10:45; Juan 1:13–14; 8:46; 10:30; Hebreos 4:15; 1 Pedro 2.24). | Si bien es posible que algunos judíos acepten a Jesús como un buen maestro de ética, no lo aceptan como Mesías porque (1) no trajo una paz duradera, y (2) porque dijo ser Dios. Los judíos creen que su Mesías será un ser humano enviado por Dios para librar a Israel de la opresión, no un ser divino enviado para salvar a las personas de su pecado personal. |

| CRISTIANOS | MORMONES |
|---|---|
| ***Dios*** | |
| Dios es singularmente eterno y todopoderoso, el único ser de este tipo en existencia (Salmos 145:13; Juan 4:24; 1 Timoteo 1:17). | Dios es un ser material que fue una vez humano. Nosotros también somos ahora humanos que un día seremos dioses. |
| ***La Biblia*** | |
| La Biblia, dada por el Espíritu de Dios, es completa en sí misma y no necesita agregados. De hecho, los agregados a la Biblia están prohibidos (Deuteronomio 4:2; 12:32; Proverbios 30:5–6; Gálatas 1:8; Hebreos 1:1–2; Apocalipsis 22:18–19). | Los escritos de Joseph Smith son agregados divinamente inspirados a la Biblia. |
| ***El pecado*** | |
| Las personas no son como dioses, sino pecadoras y separadas de Dios. Pueden tener una relación con Dios solo a través de la fe en Cristo. Fuera de Cristo, están perdidas (Juan 1:29; Romanos 5:12–19; 6:23; Gálatas 3:13; Efesios 2:1–2). | Los humanos se vuelven dioses progresivamente. El pecado de Adán en el Edén fue necesario a fin de dar a luz los hijos espirituales de Dios que estaban listos y esperando la experiencia de la vida en la Tierra. |
| ***La salvación*** | |
| La salvación es un regalo gratuito provisto por la gracia (amor inmerecido) de Dios para todos los que creen en su plan y lo aceptan (Juan 12:26; 14:1–3, 6; Efesios 2:8–9; 1 Juan 3:1–2). | La salvación viene por obras; todos pasarán la eternidad en algún nivel de un cielo de múltiples pisos, donde el nivel estará determinado por el alcance de las buenas obras de cada uno. |

| CRISTIANOS | MUSULMANES |
|---|---|
| ***Dios*** | |
| Hay un Dios, revelado en la Biblia como Padre, Hijo y Espíritu Santo. Dentro de la única "esencia" de la Deidad hay tres personas que son coigualmente y coeternamente Dios (Mateo 3:13–17; 28:19; 2 Corintios 13:14). | Hay una sola persona en la Deidad (Alá significa "el Dios"). |
| ***Jesucristo*** | |
| Jesucristo es el Hijo de Dios; Él es uno con el Padre; Él es el redentor sin pecado del hombre pecador, a través de su muerte en la cruz y su resurrección de los muertos (Juan 1:13–14; 1 Corintios 15:3; Hebreos 4:15; 1 Pedro 3:18). | Jesucristo fue solo un hombre, un profeta igual que Adán, Noé, Abraham y Moisés, todos los cuales están por debajo de Mahoma en importancia. Cristo no murió por los pecados de la humanidad; de hecho, Judas—y no Jesús—murió en la cruz. |
| ***El pecado*** | |
| El pecado es la rebelión altiva e independiente contra Dios, de forma activa o pasiva (Romanos 1:18–23; 3:10, 23). | El pecado es no hacer la voluntad de Alá, no cumplir con los propios deberes religiosos según se detallan en "Los cinco pilares de la fe". |
| ***La salvación*** | |
| Cristo murió por nuestros pecados (1 Corintios 15:3–4). | Las personas ganan su propia salvación y pagan por sus propios pecados. |

| CRISTIANOS | UNITARIOS |
|---|---|
| ***Dios*** | |
| Dios se revela en la Biblia como Padre, Hijo y Espíritu Santo: la Trinidad (Mateo 3:13–17; 28:19; 2 Corintios 13:14). | Hay una sola persona en la Deidad. Dios no es una deidad personal y la palabra *Dios* se refiere a los procesos vivos de la naturaleza y de la conciencia que trabajan en la humanidad. |
| ***La Biblia*** | |
| La Biblia está inspirada divinamente y es la única guía y autoridad para la fe (1 Tesalonicenses 2:13; 2 Timoteo 3:15–17; 2 Pedro 1:19–21). | La Biblia es una colección de mitos, leyendas y escritos filosóficos. |
| ***Jesucristo*** | |
| Cristo es divino, parte de la Trinidad: Dios mismo. Cristo habló de sí mismo frecuentemente como Dios (Juan 8:12–30, 58). | Jesucristo no fue más ni menos divino que cualquier hombre. |
| ***El pecado*** | |
| Las personas son inherentemente pecadoras y hay una sola forma en que pueden librarse de su naturaleza pecaminosa: a través de la fe, por la gracia (amor inmerecido) de Dios (Efesios 2:8–9; 4:20–24). | Las personas son básicamente buenas y pueden salvarse a sí mismas. |

Adaptado con permiso de *So What's the Difference*, de Fritz Ridenour (Ventura, Calif.: Gospel Light, 1979). Para otras lecturas, consulte esta valiosa fuente publicada en español con el título: *¿Cuál es la diferencia?* (Terrasa, Barcelona: Editorial Clie).

# ÍNDICE TEMÁTICO